Richard Millet

La gloire
des Pythre

ÉDITION REVUE
PAR L'AUTEUR

Gallimard

Richard Millet est né à Viam, en Corrèze, en 1953. Il vit et travaille à Paris. Son ouvrage *Le sentiment de la langue* a obtenu le prix de l'Essai de l'Académie française en 1994.

Les âmes innocentes ont-elles aussi
les pleurs et les amertumes de la pénitence ?

BOSSUET

PREMIÈRE PARTIE

Prunde

1

En mars, ils se mettaient à puer considérablement. Ça sentait bien toujours un peu, selon les jours, lorsque l'hiver semblait céder et que ça se réveillait, se rappelait à nous, d'abord sans qu'on y crût, une vraie douleur, ancienne et insidieuse, que l'on pensait éteinte, qu'on avait fait mine d'oublier et qui revenait, par bouffées, haïssable comme les vents d'une femme aimée ; et ça poursuivrait tous ceux qui l'auraient respirée — Chat Blanc plus que les autres, qui sentirait l'odeur douceâtre, un peu sucrée, puis sure, maligne, triomphale et révoltante, longtemps après qu'il aurait quitté la combe natale, à Prunde, sur le bord oriental du haut plateau, dans le temps que le siècle s'achevait, qu'on entrait dans un âge nouveau et que nous étions oubliés sur notre socle de granit, martelés sur la pierre par la misère et par le froid, hors du temps, sinon éternels, non pas en tant qu'individus mais de père en fils, et du fond des âges, dans la pérennité sonore des patronymes et des prénoms, et d'une fibre et d'un grain aussi puissants que le hêtre, la pierre, l'hiver ou le vent du nord sur la lande.

Il sentirait jusqu'à la fin l'odeur des corps que l'on gardait à la mauvaise saison, s'il y avait trop de neige, d'abord dans l'ancien grenier des Gorce, puis dans cette baraque sur pilotis qui ressemblait à un clapier dressé contre le ciel et qu'on avait fini par élever derrière chez Niarfeix, à l'entrée d'un grand pré en pente douce qui se redressait à son extrémité en se tordant comme pour ne rien perdre de la lumière, de cette belle et froide lumière du nord-est dont les plus rudes d'entre nous tiraient leurs certitudes.

L'odeur, quand elle se réveillait dans d'autres vents que ceux qui tombaient de Gentioux ou du Franc-Alleud, butait d'abord contre la grange de Niarfeix, et, sans s'attarder à cette basse muraille de pierre grise, s'élevait à la verticale des toits et des pentes de Prunde, fléchissait, planait au-dessus de nos têtes pour retomber au cœur du hameau où les bêtes la respiraient les premières : elles se mettaient à mugir, à souffler, à tirer sur leurs chaînes, à donner des coups de corne ou de sabot, tandis que les chiens cessaient d'aboyer, s'aplatissaient sur la pierre des seuils et regardaient les gens d'un air méfiant, babines étrangement retroussées, yeux luisants. Seule la basse-cour semblait indifférente, et aussi les oiseaux qui la traversaient avec des cris perçants, presque joyeux et insolents, tandis que nous feignions de nous y faire, même si, d'heure en heure, jour après jour, et la nuit, surtout, au redoux, elle nous soulevait toujours mieux le cœur, nous coupant l'appétit, nous inclinant à boire, à parler ou à nous taire plus que de raison. Mais alors la raison n'avait plus guère cours ; nous ne pouvions oublier l'odeur ni, avec elle, ceux qui venaient de nous quitter, ni les autres, ceux qui étaient morts depuis si longtemps qu'il ne leur restait plus que cette puanteur anonyme pour se rappeler aux vivants. La peine était pourtant bien là, la peine de ceux que l'hiver trouvait soudain orphelins, ou veufs, ou esseulés ; la peine aussi de ceux qui ne savaient compatir et qui avaient peur de se retrouver plus tôt qu'ils ne pensaient exposés à leur tour dans la grande lumière des morts, disait le vieux Rebelier qui ne parlait jamais comme tout le monde ; et ils se reniflaient, ces transis, pour voir s'ils ne se mettaient pas à puer déjà.

C'était donc la neige qui nous empêchait, en ce temps-là, de quitter notre entaille au flanc du plateau, si obscure sous ses grands arbres que nous avions fini par croire ce que disait de nous le curé de Saint-Sulpice : que nous étions ombrageux, rétifs et opiniâtres (des gourles, ajoutait-il, qui avaient oublié qu'il existe des villes blanches et roses, des rivières lentes, des rivages sans fin, des hommes qui ne parlaient pas notre patois), et que les monts d'Auvergne, à l'horizon, quand on avait grimpé les trois kilomètres de chemin en lacets et atteint la route qui débouche sur la lande, nous apparaissaient avec leurs hautes neiges sur l'azur aussi lointains et fabuleux que les montagnes du Tibet.

Nous n'avions pas le droit, à Prunde, d'ensevelir nos morts. Ni église, ni mairie, ni école : quelques feux assez récents, assemblés là parce que les vents y sont un peu moins violents que là-haut, sur la grande table de pierre, et que la plaine, de l'autre côté, en contrebas, par-delà les forêts et les collines, a l'air, dans sa profondeur bleu sombre, aussi peu habitable que l'océan. Et lorsque le vent noir cédait, que ça soufflait du côté de la Creuse et de la Haute-Vienne, que la pluie faisait gonfler les portes et les doigts des pauvres vieux, alors, disions-nous, les morts commençaient à parler ; et nous sentions que le temps approchait où il nous faudrait préparer les charrettes. L'un de nous partirait dans la nuit et monterait jusqu'à Saint-Sulpice, Millevaches ou Chavanac, pour nous annoncer. Et dès l'aube, tout Prunde était sur pied, autour de plusieurs feux allumés à l'entrée du grand pré et dans la cour des Gorce. Quelques vieilles, trop faibles pour suivre les voitures, ne s'étaient pas couchées, avaient veillé dans la maison des morts, devisant ou priant, ou se taisant — ce qui était la même chose, le même dialogue avec les disparus, rappelant leur histoire, inlassablement, parce que c'était la seule façon de lutter contre l'odeur et de garder un peu de dignité, et remâchant de leur voix usée ce qui les distinguait des charognes qu'on devenait, là-bas, sur les pilotis que le vent faisait tressauter dans la nuit : des histoires, celle des défunts ou la leur, à elles, ou bien d'autres — c'étaient souvent les mêmes, à peu de chose près ; et on venait une dernière fois les écouter, des femmes surtout, malades ou en relevailles, qui ne pourraient non plus accompagner les charrettes et qui, plus tard, un autre hiver, rediraient ces histoires quand ce seraient les parleuses qui pueraient sur les pilotis.

Comment ne pas songer à ce que nous deviendrions, dans nos mauvais cercueils, pauvres charognes plus à plaindre que nos bêtes, et trouver en nous assez de bonté pour que cette odeur, subtile et grossière, insolente même, ne nous dressât pas contre nos morts, ni les uns contre les autres, mais nous attendrît un peu, nous apitoyât sur eux comme sur nous qui deviendrions semblables à eux, tout de même que nous finissions par ne plus haïr les monstres que nous avions pu engendrer et que (quand nous ne les tuions pas de nos propres mains ainsi que l'avait fait le fermier Chaudagne, près de Gioux) nous laissions vivre en paix au fond de nos maisons ? Alors nous avions pitié ; nous avions peur de voir la vérité en face ; ce travail-là n'était pas pour nous. Et ils resteraient là, les vieux, les femmes faibles et les innocents, le chapelet aux doigts ou une branche de buis, assis sur des bancs ou des tabourets de traite, autour d'une chandelle, d'une lampe Pigeon, ou même d'un peu

16

d'huile brûlant au creux d'une grosse pomme de terre, après s'être tenus debout, dans l'aube, à l'entrée du grand pré, avec les autres, mais un peu en retrait, comme s'ils n'appartenaient pas tout à fait au jour, à ce jour-là du moins, et que pour de longues heures ils dussent être rendus à la semi-obscurité des chambres et des salles froides au fond desquelles leurs visages blanchiraient, s'ouvriraient, se délieraient à mesure que l'odeur s'éloignerait de Prunde.

D'ailleurs, nous n'aurions pu nous résoudre, si nous en avions eu le droit, à les donner simplement à la terre, ici même, sans curé ni officier de santé (et nous ne les vidions ni ne les salions comme on le murmurait à Meymac depuis qu'on y avait vu le père Rebelier feuilleter une brochure de taxidermie). Nous étions de vrais chrétiens, sans doute pas bien braves mais point pires qu'ailleurs, et nous aurions eu trop peur qu'enterrés comme ça, en terre non consacrée, les âmes de nos morts fussent perdues et revinssent hurler avec les vents des hivers futurs dans les bois et les champs et jusque dans nos cheminées. Nous préférions nous en tenir à l'odeur ; c'était du moins ce que nous soutenions, à l'automne, farauds et grimaçants, lorsque nous commencions à redouter que l'un d'entre nous ne passât point l'hiver et que nous regardions de travers les vieillards et les malades.

C'était le grand Niarfeix, avec l'aîné des Gorce, qui irait ouvrir la porte de la baraque et en tirerait les cercueils, en tremblant un peu sur l'échelle, la figure enveloppée d'un cache-nez, un grand chapeau de feutre noir sur la tête. On entendrait le bois racler dans l'aube, avec le vent dans les branches des grands peupliers de la source, les murmures des femmes, les cris lointains des corneilles et des choucas, le bruissement des ruisseaux qui dégelaient. Tout Prunde se tiendrait derrière la charrette attelée de vaches rousses

17

qui rechigneraient à s'approcher trop des pilotis ; et il faudrait agiter sous leur mufle d'incessantes poignées de foin. Cela, Chat Blanc l'avait souvent fait, tout de même qu'il avait empêché, assis au bord du pré, les corbeaux de s'assembler trop nombreux sur le toit de la baraque, et aussi surveillé les feux de feuilles et de bois humide qu'on allumait parfois dans la cour des Gorce, près de la source, et devant chez Niarfeix, lorsque le vent tournait, pour tenter de ruser avec l'odeur. Il avait, comme les autres, accroupi devant la maison des morts, connu très tôt ce tête-à-tête silencieux avec les nuages, le ciel trop bleu, le froid, les disparus — avec l'odeur plutôt, contre laquelle on ne pouvait décidément pas grand-chose : elle s'engendrait elle-même, sans cesse, faisait semblant de faiblir, de disparaître, se déguisait, était près de sentir bon, pour mieux resurgir et se mêler à tout, sans qu'on pût s'y faire, ni s'y résigner vraiment. Elle nous ramenait à nous-mêmes, nous sommait de regarder en nous ; et si on ne la haïssait pas tout de suite, c'était (du moins dans les premiers temps de l'hiver) qu'elle nous faisait apprécier le peu que nous étions ; alors, malgré le froid, nous nous rappelions que nous étions en vie, que l'hiver n'était pas plus éternel que nous, et que nous avions su rire.

Pendant les grands froids, Dieu merci, on ne la sentait pas ; si bien que nous avions fini, nous qui n'avions ni curé, ni maire, ni maître d'école et aux yeux de qui le grand Niarfeix, parce qu'il possédait trois vaches et deux arpents de plus, passait pour un notable, nous avions fini par aimer le gel, furieusement, qui faisait taire les morts, les pauvres morts enfin étranglés, songions-nous sans remords, entre leurs mauvaises planches. Et puis on riait, réapprenait à manger, à sourire ; on écoutait le cadet des Gorce soutenir que nous avions bien tort de nous plaindre, que cette odeur-là n'était rien à côté de ce qu'il avait respiré dans les rues de Bort, près des tanneries ; rien non plus, ajoutait le petit Vedrenne, en comparaison d'un cul de femme malpropre ; et il se vantait d'avoir senti ça dans un bordel de Périgueux, pendant son service militaire ; et ça puait bien davantage sous les jupes de la mère Moreau, murmura-t-il en désignant de la tête une petite vieille assise dans l'âtre, le visage abîmé dans ses rides et qui n'entendait pas.

On ne s'y faisait donc pas. On faisait semblant. On voulait rester digne et on vivait bruyamment, pour s'étourdir. Beaucoup s'inventaient de l'ouvrage dehors, dans les bois, sur les pentes de la combe, dans les ravins d'en bas, malgré les vents qui leur frappaient la bouche. Jamais on ne s'affaira davantage, chez nous, et avec une fureur plus noire ; jamais nos bois ne furent mieux éclaircis, jamais on ne traqua le renard aussi loin de nos feux, jamais nos vies ne furent aussi semblables à celle d'un enfant qui a peur. Il arrivait même qu'on sentît l'odeur les hivers où il ne mourait personne. Bien des années plus tard, Chat Blanc se rappellerait combien il l'avait haïe, cette odeur, dès qu'il la respira, ses lentilles avalées et rendues aussitôt qu'il avait compris que c'était la mère Coupat qui puait de la sorte et avant même qu'il sût ce que c'était que la mort — ce qu'il connut l'hiver où mourut Firmin Rebelier, celui-là même qui disait que les morts parlaient et qui devait à présent parler au milieu d'eux. On l'appela dès lors le pauvre Firmin, car ils devenaient pauvres, dès qu'ils mouraient, plus misérables encore qu'ils ne l'avaient été pendant toute leur vie, c'est-à-dire entrés dans la grande pitié comme dans les puissants vents d'hiver, et puant plus qu'aucune carcasse de bête, et apportant avec eux le souvenir des autres hivers, rendus à la même odeur, désespérante et anonyme, où ils continuaient de mourir et qui semblait à la fin ne plus venir de nulle part ; si bien que la combe de Prunde était devenue — et d'abord pour nous autres — un endroit quasi maudit dont la pestilence s'élevait, disait-on, jusqu'au plateau avant d'atteindre le ciel.

Et on finissait par plaindre ces pauvres morts, oui, par accepter de les plaindre, faute de les regretter, tout comme là-haut, à Saint-Sulpice, Chavanac ou Millevaches, on devait bien finir par nous plaindre, nous qui étions devenus, sinon des damnés, du moins de muets intermédiaires entre les vivants et les morts. Oui, nous les plaignions de sentir si abominablement et de ne pas se décider à s'en aller ; et il nous fallait encore mieux nous indigner, prendre sur nous et garder notre pitié pour les vrais jours de colère, même s'il apparaissait qu'en fin de compte l'odeur nous protégeait d'une plus grande indignation, si nous avions pu y songer, encore que la pensée nous effleurât par moments de ce que jour après jour devenaient les corps qui reposaient sur les pilotis. De quoi on ne parlait cependant jamais, ni ne voulait avoir une idée qui dépassât le frisson ou l'obscur souvenir de charognes oubliées dans les ravines ; car ce n'était plus là, comme l'avait dit le curé de Saint-Sulpice, l'affaire des hommes ni de Dieu, mais une affaire entre la terre et les hommes, une restitution mystérieuse et simple, la condition du pardon.

2

Peut-être se le rappela-t-il le jour où sa mère mourut — où il la trouva morte dans son lit, au fond de la pièce dans laquelle ils mangeaient, dormaient, rêvaient et se taisaient depuis que le père était mort, soit depuis sa naissance à lui qui ignorait quelle figure avait faite dans le monde cet homme dont il ne restait plus guère qu'un nom mal entaillé sur une croix en bois, au cimetière de Saint-Sulpice, là-haut, derrière les collines, et le visage que lui tendait parfois sa mère, le soir, quand le feu commençait à faiblir dans l'étroite et basse maison cernée par les vents et les cris de la nuit, et qu'il fallait de nouveau penser à ceux qui attendaient, derrière chez Niarfeix, sans impatience, comme s'ils plaignaient les vivants, les pressaient de s'aimer, de vivre mieux qu'ils ne l'avaient fait, eux, malgré la misère, abandonnés, quasi ignorés dans cette combe où le vert est plus sombre qu'ailleurs et où ils continuaient d'ignorer le siècle et rigolaient des quelques pèlerins qui, ayant poussé jusqu'à Tulle, Brive ou Guéret, parleraient bientôt d'automobiles, d'aéroplanes, d'électricité, de choses plus extravagantes encore — et en tout cas aussi difficiles à imaginer que l'était pour Chat Blanc le visage de son père, emporté par un mal de poitrine et par les privations, comme tant d'autres parmi nous, et sans éclat, avec même, avait dit la mère, une discrétion de bête mourante ; de sorte que cet homme avait à ses yeux (« Vois-le avec les yeux du cœur », murmurait la mère qui fermait alors les siens et se mettait à sourire) un visage d'ombre et de feu qui s'éteint, un visage d'hiver, d'escarboucles et de vent, assez semblable à celui de la mère, malgré les fines moustaches, disait-elle, qui furent l'unique orgueil du « pauvre papa ». Et il ne songerait jamais à cet homme qu'on n'avait pu décider à aller s'asseoir devant la boîte à soufflet du photographe, à la foire de Meymac, sans se dire qu'il était, lui, Chat Blanc, fils de sa mère et de la nuit, de la grande nuit d'hiver où remuaient les vents et les pauvres morts qui attendaient sur les pilotis. Tout ça, et le reste, cette vie, cette légende, nous avons eu nos yeux pour le voir, nos oreilles pour l'entendre ; ou nous l'avons imaginé — ce qui revient au même. Nous savions par exemple qu'il avait à peu près treize ans et ne comprenait pas, ne voulait pas comprendre de quel sommeil dormait depuis deux jours et deux nuits la femme éternellement belle qui l'avait mis au monde, à l'autre bout de la pièce, dans le grand lit de bois sombre qu'elle avait apporté en dot, avec la paire de draps et l'édredon rouge sang sous lequel elle gisait, la tête légèrement tournée vers lui, la bouche et les yeux entrouverts. Elle ne s'était pas plainte, n'avait porté ses mains ni à son ventre ni à ses paupières, mais accompli dignement son destin de pauvresse, et passé Noël avec lui, comme les autres fois, dans le cantou du père Rebelier qui aurait bien voulu l'épouser, mais qui était trop vieux pour faire un vrai mari. Aurait-il pu penser, lui, Chat Blanc, que ce corps frêle et propre sous le sarrau des veuves pût se mettre à sentir, chez eux, comme les vieillards, là-bas, sur les pilotis, dans cette belle aube de janvier où il osa enfin

22

quitter son lit (ce qu'il n'avait jamais fait qu'il n'eût d'abord entendu sa mère chercher à tâtons ses sabots sur les dalles de granit), réussissant à pisser dans son pot sans poser le pied à terre, accroupi au bord de sa paillasse et se tenant d'une main au montant du lit ?

La veille, il avait neigé toute la journée et toute la nuit. Il la savait malade. Il sortait d'un sommeil sans rêve d'où l'odeur l'avait probablement tiré — encore qu'il n'y crût pas vraiment, qu'il mît cela au compte des deux autres qui pourrissaient, cet hiver-là, sur les pilotis ; et il était allé aider Niarfeix et les Gorce qui ramassaient du bois, malgré la neige, sur la pente du sud. Quand il était rentré, vers trois heures, il avait compris qu'il faudrait nous donner sa mère, que dans la maison basse elle sentirait bientôt si fort que ce serait comme si elle le haïssait, qu'elle réclamait sa place dans la terre et, avant la terre, sur les pilotis, près de la vieille Julia et de la cadette de chez Vedrenne.

Il fallait la veiller. Il savait que ça se faisait. Il s'endormit sur son lit à lui, se réveilla au milieu de la nuit, n'osa pas regarder vers le lit maternel à cause, dirait-il, des yeux et des dents qui luisaient dans la semi-obscurité. Il se blottit sous l'édredon, attendit le chant du coq, sortit dans la lumière blanche ; il regarda les fumées monter bien droites de la combe ; puis il marcha vers la maison de Niarfeix. Ceux qui le croisèrent songèrent que c'était le froid qui lui mettait les larmes aux yeux. Il trouva le grand Niarfeix à table, au milieu des siens, devant cette soupe qui ne quittait jamais le feu et dont il fallait trois fois par jour installer la belle épaisseur mêlée de vin au creux du corps avant de retourner parmi les vents, dans les heures brèves de l'après-midi, sur la pente du sud, sans oublier de penser à ce qui nous tourmentait et qui se levait en nous comme des oiseaux sombres.

Il avait ouvert sans frapper et restait sur le seuil, clignant des yeux dans l'ombre chaude où il finit par distinguer la tablée, immobile, mâchante et soupirante, avec les deux femmes, la mère et l'épouse, debout derrière le grand Niarfeix. Tous les yeux étaient tournés vers lui sans aménité, sans hostilité non plus, attendant qu'il parlât, qu'il cessât de se tenir ainsi, sur le seuil, la bouche entrouverte, les bras ballants, avec les larmes qui séchaient sur ses joues, et cet air buté d'orphelin que déjà nous n'aimions pas. Il laissait pénétrer le froid mais nul n'eût songé à lui dire de finir d'entrer, de refermer la porte et de s'asseoir, comme si on savait déjà pourquoi il était là, traînant avec lui l'odeur nouvelle qui l'avait chassé de chez lui — où sa mère avait sans doute cessé de souffrir, murmura la Niarfeix qui se signa dès que Chat Blanc eut révélé, non pas qu'elle était morte (il ne savait pas le dire, ou espérait encore que ça n'avait pas eu lieu), mais que ça commençait à sentir chez eux comme autour des pilotis. Elle était enfin délivrée d'elle-même, continuait la Niarfeix, et du souvenir de l'homme pâle, de la misère, des nuits sans sommeil et des jours sans nuit, des cris qu'elle poussait silencieusement ou qu'elle allait lâcher au fond de ravines où sa voix avait alors quelque chose d'aussi blanc que le ciel.

Elle se tut. On avait fait asseoir Chat Blanc à l'extrémité de la table, près de la fille aînée, celle qui avait perdu un œil en courant dans les bois de sapins, se croyant poursuivie par un homme alors que nul de ceux qui portaient braies et moustaches n'aurait voulu d'elle ; et elle avait alors trouvé de quoi hurler sans vergogne sa douleur et tout ce qui était en elle et s'ajoutait à la misère première : celle d'être née à Prunde, femme et laide. Chat Blanc se trouvait du côté de l'œil mort. On poussa devant lui une pleine assiettée de soupe et un morceau de pain, à quoi il ne toucha pas, puis on se remit à manger sans rien dire, sans quitter des yeux le cercle de faïence qu'ils inclinaient lentement vers eux et qu'ils ne voyaient sans doute pas puisque c'était en eux-mêmes qu'ils regardaient et se perdaient, dans cette espèce de sommeil éveillé et de demi-jour qui est le terreau des songes et des remords et dans quoi, avec le temps, nous avions fini par trouver pitance plus certaine que nos soupes et notre vin.

On se leva. Niarfeix avait replié son couteau et remis sur sa tête le grand feutre noir qu'il gardait sur son genou. Il fit signe à Chat Blanc. La Niarfeix marchait loin devant, enveloppée d'un châle noir. Devant chez Vedrenne, un enfant pissait en riant dans la neige. Quand ils furent sur le seuil de la maison basse, c'est la Niarfeix qui leur ouvrit, le visage grave, comme si elle se trouvait là depuis longtemps et qu'elle s'étonnât de les voir arriver si tard, tandis que d'autres femmes, occupées à laver la morte, criaient qu'ils n'entrassent pas.

Il se demanderait, dit-on, toute sa vie pourquoi on lavait avec tant de soin ce qui puerait bientôt, verdirait, noircirait, grouillerait d'asticots, se boursouflant, éclatant comme les eaux à la surface des marais ; pourquoi il lui faudrait haïr ce corps, cette blancheur entrevue entre les mains des laveuses alors que Niarfeix lui posait sur le cou sa grosse main calleuse, le faisait se retourner vers la lumière brève de l'après-midi et murmurait, comme s'il avait entendu Chat Blanc, que paobre, pauvre de nous, c'était encore nous qui étions le plus à plaindre d'avoir à supporter ça et de savoir que nous aussi nous deviendrions ça, plus noirs et plus puants qu'une pierre d'âtre sur laquelle ont fienté des renards.

— On ne peut rien contre ça, aucun parfum, ni savon, ni prière, ni eau, ni vent, même quand ils seraient à quinze pieds sous terre, disait encore Niarfeix.

On avait vu des mères faire provision, à l'automne, d'eau de Cologne et de papier d'Arménie, et recommander à leurs filles de ne point les laisser puer tant qu'elles ne seraient pas au cimetière et, même après, de planter sur la tombe quelque chose qui sente bon, un rosier, un thuya ou, rêvaient-elles, de la glycine, comme dans les livres ; coquetterie terrifiée qui valait bien la colère que Chat Blanc se sentait à présent pour sa mère, et qu'éprouvaient d'ailleurs tous ceux de Prunde quand un des leurs s'en allait et qu'il fallait respirer ça pendant des semaines et oublier qu'on était encore de ce monde, même si on ne valait pas cher, avant de se réveiller, de se rappeler que le printemps reviendrait et nous trouverait non point en larmes ni repentants, mais hagards, les yeux secs, mâchoire et poings crispés, outrés, pénétrés de la vanité de toute chose.

Quelques-uns commandaient leur cercueil dès les premiers beaux jours ; d'autres allaient le chercher presque en secret, à la fin de l'été, à Meymac ou à Ussel, et revenaient dans l'or du soir où dansaient les moucherons, avec leur chargement dissimulé sous de la paille ou des branches de sapin. Nous faisions semblant de ne rien voir, tout comme ils feignaient de ne pas voir (se disant qu'autrement ça leur porterait malheur) qu'ils parcouraient en sens inverse ce qui serait leur dernier chemin — aimant mieux tenter le sort plutôt que de se retrouver au cœur de l'hiver à attendre que le fils Gorce, ce Pierre si lent, si têtu, mais qui était le seul à savoir le faire, eût raboté les planches de chêne ou de sapin, les eût assemblées tant bien que mal et, sur les côtés, vissé quatre mauvaises poignées de fer-blanc. Mais ce jour-là, le petit Gorce fit vite, sans doute parce qu'il aimait bien la défunte, cette Marthe dont beaucoup avaient rêvé, même les très jeunes gens, à Prunde et ailleurs, et qui reposa dès le soir entre des planches de chêne.

Chat Blanc se tenait debout à sa droite. Il regardait défiler ceux de la combe, les uns après les autres, les deux fils Gorce et leur père, les trois Niarfeix, le père Vedrenne qui pleurait comme un enfant et tous les mâles de Prunde, en tout une vingtaine, tandis que les femmes restaient en groupe de l'autre côté du cercueil — les uns et les autres se taisant dans la lueur tremblante de bougies où l'on voyait luire le visage de cette Marthe dont on se rappelait seulement que la vie n'avait guère différé de la leur — sauf dans la fidélité à l'époux mort, refusant tous les partis ou de plus discrets hommages pour s'enfermer dans un visage souriant et sans âge, celui-là même qu'on pouvait encore lui voir, beau, sévère et digne, comme si tous ses efforts avaient tendu à ce qu'elle fît pareille figure, ce jour-là, et qu'on fût content d'elle, toute de noir vêtue, les mains enfin délivrées de toute tâche, les doigts enchaînés au chapelet de bois clair qu'un camelot lui avait dit venir de Jérusalem et qu'elle avait acheté sans y croire vraiment, le front et la lèvre humides d'un peu d'eau de Cologne que la mère Grandchamp lui passait régulièrement en guise d'huiles saintes.

Quelqu'un murmura qu'elle avait les yeux enfin clos ; et peut-être Chat Blanc songea-t-il qu'il ne l'avait jamais encore regardée dormir, que c'était à se demander si elle avait dormi, si sa vie n'avait pas été que veilles, ni chaque nuit plus lente que le jour et plus lumineuse à force de scruter dans l'ombre, se disait-il peut-être, les figures absentes ou endormies. Elle dormait donc, les traits à présent relâchés, avec un sourire qu'il ne lui connaissait pas, qu'il n'avait vu sur nulle bouche et qui semblait naître dans ce visage avec l'odeur doucereuse que chacun tâchait de respi-

rer comme si ça ne sentait rien, et qui les faisait renifler par à-coups, le plus vite possible, cherchant dans
les recoins et les courants d'air de quoi mieux respirer
et songer à autre chose qu'à ce qui se passait à l'intérieur de ce corps qui semblait rapetisser à vue d'œil.
Odeur qui était son vrai linceul, à elle, Marthe restée
si pauvre qu'elle n'avait même plus la robe dans
laquelle elle s'était mariée pour s'ensevelir. Odeur enfin que Chat Blanc n'aurait pas été loin d'aimer
(quoique aimer ne fût pas le mot), comme si c'était
là sa plus secrète beauté — cela même qui nous ferait
jour après jour et jusqu'au cœur de la nuit penser à
elle comme à une femme qui en faisait trop mais dont
l'ultime et seule coquetterie nous forcerait au respect.
Alors oui, nous songerions à Marthe taciturne et droite, fille d'un métayer de Celle, près de Barsanges, depuis longtemps veuf et si mauvaise bête qu'elle avait
préféré l'oublier tout de même qu'il avait oublié, lui,
cette fille, trop heureux de la céder au tuberculeux, à
ce Pythre, comme il s'appelait, qui possédait de
beaux yeux et trois arpents, là-bas, il n'aurait su dire
où, dans quelque combe au-delà de Millevaches, vers
l'Auvergne ou la Creuse. Belle fille au demeurant, à
qui sa coiffe donna avec les ans un visage de moniale
et que peu d'entre nous se résolvaient à voir gésir
entre les planches de chêne, dans sa moins mauvaise
robe, la noire, celle qu'elle revêtait le dimanche,
même quand il n'était pas possible d'aller à la messe
à Saint-Sulpice, et qui sentait le propre, l'absence de
toute autre odeur (le feu, la sueur, les bêtes, le chou,
le lait) que celle de ce savon qu'on disait de Marseille
et qui laissait au printemps, dans le ruisseau, de grandes traînées bleuâtres qui ressemblaient au chemin de
Saint-Jacques, à cette Voie lactée qu'elle avait très tôt
montrée à son fils dans le ciel d'été.

3

Demeuré seul, cette nuit-là, avec la vieille Élise Grandchamp qui se taisait dans l'âtre, de l'autre côté du cercueil posé sur deux chaises appartenant à Gorce, les yeux fermés elle aussi, immobile et si jaune de teint qu'il pouvait douter si elle n'était pas aussi peu vivante que l'autre, peut-être songeait-il qu'il lui faudrait, le lendemain matin, quand ils viendraient chercher sa mère, baiser ce front trop lisse, et que ce serait au-dessus de ses forces. Il s'assoupit sur la table. Le froid le réveilla bien avant l'aube. La vieille le regardait sans ciller. Il y eut des bruits de pas sur le seuil, le froid entra avec des odeurs de neige, de terre, de sciure, d'étable, d'eau de Cologne qui plièrent devant celle qui venait de Marthe — *de là-bas*, avions-nous fini par dire, pour n'avoir pas à dire autre chose, comme si ne pas nommer cela empêcherait l'odeur de nous tourmenter davantage, à tout le moins atténuerait son pouvoir sur nous autres qui devions vivre avec elle, l'avaler avec l'eau, le vin et le pain, et même la laisser venir jusqu'au cœur de nos songes.

De cela nous nous plaignions parfois au curé de Saint-Sulpice ou aux autorités civiles : on nous traitait, d'un côté comme de l'autre, de bougres d'ânes, de fainéants, de pauvres gourles, incapables de porter nos cercueils en terre chrétienne, à l'épaule, comme des êtres honorables, soit par le chemin du plateau, entre le houx, la neige et le ciel, soit par le fond de la combe, derrière chez Rebelier, à travers bois. Ils savaient pourtant bien, ceux qui avaient pouvoir sur nous, que nous ne pouvions le faire — surtout depuis que le grand Niarfeix et les fils Gorce avaient porté la mère Coupat, par le raidillon, un jour de redoux, alors que ça puait si fort qu'on s'était décidé comme ça, au matin, en colère et en hâte. Ils s'étaient enveloppé la figure d'un cache-nez qui ne laissait voir sous le chapeau que des yeux brillants de rage, et tous les quatre ils avaient grimpé le raidillon, après chez Rebelier, entre les frênes, le cercueil sur leurs épaules, lentement, par la sente où seules se risquaient aux beaux jours les bergères qui montaient sur la lande. Au bout d'une heure, ils étaient parvenus au replat envahi de genêts et commençaient à descendre dans le petit ravin au fond duquel s'embranchait le chemin qui passe à travers bois. L'aîné des Gorce glissa ; il dévala la pente sur le dos tandis que le cercueil allait à terre, glissait lui aussi vers le fond du ravin où il heurta des roches et s'ouvrit. Alors ils virent, tous les quatre (et nous autres qui entendîmes leurs cris, ce fut comme si nous avions été là), et l'aîné des Gorce mieux que les autres, qui se retrouva nez à nez avec ça, ce que nul n'aurait dû voir ; de quoi ils furent malades pendant plusieurs jours, refusant d'avaler rien d'autre que du vin, buvant outre mesure et en colère contre eux-mêmes, leurs femmes, leurs enfants, leurs bêtes — en vérité contre ce qui leur avait échappé, là-bas, au fond du ravin, qu'ils avaient fini par recouvrir de branches de genêt et de houx et qu'ils auraient volontiers enterré sur-le-champ, avec leurs mains, jurant que c'était une honte de connaître qu'on allait devenir comme ça, oui, une abomination, que Dieu ne pouvait vouloir cela, que c'était trop demander au pauvre monde, que ça ne valait pas la peine que l'on prenait pour vivre si c'était pour venir de la sorte, hurlait l'aîné des Gorce, oui, méconnaissable et noir comme un vieux champignon pourri sur pied avec des vers dedans, et cette tête sans yeux sortie comme le diable du suaire déchiré, pire qu'une carcasse de bête qui, elle au moins, gardait quelque chose de pitoyable et de digne dans son lent retour à la poussière, puant bien moins que la mère Coupat et que les autres, assurait-il, et moins en tout cas que la chose, là-bas, que tous les quatre ils avaient cru voir rire aux éclats, la bouche grande ouverte, sans avoir cependant plus rien d'humain, pas même ce sourire sur quoi le grand Niarfeix d'ordinaire si calme avait failli donner un coup de barrou, du bâton dont il s'aidait pour descendre dans le ravin et en finir, croyait-il, avec ce qu'ils n'auraient jamais dû regarder et qu'il leur faudrait revoir, dès le lendemain, bien qu'ils eussent les yeux mi-clos, pour le débarrasser des branches et le mettre dans un autre cercueil qu'ils rapporteraient aux pilotis sur leurs épaules ivres.

Chat Blanc connaissait cette histoire. Il contemplait sa mère, s'étonnant peut-être de ce que devenait ce visage, de ce qu'il ne fût déjà plus le même que ce qu'il était la veille, et de ce qu'il pût ressembler à ces bêtes abandonnées dans les fossés, et qui, après qu'elles avaient cessé de puer, continuaient de rire comme si le soleil avait éclaté dans leur gueule et qu'elles se moquassent d'avoir connu le trépas, la lente décomposition, la puanteur triomphale, le lent délitage des chairs, la fin des fins, l'expiation heureuse, le retour à l'herbe des talus, aux racines, aux bouts de bois, à la couenne râpeuse de la terre, tandis que les dents continuaient de sourire parmi les cailloux des chemins et que les vertèbres sautaient entre des mains d'enfants, dans la lumière du soir.

Et, à la fin de cette nuit, seul avec les deux femmes — celle qui reposait dans l'odeur grandissante et l'autre qui par moments semblait plus morte que la première puisque toutes deux avaient à peu près le même sourire —, il pleurait en silence, non pas sur la femme qui gisait devant lui, encore moins sur lui-même (elle lui avait appris à se tenir, lui avait représenté combien il était vain de se plaindre), mais sur leur misère commune, encore qu'il ne se le dît pas ainsi : il n'avait pas idée que Dieu nous avait abandonnés et qu'on mourait chez nous plus vite et mal que partout ailleurs ; et puis il n'avait pas les mots, surtout ces mots français que le maître, aux beaux jours, là-bas, à Saint-Sulpice, tentait de leur fourrer dans le crâne et dans le cœur en leur promettant que grâce à eux, ces mots, ils pourraient traverser le monde et n'avoir peur de rien puisque la peur cessait dès lors qu'on pouvait nommer et que ces mots pouvaient s'entendre d'un bout à l'autre de l'Empire, mais qui semblaient s'être tus dans cette combe qui avait, disait le curé de Chavanac, quelque chose de la vallée de Josaphat. La vieille, assise, recroquevillée plutôt dans le cantou où le feu était mort, dormait ou priait, ou faisait tout cela à la fois — à moins que, passée elle aussi de vie à trépas, elle ne cheminât aux côtés de Marthe et continuât de murmurer depuis l'autre côté. Elle souriait ; il rentra la tête dans l'ombre ; il n'aimait pas ce sourire de femme trop vieille, au regard quasi vide, aux yeux transparents et humides. Il se dit peut-être qu'elle avait été jeune, elle aussi, comme sa mère, qu'elle avait regardé le bleu du ciel et détourné ses regards de la ténèbre et, au moins une fois, été prise par un homme — sinon à quoi bon vivre, avait dit devant lui la deuxième bru des Gorce,

32

le jour qu'il l'avait surprise, derrière le fournil, avec son beau-père, geignant et râlant sous lui et agrippée à lui comme si de leur vivant ils eussent dû réunir le ciel et la terre, perdant la raison et le souffle, et leurs voix défaillant dans des cris qui n'étaient ni de douleur ni de joie, ni même des râles mais tout cela ensemble et atteignant à quelque chose qu'on ne pouvait là non plus nommer mais qui devait valoir la peine qu'on mourût, semblait dire la bru, tandis que le beau-père s'éloignait en titubant, humant l'air, le regard perdu ; sinon qu'on mourût du moins que l'on y consentît, puisque c'était aussi le lot de chacun et que nul ne se pouvait dérober. Il saurait peu à peu (il pouvait le deviner déjà en contemplant dans l'aube pâle le sommeil des deux femmes) que vivre est affaire de volonté autant que d'abandon, que nous ne sommes sur terre que pour ruser avec ça, trouver la volonté de l'abandon et le renoncement à la vaine opiniâtreté, puisque nous savons que nous ne pourrons pas nous arc-bouter bien longtemps contre la mort, que notre souffrance seule est infinie, que rien ne peut nous consoler et que nous perpétuer dans nos descendants n'est encore qu'une façon de consentir à mourir.

La vieille s'était mise à parler ; elle balbutiait ; un peu de salive lui coulait sur le menton ; ses doigts remuèrent ; elle avait les yeux ouverts et, bien qu'elle regardât dans sa direction, elle ne voyait peut-être rien, attendant entre le songe et la veille (ou plutôt entre la vie et la mort) de savoir de quel côté elle s'éveillait. Une sorte de frisson parcourut sa peau jaune coing et elle se laissa glisser dans l'aube, lasse probablement de se mesurer à ce qui puait déjà en elle et qui n'était plus l'odeur des vieillards sans être encore celle de Marthe, ni celle des deux autres, là-bas, sur les pilotis.

Ils se tenaient autour de lui, murmurants et graves, femmes et hommes de Prunde qui auraient aimé le voir pleurer, songeait-il, à tout le moins se pencher sur le front maternel avant qu'on fermât le cercueil dans la pièce qui blanchissait et où étaient entrées des poules qu'on ne pensait pas à chasser. Mais il ne se trouvait pas de larmes ; il avait aux lèvres un vague sourire qui faisait dire aux autres qu'il était encore plus innocent qu'on ne croyait ; et il restait là, debout près du cercueil, les bras le long du corps, la bouche légèrement ouverte, à regarder sa mère dont le visage avait durci, semblait avoir été happé violemment en arrière, par les cheveux de la nuque, et dont le teint dans la lumière de l'aube avait viré au gris, au terne — à l'ancien, plutôt, à la couleur que prend le granit usé, et bientôt, pensait-il, à la couleur noire qu'il ne pouvait imaginer que semblable à celle de cette Vierge noire que sa mère lui avait un jour montrée, dans l'église de Meymac, et qui souriait du fond des âges, exactement comme sa mère, ce matin-là, dont l'odeur avait encore changé, plus doucereuse, presque supportable, voire engageante.

La pièce bascula dans le jour. On venait d'emporter Marthe. Peut-être se disait-il que c'était ça, être orphelin : ne plus savoir soudain que faire de soi, surtout quand on n'était bon qu'à chercher les champignons, aider aux récoltes, ramasser du bois, garder les vaches et les morts. À peine, d'autre part, s'il déchiffrait les lettres et s'il comptait, s'il savait que le monde se continuait au-delà de Meymac ou de Gentioux et que la brume étrange de noms et de peuples lointains recouvrait quelque chose de bien différent de ces monts d'Auvergne dont la contemplation deviendrait pour lui, le soir, ce livre d'images qu'il ne posséderait jamais, plus beau que ceux que le maître lui laissait regarder, à l'école de Saint-Sulpice (où il allait, quand

34

il faisait beau, avec d'autres gamins de la combe, pourvu qu'il n'y eût pas trop d'ouvrage à Prunde, debout avant l'aube et cheminant pendant plus d'une heure jusqu'au gros bâtiment soutenu à mi-pente par d'épais contreforts), plus beau encore que celui qu'il avait aperçu à l'entrée du bourg devant la maison des Marande, entre les barreaux de la grille et le buis : dans une chaise longue, une femme, jeune et blonde, tout en blanc, les épaules couvertes d'un châle crème lisait à voix haute en un livre lourd, posé sur ses genoux, devant un enfant allongé dans une autre de ces chaises, un enfant au regard triste, ou las, sous la frange qui lui cerclait le front, et qui paraissait n'écouter qu'à moitié et regardait Chat Blanc en souriant un peu comme s'il était une des images du livre que tenait la femme et qui brillaient dans le soleil de l'après-midi. Et plus que le livre et les belles images c'était, on peut le croire, la voix qui l'avait étonné, claire, posée, bien chantante, nullement lourde et courbée comme la nôtre vers le sol, et cette langue française prononcée comme jamais il ne l'avait entendue, pas même dans la bouche du maître ni celle du curé, et qui d'ordinaire lui donnait tant de fil à retordre dans le profond vaisseau arrimé à flanc de coteau.

La femme n'avait pas levé les yeux, même quand il fut rejoint par les gamins de Prunde et qu'ils contemplèrent gravement cet enfant allongé dans l'étrange chaise avec ses habits et ses cheveux de fille. Peut-être songea-t-il alors qu'il n'existait pas plus, aux yeux de ces gens-là, que les personnages des contes, que ce champi, par exemple, dont parlait telle dictée que le maître avait donnée aux grands et qu'il avait écoutée, lui, après la mort de sa mère, en croyant qu'elle parlait de lui ; c'était du moins ce qu'il avait dit au maître qui s'étonnait de le voir ne rien faire, les bras croisés, comme s'il était puni. Et il était heureux que la langue du maître pût le nommer, lui, même s'il faisait un peu romanesque orphelin, heureux que les choses fussent enfin à leur place, tout de même qu'il acceptait qu'il y eût les maîtres et les autres, ceux de la combe, de Saint-Sulpice, de Chavanac, de Cisterne, de Freyte, de Millevaches, de Rochefort et d'ailleurs, ceux qui étaient à la terre et les autres qui les regardaient passer depuis un jardin calme. Et qu'importait, dirait-il plus tard, que ces derniers vous méprisent, puisqu'il existe en français des mots honorables pour les désigner, lui et tous ceux de la combe, autrement que par ces simples prénoms, réels ou usurpés, et ce patois qui nous valait tant de coups sur les doigts et qui sonnait par trop comme des bruits de bêtes, des jacassements de vieilles pies ou les souffles des bois.

4

Il était seul, quasi ignare et prêt à tout, fort déjà et dur pour lui-même, muré dans un silence dont nous ne le verrions guère sortir. Il se tenait debout au milieu de la pièce à présent déserte, regardant par la porte restée ouverte s'éloigner tout ce que Prunde comptait de personnes valides, avec, au-devant, l'étroit cercueil de bois clair qui naviguait sur des épaules d'hommes dans le matin glacé vers les pilotis où on irait mêler l'odeur de Marthe à celle des deux autres, au grand dam de beaucoup et pour quelques-uns dans la douleur que Marthe soit partie, belle encore et puant déjà comme les deux vieilles bêtes, là-bas, la jeune et l'aïeule entrées toutes deux dans leur puanteur immémoriale.

Il ne se décidait pas. Il les avait vus défiler devant sa mère, traînant des pieds et soufflant des haleines aussi blanches que leurs faces, avant que la Niarfeix le prît par la main pour l'amener devant la bière en lui disant d'embrasser sa mère une dernière fois. Il le savait depuis longtemps : il resterait à sa place, retirant brusquement sa main de celle de la femme et leur disant à tous, simplement, avec ce ton que déjà il prenait et qui nous ferait tous frémir et le considérer, lui qui n'avait pas treize ans, comme un homme, et un homme pas comme les autres :

— Elle n'a plus besoin de ça.

Ce qui nous délivra, il faut bien le reconnaître, nous dispensa de lui témoigner une commisération que nous n'aurions d'ailleurs bien su montrer ; et le fils Gorce cloua le couvercle qu'il tenait droit devant lui comme un immense bouclier et sur lequel une main anonyme avait tracé, maladroitement, avec un crayon de menuisier peut-être, Marthe Pythre, née Javaud, ainsi qu'une petite croix et la date de la mort, faute qu'on sût l'autre.

Il finit par les suivre, par prendre place parmi les hommes, entre les Gorce et les Niarfeix dont le gendre, qui était un fils Vedrenne, alla chercher l'échelle et y grimpa pour retirer le bâton qui maintenait close la petite porte, le clidou aurions-nous pu dire si ce mot n'eût sonné trop doux, trop joli alors qu'il désignait la porte de l'enfer par laquelle on ne tarda pas à faire glisser le cercueil de la pauvre Marthe. Marthe dont la vie serait dès lors reconstituée, commentée, magnifiée, déplorée devant les feux d'automne et d'hiver. On se rappelait le jour qu'elle était arrivée au bras du pauvre André qu'on n'appelait déjà plus que par son patronyme, Pythre, à l'entrée de Prunde, quand le chemin, après avoir longuement tourné sur lui-même parmi les grands hêtres, s'élargit, sitôt passé le petit pont, pour traverser notre hameau et se perdre dans les genêts et le houx, après chez Rebelier. On revit son sourire presque bête de jeune épousée que Pythre ramenait de Saint-Sulpice, après être allé la chercher là-haut, sur l'autre bord du plateau, près de Barsanges, lui dans un costume qui lui était déjà trop large et semblait peser sur ses épaules, et elle bien droite dans sa simple robe blanche à fronces, enveloppée d'un châle bleu ciel (car il faisait froid, en ce commencement de septembre) qui nous dérobait une poitrine qui nous faisait envie et pitié lorsqu'on se disait que le pauvre Pythre n'en profiterait pas plus que son père n'avait profité de sa mère, morte en couches à vingt-huit ans, au tout proche château de Rochefort où elle s'employait comme domestique — oui, qu'il n'avait pas assez de santé pour être le juste époux de cette femme qui savait probablement déjà à quoi s'en tenir ; ce qui ne l'empêcherait pas, lui, de faire comme s'il était increvable, avec une arrogance pitoyable de jeune mâle qui veut braver le sort, et le brave pendant une journée pour mieux s'y abandonner ; tout comme la jeune épousée, presque une étrangère pour nous qui ne comprenions pas très bien son patois et qui usait du français comme la mère de Pythre, là-bas, chez les maîtres de Rochefort : redressant chaque jour davantage la tête devant ce destin qu'elle devinait sombre mais voulant malgré tout croire avec son homme qu'ils pouvaient être heureux, qu'il n'y avait pas de raison du moins pour qu'ils fussent plus malheureux que les autres, dans la combe ou ailleurs, et que la robe à fronces, le châle bleu ciel, le bouquet d'œillets blancs, le costume trop large, le grand feutre noir, la chaîne de montre et le faux col étaient des habits de lumière.

Ils pouvaient donc être fiers d'avoir convolé, d'être entrés dans Prunde à la fin d'une fraîche matinée de septembre, de défricher quelques ares d'ajoncs et de bruyère, de posséder un lit, une table, un banc et leurs habits de gloire, de s'abriter sous un toit que leur louaient, avec un peu de bonne terre, les maîtres de Rochefort ; fiers, enfin, de pouvoir engendrer : autre façon de défier le minotaure qui était en lui, André Pythre, et aussi d'accomplir ce pour quoi il pensait, comme les autres, que nous étions sur terre ; et il lui fallait en effet être un brave taureau pour lutter contre l'autre, celui qui se cachait en lui, quoique de moins en moins, sous le nom singulier de tuberculose. Il était brave mais sans plus de forces à présent que ce fils qu'il eut à peine le temps de serrer contre lui avant de constater qu'il n'y avait décidément rien à faire, et qu'il s'inclinât devant la porte sombre. C'était, Dieu merci, par un jour de printemps, et dans le costume qu'il avait porté, l'année précédente, pour faire son entrée à Prunde, mais sans rien de la superbe qu'il affichait alors, le visage creusé, quasi vidé de sa chair, plus que blême, et enfantin dans ce dernier sommeil, heureux d'avoir eu le temps de connaître un ventre de femme où sa semence misérable ne finît pas, comme avec les deux ou trois femmes qu'il avait payées, à Ussel ou à Égletons, dans l'eau savonneuse d'une cuvette.

Et maintenant c'était Marthe qui nous quittait, qui attendait dans le vent d'hiver de rejoindre la terre de Barsanges où elle avait souhaité, nul ne savait pourquoi, reposer à côté de son père et de sa mère qui n'avaient pourtant guère fait pour elle — et non pas au-près de son époux, dans le cimetière de Saint-Sulpice, en plein bois, sur la colline, au-dessus du village. Elle y avait cru, elle aussi ; un homme l'avait tirée de Celle, près de Barsanges, amenée à Prunde — ce qui valait bien Celle — et bu à ses seins à peu près comme y boirait bientôt l'enfant qu'elle tiendrait tout contre elle sur le pas de la porte, ce printemps-là (devant la basse maison que les maîtres de Rochefort lui laissaient habiter depuis qu'elle était veuve : ce qui faisait murmurer à certains que ce n'était certainement pas le tuberculeux qui lui avait fait ce petit), sûre de ses grands yeux marron, de ses cheveux bouclés, de ses dents saines et régulièrement plantées qui, lorsqu'elle souriait, nous faisaient oublier que nous dussions mourir un jour et, à elle, qu'elle eût à souffrir plus que tout autre, plus que les hommes du moins, plus que celui qu'elle avait vu jour après jour décliner sans y rien comprendre mais en remerciant le ciel de ne pas souffrir davantage, tout comme elle le remercierait, elle, quand elle sentirait ses entrailles remuer pour autre chose qu'une colique.

5

Chat Blanc se tenait debout devant les pilotis, parmi les femmes de Prunde, tandis qu'on sonnait le glas au portique dressé, l'été précédent, sur l'ordre du curé qui était venu à l'automne bénir l'installation, au milieu du hameau : deux hautes poutres de chêne supportant un large auvent couvert d'ardoise sous lequel pendait une cloche qu'on était allé acheter à Felletin et qui nous donnait l'illusion d'être redevenus des chrétiens à part entière.

Il écouta ce frêle glas que des mains enfantines feraient sonner jusqu'à midi, ensuite jusqu'à ce que le soleil eût disparu derrière la crête de Chavanac, et qui continuerait de sonner en lui comme en chacun de nous longtemps après que la main d'enfant aurait raccroché la corde au pilier. Un vent léger s'était levé qui éloignait un peu l'odeur en la faisant tournoyer au-dessus de la combe. Chat Blanc regarda au loin, vers l'extrémité du champ, l'endroit où, aux beaux jours, les branches basses forment une voûte profonde sous laquelle il aimait séjourner en compagnie des vaches qui venaient là pour échapper aux mouches et aux taons. La discipline du glas le ramena à lui. Il se retourna. Les femmes attendaient. Il ouvrit la bouche ; sa voix se perdit. Cela suffit pour que la mère

Vedrenne affirmât que la pauvre Marthe n'avait pas eu une existence bien drôle. Certains soutiennent qu'on l'entendit alors murmurer, lui qui n'avait pas treize ans, qu'elle avait la chance de s'en aller si jeune. Les femmes marchaient vers la basse maison où Élise Grandchamp servait du vin. Les hommes arrivèrent ; on but, on fuma quelques cigarettes ; on rit même ; puis la faim nous rappela chez nous et la combe retrouva, dans la lumière méridienne, son silence de bout du monde, malgré le vent dans les branches nues des bouleaux de l'autre côté du ruisseau, le basculement régulier du glas qui avait, assourdi, quelque chose du chant solennel du crapaud, et les longs sifflements que le vin et le froid nous jetaient aux oreilles. Nous étions quasi ivres, Chat Blanc également, qui s'endormit sur la table pour ne se réveiller qu'à nuit tombée, seul dans la pièce obscure, guettant dans les sautes du vent la plainte maternelle : il n'y avait que l'odeur, par bouffées brèves, et le chien de Niarfeix qui aboyait, au loin, à l'entrée des bois du fond. Il se rendormit. À l'aube, il comprit qu'il n'était pas resté seul dans la pièce : le feu était allumé et on avait posé sur la table une assiette de soupe, du fromage et du pain. Il mangea debout la soupe froide ; puis il cala dans sa paume le pain et entre les doigts de la même main un morceau de fromage dont il découpait alternativement avec son couteau des cubes minuscules qu'il piquait sur des morceaux de pain à peine plus épais. Il frissonnait. Peut-être songeait-il à elle qui avait froid, là-bas, bien plus froid que lui, et qui était entrée dans la grande honte de l'odeur.

De nous il avait appris à demeurer tranquille, à tenir sa place à l'entrée du champ, les jours de redoux, son lance-pierre à la main, guettant les corbeaux qui s'abattaient dans la neige, un peu plus loin, et se rapprochaient avec une fausse innocence, avec des ruses d'homme, comme s'ils voulaient y mettre les formes avant de nous rappeler qu'il n'en pouvait aller autrement : à eux la chair morte, défaite, humiliée, à eux d'achever le travail de la maladie et du temps, un estomac de charognard valant bien mémoire humaine, les morts y gisant aussi bien, leur âme ne s'y trouvant pas plus mal, la chair réprouvée retournant à une autre chair, transmuée, purifiée dans un autre sang ; à eux le corps mortel, et à nous le souvenir de vies que nous confondrions peu ou prou avec les nôtres, de sorte que nous avions une vie commune, légendaire et infinie, avant d'avoir une existence individuelle, chacun vivant pour les autres et avec les autres avant de se demander, quand il lui arrivait de penser de la sorte, ce qu'il faisait au monde, les uns veillant les autres, dans la haine ou dans l'amour, les vivants les morts et inversement, si bien que nous ne pleurions pas plus les disparus que nous ne pleurions sur nous-mêmes, comme Chat Blanc, en ce matin de janvier, accroupi au bord du pré tranquille.

— Entends : ils craquent...

Chat Blanc ne se retourna pas : il savait que c'était le grand gars de chez Vedrenne, un commis guère plus vieux que lui mais déjà fort comme un Turc, natif de Saint-Setiers où l'on promenait saint Sagittaire en grande procession, une fois l'an, et qui croyait à toutes sortes de choses. Le gars s'était accroupi près de lui et, grattant la neige avec un bâton, il répétait en riant doucement :

— Ils craquent. Tu les entends ? Au moins, cette nuit, ça ne sentira guère.

Ils restèrent silencieux. À midi, ils n'avaient pas bougé, pas échangé le moindre mot. Du coin de chez Niarfeix, la vieille Grandchamp héla Chat Blanc qui se leva et la suivit chez elle, vers le bout de la combe, où il y avait de la soupe et du feu, sans qu'ils aient, là non plus, rien dit d'autre, ni échangé un regard — pas plus avec elle qu'avec la grande fille brune qui servait de bonne à la Grandchamp et qu'on disait à moitié idiote, de sorte qu'on pouvait se demander si ce n'était pas la vieille qui servait la fille de la même façon qu'elle s'occupait de Chat Blanc, depuis la mort de Marthe.

Elle envoyait la fille le chercher, matin, midi et soir, où qu'il se trouvât — et elle savait le trouver, dans la basse maison, à l'entrée du grand pré, au fond des bois nus où il aidait les Gorce, ou encore sur les pentes, entre ciel et terre, où elle le découvrait parfois à genoux pour, disait-il étrangement, aider sa mère à supporter le froid. Ce fut donc elle, cette Aimée dont nul ne savait le nom de famille ni l'âge, l'idiote au chapeau de feutre marron, aux joues et aux mains rouges, aux grands yeux d'un bleu délavé comme ceux des brebis, avec sur les lèvres un sourire de pauvresse timide et ignorante, qui surgissait près de lui sans qu'il l'entendît venir, qui allumait le feu, réchauffait la soupe, apportait quelquefois un bol de café et, à midi et le soir, un peu de ce repas que la vieille (ou elle-même) devait préparer, là-bas, au bout de la combe, dans une autre maison basse, bien qu'il n'eût rien demandé, ni remercié personne, ne s'étonnant même pas de ce qui arrivait, ne s'inquiétant pas davantage si cela durerait — pas même lorsque la vieille, un soir, lui apporta elle-même à manger et lui dit qu'elle était bien vieille, à présent, qu'elle ne tarderait pas à rejoindre les autres, sur les pilotis, mais que l'Aimée s'occuperait toujours de lui parce qu'il n'était pas bon que les feux ne soient pas entretenus par des mains de femmes. Aimée qui était presque innocente, il fallait bien l'admettre, et qui avait plus de vingt ans, mais qui en savait assez pour se taire, se garder propre, obéir et le protéger jusqu'à ce qu'il

45

puisse, lui, être à son tour bon pour elle ; Aimée, ajoutait-elle, qui n'était point désagréable à regarder, même si elle ne cherchait pas à plaire, ne sachant même pas ce que c'était que de plaire ni qu'on pût lui plaire autrement qu'en ne la battant pas.

Il la laissa s'installer, dès le lendemain, dans le lit maternel dont il avait brûlé la paillasse, sous les draps et l'édredon dans lesquels sa mère avait eu ses dernières sueurs. Elle s'endormit tout de go. Elle s'était déshabillée en lui tournant le dos, s'était accroupie sur le pot, ignorant sans doute, à vingt ans passés, ce que c'était qu'un regard d'homme, eût-il treize ans, et s'attardant au-dessus de la faïence, le bas des reins découvert, les poings sur les joues, le regard perdu dans l'ombre, chantonnant et remuant doucement la croupe comme une génisse à l'étable.

Elle n'avait connu que la vieille et les silences de Prunde. Élise Grandchamp l'avait tirée, enfant, de l'orphelinat d'Ussel ; c'était ce que racontait la vieille, mais beaucoup étaient persuadés que c'était là sa fille et que c'était pour la cacher qu'Élise Grandchamp, demi-bourgeoise de Peyrelevade que l'on disait ruinée, ou chassée par son père, était venue vivre pauvrement dans cette maison de la combe qui lui appartenait en propre ; mieux : qu'elle était venue s'enfermer dans le souvenir de la faute, s'enlaidissant, faisant plus que son âge, haïssant le temps, le siècle, les hommes, tyrannique envers elle-même comme elle l'était envers Aimée qu'elle avait, disait-on, refusé d'envoyer à l'école, la laissant en jachère et finissant de la rendre idiote, afin de ne point être tout à fait seule dans l'expiation. On ajoutait qu'en la donnant à Chat Blanc elle ne faisait pas une mauvaise affaire, qu'elle pouvait croire assuré l'avenir de la fille, non par un mariage, bien sûr (même les gourles qui descendaient des monts d'Auvergne, les jours de foire, à

Ussel ou à Bort, et n'avaient vu de féminin tout l'hiver que la croupe de leurs vaches ou le cul de leur chienne, n'eussent pas voulu d'elle), mais par cet état de servante, de grande sœur improbable et bonne à tout, silencieuse et propre, et qui, une fois entrée dans la maison d'un homme, saurait s'y faire oublier.

Chat Blanc remarqua-t-il, ce soir-là, ces épaules grasses et blanches ? Vit-il, quand elle se releva du pot, et avant qu'elle eût laissé retomber sa chemise sur ses cuisses épaisses, ce que nulle fille, chez nous, n'avait pu lui montrer : ce sombre nid d'oiseau qu'elle avait entre les jambes et qui brillait à la lueur du feu ? Ou bien n'aperçut-il rien et se renversa-t-il dans son lit à lui, songeant encore à sa mère qui gisait sur une tout autre couche, sur l'hiver, entre la terre et les nuages, comptant qu'on pourrait bientôt amener le corps à Barsanges, et priant pour cela ?

6

Il attendrait encore un mois pendant lequel il irait, jour après jour, s'accroupir au bord du pré dans la pèlerine sombre où son père avait tremblé — les mains glissées sous la plante des pieds, dans la paille des sabots, comme un gros oiseau posé sur le sol et dont le regard n'était pas moins étrange que celui des corbeaux, des chasseurs de l'aube qui l'observaient, dans les plus proches arbres, ou qui tournoyaient au-dessus de lui avant de s'abattre un peu plus loin, dans le pré, et de s'approcher à pas lents des pilotis jusqu'au moment où le garçon se dépliait, le visage soudain écarlate, et lançait en hurlant une pierre dans la nuée indignée.

Nous n'avions plus grand-chose à faire. Nous vivions dans une sorte de stupeur comme si l'odeur, avec la fin de l'hiver, devenait plus lourde, plus prégnante, et que nous continuions d'être plus lents, sournois et peu malins, de nous enfoncer dans l'âge, de perpétuer une disgrâce millénaire, alors que là-haut, sur le plateau, les grands vents eussent déjà chassé, croyions-nous, l'humeur noire et rendu l'odeur à la bouche du diable. Nous étions bien de pauvres bougres, vivions à l'écart de tout et peut-être de nous-mêmes qui ne savions plus quoi faire pour essayer de tuer un temps contre lequel nous ne pouvions rien et qui nous mangeait le cœur : vieille histoire à quoi nous n'avions même plus le goût de songer dans nos cantous où nous nous rassemblions pour nous taire ; car on ne parle, n'est-ce pas, que pour se taire, pour accorder le peu de sens que nous trouvons aux mots au grand bruit de la terre, à la rumeur d'un monde où nous n'étions que peu certains d'être vraiment, tandis que le siècle était déjà entamé, avait déjà commencé à tourner, là-bas, au-delà des hautes neiges, et que l'autre langue, la française, la vraie, disait le grand Niarfeix qui la parlait néanmoins assez mal, ne tenait aucun compte de nous, même quand nous franchissions le seuil de l'école, de l'église ou de la mairie. C'était comme pour le cimetière : nous en franchissions le seuil lorsque nous le pouvions, que la neige ne nous arrivait pas aux genoux, ou que nous ne pliions pas sous l'ouvrage ; nous en passions la grille en abdiquant notre langage, ce patois qui, même dans les plus innocentes bouches, mettait en colère les maîtres et particulièrement l'instituteur et empourprait l'élève, qui pensait alors avoir la bouche sale, malsaine, souillée comme le fond de ses brages, et nous rendait, déplorait le maître, indignes de la terre où nous étions nés et de la République qui nous élevait hors des combes, des fermes, des siècles obscurs.

Aussi, même à Prunde, parlions-nous le moins possible, ruminions-nous en patois ce que nous ébruitions en un français maladroit que le maître nous forçait à corriger, nous exhortant à quitter un langage que bientôt seules comprendraient nos bêtes et à nous montrer dignes de la patrie — nous amenant peu à peu à penser et à parler dans les deux langues ou plutôt dans un mélange des deux dans lequel seuls les plus vifs se retrouvaient, tandis que les autres s'y

49

coupaient comme aux deux tranchants d'une lame et que les plus bêtes, ceux qui n'entendaient même pas leur patronyme tellement ils étaient habitués à leur seul prénom, balbutiaient, rougissaient, maudissaient la mère patrie et cette langue qu'on leur disait maternelle, ne songeant plus qu'à fuir la longue salle surchauffée qui sentait l'élève malpropre, la vache, la terre, et un mélange de craie, d'encre violette et de papier humide, odeur aussi étrange que la façon qu'avait le maître de plier les mots de l'autre langue (comme le curé les linges de l'autel ou les femmes les habits des morts) et d'en faire des constructions aussi solides que le pont romain de Variéras, près des Buiges, encore qu'ils n'imaginassent pas qu'une œuvre de langage pût durer mieux qu'une meule de foin ou un nuage et qu'ils (les plus bêtes et, peut-être, les mieux pénétrés de la vanité de la parole) restassent, pour le temps qu'il leur était donné de vivre, goguenards devant les mines que prenaient certains (quelques filles et aussi Chat Blanc qui à leurs yeux n'était pas un garçon comme les autres, en tout cas pas vraiment un des leurs) en récitant ou lisant des poésies, les messages de l'Armée d'Italie, la vie de Du Guesclin, de Bayard ou de Pasteur ou encore celle de ce Treich-Laplène, né à Ussel dans le même temps que leurs parents et que ceux-ci avaient pu frôler sans le savoir dans les rues de la sous-préfecture avant qu'il n'allât explorer l'Indénie, l'Abron et le Bondoukou, fonder la colonie de la Côte d'Ivoire et mourir à Grand-Bassam l'année même où naissait Chat Blanc.

Ils seraient quelques-uns à comprendre que c'était aussi beau, justement, qu'une meule de foin qui entre dans la nuit d'été entourée d'or et d'insectes bourdonnants ; à comprendre aussi que les mots sont la seule gloire des disparus — et le français la belle langue des morts, comme le latin celle de Dieu et le patois celle des bêtes et des gourles. Ils comprendraient sans doute cela avant de replonger pour la plupart dans la nuit verte de Prunde, murmurait le maître d'école pour dire quelque chose quand le silence s'installait dans la salle que les élèves, les bons comme les ânes, allaient déserter pour aider aux moissons ou parce qu'à ce moment la République ne pouvait plus rien pour eux.

Chat Blanc avait appris à l'aimer, cette langue qui venait, disait-on, de celle de Dieu. Et pendant tout un mois, accroupi au bord du grand pré blanc, il parla en français à sa mère, sous le regard des oiseaux, peut-être sans très bien comprendre ce qu'il disait : bribes de poésies et de leçons d'histoire de France, phrases qu'il inventait, proverbes et morceaux de fables, tout lui servait à accompagner d'heure en heure la métamorphose du corps maternel dans le triomphe de l'odeur à quoi il ne cessait de songer et dans laquelle il croyait distinguer celle de sa mère comme s'il y eût entendu l'inflexion de sa voix. Mais les vers et les lambeaux de phrases n'étaient point la vérité — celle dont parlait le curé — et ces vers-là pas de taille à lutter avec ceux de la terre dont il ne voulait pas penser qu'ils rongeaient déjà le corps de Marthe. Le son de sa propre voix lui tirait par moments des larmes, et il continuait de prier de la sorte, les cils parfois collés par le vent glacé, les mains dans ses sabots, sans que rien pût arrêter le murmure qui cherchait malgré lui le pli monotone de l'alexandrin, inventant peu à peu l'histoire de sa mère dont il ne savait quasi rien mais heureux, si l'on peut dire, qu'elle revécût de la sorte, la suscitant enfant dans les vallons de Celle, au bord de la lande et des tourbières, puis jeune fille, dans la grande lumière de juillet, la faisant marcher dans des chemins bordés de noisetiers, ou dans Meymac, au bord du plateau, le jour

51

de foire où elle rencontra André Pythre, celui qui n'avait pas de figure et dans la pèlerine de qui grelottait à présent le fils, heureuse de ce prénom de Marthe qui la distinguait des Jeanne, Léonie ou Marie, cueillant des boutons-d'or et riant doucement quand un vent frais lui passait sous l'aisselle ou qu'un garçon la regardait, imaginant que la joie était à portée de main, malgré l'indifférence du père et la pauvreté, et sans savoir qu'elle devrait son peu de bonheur à ce qui était entre ses cuisses et pour un si bref moment — mais continuant à rêver parce qu'il fallait bien y croire, sinon pour elle du moins pour lui, Chat Blanc, et que l'air tiède du printemps ramenait avec lui, immanquablement, chaque année, le rite millénaire des fêtes de la faim et de la soif avant qu'on s'allongeât pour être fécondée, accoucher, se reposer, trépasser et gésir jusqu'à redevenir cette terre sur quoi l'Éternel avait soufflé.

Et il se la représentait à peu près telle que nous l'avions connue, le jour où elle arriva à Prunde au bras du pauvre Pythre qui tremblait de fierté autant que de son mal, déjà, souriant tous les deux, les pommettes très rouges, le reste du visage assez pâle, avec au bout de chaque bras un balluchon ou un panier, et derrière eux le père de Marthe (puisque le tuberculeux n'avait plus de mère et que son père s'en était allé chercher du travail, très loin, dans cette Auvergne, disait-on, d'où il n'était jamais revenu) tirant lui-même un charretou qui contenait les bois du lit et un édredon rouge sang, toutes les affaires de Marthe devenue Pythre quelques heures auparavant, à la mairie de Saint-Sulpice. Ç'avait dû être ainsi, pourquoi pas. Et dès que le soleil disparaissait dans les sapins de la crête, la grande Aimée venait sans bruit lui tapoter l'épaule ; il se levait et elle le suivait, la tête haute pour la première fois de sa vie, souriant elle aussi comme une jeune épousée, vers la basse maison où ils s'enfermaient pour la nuit, mangeaient et se couchaient sans s'être dit un mot, ni même regardés vraiment — l'un comme l'autre perdus dans des songeries de taciturnes, la fille rêvassant peut-être aux regards que les hommes parfois posaient sur elle maintenant qu'elle s'occupait d'un garçon, surtout quand elle se baissait pour ramasser des bûches ou des épis dans les éteules, ou qu'elle pissait derrière une haie ; mais nul ne se fût à présent risqué à l'approcher, non plus qu'à se moquer : on savait que la mère Grandchamp n'était pas loin, qu'elle surgirait tout contre vous, prête, disait-on, à jouer de sa serpe, avec dans le regard, l'éclat des pécheresses. Si bien que la grande fille, à vingt-cinq ans, vivait dans l'ignorance à peu près heureuse des enfants et dans la dévotion à celui qu'elle servait comme elle avait servi Élise Grandchamp, continuant de se laver devant lui, même quand ça coulait entre ses jambes et qu'elle regardait en souriant doucement ce sang qui s'enroulait à ses cuisses, agenouillée en plein champ au-dessus d'une rigole ou dans la pénombre de la pièce, sur la cuvette où elle laverait les légumes du lendemain.

7

Tout Prunde guettait dans le ciel, le soir, les nuages qui viendraient à l'ouest du côté de Limoges ; on attendait que le cul de la Limougeaude fût noir, comme on disait, pour être certain qu'il pleuvrait le lendemain et que le temps s'adoucirait, la pluie chassant la neige et maintenant l'odeur au ras du sol où elle prenait un goût douceâtre de vieux champignon.

Il se mit à pleuvoir dans la nuit du 27 mars. On attendit encore deux jours, que l'eau eût déblayé les chemins, pour ouvrir la porte des pilotis, devant le hameau rassemblé sous un ciel menaçant, et déposer les morts dans la charrette de Niarfeix attelée de deux grands bœufs roux devant lesquels marcherait Niarfeix en personne, l'aiguillon sur l'épaule, vêtu comme les autres de ses meilleurs habits. Les morts (la vieille Julia, la cadette de chez Vedrenne et Marthe Pythre) ne se contentaient pas de puer : on les entendait par moments remuer dans leurs boîtes installées côte à côte et recouvertes de houx ; car nous tenions à ce que ce ne fût point là, malgré l'odeur, une charrette d'infamie, surtout là-haut, sur le plateau, une fois qu'on aurait gravi les kilomètres de lacets et tourné vers Chavanac, où on laisserait Julia et la fille Vedrenne avant de continuer vers Barsanges avec un cortège moindre : après tout Marthe était une étrangère, nous l'avions peu connue et, nous semblait-il, connaissions encore moins ce fils qui marchait derrière la charrette qui, lorsque nous rencontrions du monde ou que nous traversions des hameaux, nous faisait quand même honte. On avait beau savoir qui nous étions, le commis de chez Vedrenne étant parti la veille pour avertir les gens, on ne nous tournait pas moins le dos, les portes se fermaient en hâte, les visages grimaçaient, les yeux cherchaient quelque chose d'autre. Alors nous relevions la tête et passions en regardant droit devant nous, avalant notre colère, songeant que leurs morts puaient sans doute autant que les nôtres, pourrissaient de la même façon, pour finir dans la même ténèbre.

Jamais nous n'étions allés si loin. Nous étions aussi seuls sur la route que dans la combe, et c'était bien comme ça. Nous avancions sans nous presser, comme si maintenant le temps était à nous, peu nombreux jusqu'à ce que ceux du hameau de Celle nous aient rejoints — eux aussi dans leurs plus beaux habits, malgré la boue et la pluie qui menaçait, et bientôt aussi furieux que nous contre cette femme qui avait été belle et dont il n'était pas possible qu'elle puât si fort, qui semblait se plaindre de n'être pas encore en terre et d'avoir à abandonner ce fils qui suivait la charrette en marchant seul, devant nous, ce fils taciturne et déjà peu commode malgré son air paisible et ce teint très pâle qui nous l'avait fait surnommer Chat Blanc — en souvenir aussi de son père qu'on ne vit jamais boire que du lait et parce que, surtout, nous ne pouvions nous résoudre à ce qu'il portât le prénom de ce dernier, André, comme si le père, sentant qu'il n'irait guère plus loin, avait voulu se survivre dans cette homonymie, sans y parvenir vraiment, le garçon n'étant pour nous que le fils du

cocu, car c'était bien être cocu, n'est-ce pas, que de
mourir ainsi, l'année de son mariage, et d'abandonner en pleine jeunesse dans un endroit aussi misérable
que Prunde une femme jeune et belle et féconde que
nous raccompagnions à présent dans sa terre natale
et qui avait accompli son cycle faute d'avoir fait son
temps, oui, que nous ramenions à Barsanges tandis
que les cloches au loin sonnaient pour nous la vraie
fin de l'hiver et que nous recommencions à nous sentir des chrétiens comme les autres.

Nous nous dirigions vers l'autre bord du plateau,
pitoyables et lents, avec au fond du cœur une espèce
de joie sourde, même si nous savions que pour la plupart d'entre nous les jeux étaient faits, puisque nous
vivions moins près du ciel que ceux du plateau. Nous
avons atteint Barsanges vers le milieu du jour, sans
que le soleil ait percé — ce qui faisait murmurer à
certains que nous n'étions pas encore au bout de nos
peines. Nous avons attendu, debout, à l'entrée du cimetière, au-dessus du village, sous les grands hêtres.
Nous gardions le silence. Nous nous recueillions
comme ceux de Barsanges qui nous avaient regardés
passer, derrière leurs fenêtres, d'abord curieux, puis
réprobateurs dès qu'ils avaient senti, enfin pleins de
pitié pour cette pauvre femme dont ils se souvenaient
(se rappelant surtout sa mère qui avait grandi parmi
eux avant qu'elle n'épousât ce Javaud de Celle, qui
ne valait pas grand-chose) et qui allait enfin trouver
le repos. Car, vraiment, ce n'était pas une vie que
d'être exposée depuis tant de jours à tous les vents et,
depuis l'aube et même bien avant, d'être cahotée en
puant comme tous les diables par les ornières boueu-
ses. Et on en arrivait à plaindre aussi ces petites silhouettes immobiles, là-bas, à l'entrée du cimetière et,
surtout, parmi elles, ce fils à l'air buté qui se tenait
bien droit, un peu à l'écart des autres, non loin de la

charrette : l'enfant de Marthe, l'orphelin de toujours, le petit Pythre encore tout à sa honte que sa mère puât si puissamment ; de quoi le curé allait bientôt le délivrer et les autres avec lui qui regardaient le grand surplis blanc entouré de plus petits surplis monter à grands pas vers le cimetière, précédés de la face rouge du maire.

Et même après qu'on l'eut mise en terre, près de son père et de sa mère, sous une croix de bois à laquelle pendait un Christ qu'un mince auvent de tôle n'avait pas empêché de rouiller, on sentait encore l'odeur de Marthe dans l'après-midi déclinante ; mais c'était une odeur qui faisait à présent pitié, filtrée par la terre, rendue à elle, à l'élément qui la pacifiait, puissante et apaisante, et qui leur donnait à tous envie de pleurer et de s'asseoir entre les tombes ; car ils n'en pouvaient plus, soudain, et se demandaient comment ils avaient fait pour supporter ça si longtemps, n'imaginant pas (et à chaque fois c'était le même étonnement, la même indignation) qu'il fût si difficile de vivre et de mourir, et plus difficile encore de supporter ce qui se passait après, pour les morts comme pour ceux qui restaient.

Mais ils avaient fait ce qu'ils avaient à faire et, dans le bistrot où ils s'étaient retrouvés, après, ils ne voulaient plus y songer — ne plus songer à rien, les hommes et les femmes pour une fois ensemble, mêlés à ceux de Barsanges et à ceux de Celle, quoique ne se parlant guère, mais levant le coude de la même manière, avec une obstination quasi pieuse, les yeux arrondis au bord du verre dont ils ne laissaient pas perdre une goutte ; puis ils s'agitaient tout d'un coup, s'ébrouaient, se mettaient à regarder la salle déjà sombre où le cabaretier ne se décidait pas à faire de la lumière, hasardaient quelques rires sonores : ils n'avaient pas l'habitude du

monde, encore moins de s'exprimer en français avec
des gens qui ne différaient pas d'eux ; et ils cherchaient dans le vin et dans des mots sans importance mais proférés très fort, trop fort, comme s'ils
n'avaient pas ouvert la bouche depuis des mois, de
quoi ne point se sentir trop étrangers sur cette terre
et trouver aussi le courage d'entreprendre la marche
de retour qui, bien des heures plus tard, vers minuit, les ramènerait à Prunde, harassés, transis, dor-
mant debout, avec au ventre encore un peu de la
fureur sourde qui les avait fait avancer et les ferait
se dévêtir avant de retrouver leurs paillasses, le visage enfin clos, non pas délivrés ni heureux, c'eût été
trop dire, mais résignés à ce que cela recommençât
l'hiver suivant et qu'ils rentrassent à la combe par
une nuit semblable à celle-là, sans lune, mais point
tout à fait obscure, éclairée par le petit feu tenace
qui était en eux et qu'il fallait protéger des grands
vents qui rabotaient le plateau et soufflaient, disaient les vieux, de la gueule du diable.

Chat Blanc marchait en tête, à côté de Niarfeix qui
tenait la lanterne et guidait les bœufs et leur chargement de femmes allongées côte à côte sur de la paille,
à l'endroit même où on avait arrimé les cercueils,
mais bien vivantes celles-là, encore qu'elles n'en fussent, au milieu de la nuit, à cause de la fatigue, plus
tout à fait sûres. Et c'est sans doute cette nuit-là que
nous avons compris qui il était : seul au monde, certes, et heureux comme nous d'en avoir fini, aussi hagard et las que les autres, mais, contrairement à eux,
désireux de vivre à tout prix, le menton bien relevé
malgré la pluie qui tombait par bourrasques depuis
que nous avions passé Lissac. Nous réglions notre pas
sur le sien, sans remarquer ce qu'il y avait d'étrange
pour nous autres, depuis longtemps résignés au pire,
à nous laisser mener (le Grand Niarfeix aussi qui

s'était mis à demander à ses bœufs plus qu'ils n'en pouvaient donner) par ce trop jeune homme, ce gamin qui paraissait croire qu'on peut ne pas mourir, qu'on n'est pas censé s'y résoudre d'entrée de jeu. Non qu'il aimât la vie plus que nous ne l'aimions ; mais il était comme nous délivré de l'odeur ; il respirait avec une joie lente les souffles de la nuit et son cœur devait bondir comme s'il reniflait au fond de la ténèbre les premiers signes du printemps. Et il nous forçait nous aussi à espérer ce printemps, à plonger le museau dans la nuit venteuse aussi opiniâtrement qu'entre les cuisses de nos femmes, à prendre une fois encore les vessies pour des lanternes.

Dans la charrette les femmes récitaient en français des prières lentes que nous écoutions comme autrefois le maître ; car le français nous rassurait, mettait entre la nuit et nous, entre le désordre primitif et la résignation, l'épaisseur de syllabes fortes et claires — les seules qui pussent lutter d'égal à égal contre les éléments, songions-nous parmi les vents contraires et la pluie qui balayaient la lande et où nous avancions tête baissée, sauf lui qui s'obstinait à croire que nous n'étions pas tout à fait maudits, petits hommes qui cheminaient dans la nuit des hautes terres, à la fin d'un hiver qui continuerait de nous guetter sur la brande, dans les bois, dans l'eau vive, au cœur du granit, à peine plus solides que de jeunes coudriers et moins malins que les bêtes de la nuit, mais qui gardaient foi dans ce qui les séparait encore des bêtes et des arbres : cette langue dans laquelle ils n'étaient pas nés, mais qui s'étendait au-dessus d'eux, obscure et transparente, comme le ciel, cette nuit-là, et dans laquelle beaucoup étaient persuadés qu'était inscrit leur destin et que c'était dans ses vocables qu'ils pourraient le déchiffrer, s'ils en étaient capables ; mais, cette nuit-là, tandis que les vents tordaient les haleines à la bouche des femmes, ils rameutaient en eux-mêmes tous les mots français dont ils pouvaient se souvenir pour les mêler aux prières des femmes comme on fait feu de tout bois, s'attendant à tout moment que la terre se dérobât sous eux, s'ouvrît pour les précipiter dans une tout autre combe, sans fond celle-là, et plus humide et froide que les tombes où reposaient enfin les trois femmes. Certains se demandaient même, quand on passa près des Cars, s'ils ne verraient de leurs yeux l'immense cuve de granit taillée il y a des siècles et que des hommes ivres, au siècle précédent, avaient tenté de tirer sur la lande avec leurs bœufs puis abandonnée dans un creux, ce bac où dix personnes auraient pu se tenir debout et qui servait, disait-on, de gobelet au diable ; c'est que nous étions dix, cette nuit-là, sur la lande, ou onze, selon que nous comptions Chat Blanc qui continuait de marcher sans détourner la tête et de nous entraîner, sans que nous songions à résister à ce gamin devenu en quelques mois, en quelques heures même, un petit homme et qui semblait tenir tête aux vents qui lui rabotaient la figure, tirant d'eux une manière de puissance ou de certitude heureuse quoique sombre, opposée à notre lourdeur à nous, à l'œuvre inexorable de la terre à quoi il faudrait retourner, ceux du plateau comme ceux de la combe, ceux qui étaient déjà plus bas que terre comme ceux qui, dans les villes, à ce qu'on disait, oubliaient que la terre s'ouvrirait un jour pour eux aussi plus sûrement que les jambes des femmes ; à moins que ce ne fût déjà la même chose et que le tiède empan dans quoi ils oubliaient ce qu'ils étaient ne fût leur lieu à eux où se résigner, tricher sans tout à fait se leurrer, accorder leur râle à ceux qui ahanaient autrement, supporter enfin tout ce qui sortait de bouche humaine, hélait, criait, murmurait, gémissait, chantait et même riait dans les flammes de l'été comme dans le silence de l'hiver, à supposer que tout ça ne fût pas la même chose, le chant de la même terreur et de la même misère.

8

La terre accomplissait son œuvre. Elle happait les
morts, les suçait, les mangeait doucement. C'était
l'heureuse débâcle. Il devait y songer avec une espèce
de bonheur et se dire que le corps maternel avait enfin trouvé son juste poids de terre, sa vraie nuit. Marthe pouvait se mettre à vivre en lui, souriante et grave,
avec son odeur de savon, d'herbe et de lait et, au fond
des yeux, quand elle se tournait vers lui, cette bonté
qu'il n'aimerait sans doute dans nulle autre femme.
Il se ferait à d'autres sourires, se fit à celui de la grande fille brune au chapeau déformé, qui habitait avec
lui, qui réchauffait non seulement les aliments et ses
mains qu'elle prenait entre les siennes dès qu'il rentrait des bois et des champs, mais aussi, nuit après
nuit, la place où Marthe avait sué son sang et où il
n'osa jamais aller s'étendre. Il continuait à dormir sur
son étroite couche d'enfant. La grande fille lui souriait ; elle savait qu'il ne la battrait pas, ne chercherait
pas à lui attraper les tétons — à quoi elle semblait
tenir plus qu'à ce nid de chardonneret qu'elle lavait
aux rigoles des prés et où le cadet des Gorce avait
autrefois mis la main, la chatouillant si fort qu'elle
s'était mise à souffler, puis à râler et que ce râle lui
avait donné envie de pleurer et de rire tout à la fois.

Elle avait ri et pleuré encore pendant que la mère Grandchamp qui avait entendu Gorce se vanter de la chose la battait comme plâtre ; puis elle avait oublié, était retombée en elle-même.

Depuis son lit, Chat Blanc contemplait ce visage rougeaud, aux pommettes hautes, aux yeux quasi bridés comme on en voit parfois sur le plateau et dans les combes alentour : elle était fille de ces filles qui avaient autrefois retenu les Huns et les Tafales, hagards, épuisés, terrifiés peut-être par un chemin que ni le sang ni la mort n'interrompait et qui s'étaient abandonnés là, sur ces hauteurs qui leur rappelaient sans doute d'autres plateaux, se répandant dans des ventres de femmes, toute moiteur, douceur, blancheur étant bonne à prendre après les Champs Catalauniques ; à telle enseigne que certains ne remontaient pas à cheval, s'attachaient à la femme forcée comme le lierre au chêne et plantaient leur épée sur la tombe d'un compagnon d'armes, soudain plus que harassés, incapables d'en faire plus, et, au fond, pas plus mauvais que d'autres — que les époux légitimes et sombres, la terre ingrate et froide et les bicoques enfumées au bord des tourbières, puant le bouc, la haine et la peur là où les autres sentaient la sueur, le fer, le sang et toutes les prairies, les fleuves traversés, les déserts, ceux d'où ils venaient et de quoi leur langue gardait la rumeur, et ceux qu'ils avaient créés par le feu et l'épée, et ceux encore qui les précédaient et où ils finissaient par renoncer à eux-mêmes, à moins que ce ne fût un accomplissement, un retour, une allégeance à la loi commune de l'espèce. Si bien que dans les yeux d'Aimée on pouvait voir passer l'éclat sourd des armes et des rires, des songes d'après la bataille, et des grands vents qui traversaient les siècles ; et comme jadis son aïeule devant le petit guerrier aux yeux en amande et à la chevelure lisse, la

63

grande fille brune s'inclinait devant celui qu'on lui avait désigné et dont elle ne se demandait pas pourquoi il était là ni pourquoi il la regardait à la dérobée quand, par exemple, elle ôtait ses jupons pour se coucher ou bien de part et d'autre de la table, le soir, dans les lueurs brèves de la cheminée, lorsqu'ils mangeaient. Elle ne savait pas baisser les yeux, ni la tête. Elle regardait devant elle en se demandant peut-être d'où partiraient les coups et s'étonnant qu'ils ne vinssent pas ; et elle restait là, devant lui, comme elle était restée devant la mère Grandchamp, la bouche légèrement entrouverte sur un sourire indéfinissable, les mains à plat sur ses cuisses épaisses, attendant qu'il parlât. Mais il ne disait rien, ayant simplement accepté que la Grandchamp l'amenât là et ne revînt pas la chercher, qu'elle réunît ces deux solitudes — en un mot casât cette fille avant d'aller s'éteindre chez son autre fille, l'aînée, la légitime, à Peyrelevade, un peu plus loin, sur le plateau. Cela, nous ne l'avons appris que bien des semaines plus tard, alors qu'elle était déjà sous terre et nous autres en hiver dans la combe, avec encore un mort — une bru de chez Gorce — qui puait comme plusieurs diables sur les pilotis.

Elle se savait à lui. Avec le temps, il lui lançait des mots brefs comme il eût craché dans le feu. Elle ne pleura pas lorsque, au printemps, accompagné de l'instituteur qui était venu le chercher, il fut absent toute une journée et une partie de la nuit. Elle l'attendit (tout comme la nuit où nous étions rentrés de Barsanges, épuisés, trempés jusqu'aux os, délivrés mais haïssant encore jusqu'au nom de ceux qui nous avaient empoisonné la vie) près de la porte entrebâillée, le feu ravivé, les yeux calmes. Elle se fût moquée d'apprendre qu'il venait cette fois de Meymac, de chez le notaire où, dans l'étude fraîche aux boiseries sombres et pleines de reflets dorés, on lui avait fait mettre son nom sur des papiers qui lui donnaient l'usufruit non pas de la maison où il vivait, mais de celle où, chez nous, la mère Grandchamp était venue cacher sa honte, comme si nous n'étions bons qu'à cela, nous faire oublier du monde et garder nos morts pendant de trop longs hivers ; elle lui donnait aussi (et c'était bien là le plus extraordinaire, qu'un gamin de quatorze ans dont les parents étaient morts dans une quasi-misère se trouvât du jour au lendemain, même petitement, rentier) de quoi s'entretenir jusqu'à ce qu'il fût majeur, à charge pour lui d'entretenir aussi la grande fille brune.

Elle l'eût attendu chaque soir, jusqu'à la fin des temps, la soupe fumant puis refroidissant sur la table où brûlait la lampe, quoi qu'on eût pu lui dire ou qu'elle eût entendu dans Prunde, ne concevant point qu'une journée pût s'achever sans qu'il revînt s'asseoir à la table de bois foncé, devant le verre toujours plein d'un vin trop vert, selon l'habitude donnée par Élise Grandchamp qui trouvait là, pensions-nous, de quoi apaiser les flammes de son enfer, et à quoi cependant Chat Blanc ne touchait point, pas même pour tremper sa soupe, obéissant, lui, à l'injonction maternelle qui réprouvait les soiffards et les fainéants, et ne relevant la tête vers Aimée qu'au moment où il avait vidé son écuelle, une fois le couteau replié, la cigarette de gris roulée puis glissée entre les lèvres et le regard planté dans un coin, au fond de la pièce obscure, généralement du côté de la fenêtre au volet clos depuis le coucher du soleil et par laquelle on eût dit qu'il continuait de voir.

Elle était là, la grande Aimée, avec ses yeux en amande, ses hautes pommettes rouges et sa douceur indifférente. Elle ne lui pesait guère plus que le passage des saisons, bonne ménagère au demeurant, propre sur sa personne et distante, muette par instinct autant que par incapacité à former des phrases, ayant sans doute senti que sa chance était tout entière dans ce silence et cette distance, tout comme son destin entre les mains de ce gars de quinze ans qui passait ses journées comme les autres, à soigner quelques bêtes, à défricher un peu de bois, à travailler la terre des autres, et ses nuits à dormir. Peut-être ne se rappelait-elle déjà plus, cet été-là, le visage ni le nom de celle qui avait été sa mère et qui avait sombré avec le reste, les années, les saisons, les animaux, les arbres chus et débités, les enfants des autres ; avec aussi ces peurs qui poussent les autres femmes à enfourcher les hommes, comme d'autres vont s'enfoncer, la nuit, dans les étangs, ou se jettent dans les puits. À peine si elle sentait, chaque mois, le sang couler entre ses cuisses, ne se souciant pas plus de ça que de ce qu'elle laissait tomber de son ventre, le soir, dans la faïence avant de se coucher, ou des vents qui lui échappaient avec un petit rire silencieux.

Elle n'était cependant point désagréable à regarder, maintenant que la Grandchamp n'était plus là pour la battre et qu'elle avait quitté sa mine de bête inquiète, malgré ses cheveux courts, toujours en bataille, sa lèvre un peu trop épaisse et humide, ses larges mains rouges et sa parole si rare qu'on était non seulement étonné de l'entendre, mais qu'on ne comprenait pas sur-le-champ ce qu'elle avait murmuré et qu'il n'y avait pas moyen de lui faire répéter ; si bien qu'on était agacé qu'elle pût parler, qu'elle pût avoir aussi ce désir-là, elle qui n'avait pas besoin de ça pour se mouvoir entre les murs de la basse maison et les quelques feux de Prunde. Ce qu'elle disait ? De brefs mots de douleur ou de contentement, ceux de la faim et de la soif, ceux de la fillette qu'elle resterait toute sa vie, avec des rêves qui ne lui sembleraient pas différents des veilles, heureuse, sans doute, d'être là et pas ailleurs, sauf quand ça coulait entre ses jambes et que ça lui faisait un peu mal, que le froid la faisait s'accroupir la nuit sur la faïence et lui enveloppait le visage de sa mauvaise odeur, ou encore, quand l'autre, le garçon aux yeux durs et calmes, s'éloignait pour la journée, voire la nuit, ainsi qu'il l'avait fait lorsque le maître d'école était venu le chercher, ainsi qu'il le ferait encore, trois ans plus tard, quand il aurait dix-huit ans (trois années au cours desquelles nul n'était mort chez nous, l'hiver, à telle enseigne que nous avions fini par penser que le sort commençait à nous être favorable), et qu'il devrait retourner, seul, cette fois, à Meymac, dans la maison haute sur la place en pente, avec la vigne vierge qui étouffait les fenêtres, dans l'étude sombre, aux meubles luisants et lourds comme le visage du notaire, ce Léonce Laperge qu'il faudrait lui aussi appeler maître, si bien qu'il se dirait, Chat Blanc, que c'était ça le secret de ces hommes puissants, non pas de savoir où, quand et comment on mourrait, mais de comprendre que le monde se divisait entre les maîtres et les autres, entre les pauvres gourles et ceux qui savaient, parlaient, étaient capables de vous rendre sur-le-champ aussi puissants qu'eux, oui, tel ce maître Laperge qui lui signifiait en un quasi-murmure qu'il était à dater de ce jour, lui, André Pythre (et à entendre ces syllabes le jeune gars rougissait comme s'il ne s'agissait point de lui, comme si l'imposture qu'il y a à posséder quelque chose sur cette terre, fût-ce un nom propre, lui était découverte par le même homme qui le rendait puissant), propriétaire non pas de la petite maison où il vivait, dans le hameau de Prunde (laquelle revenait, par là même, à Octavie Bogros, née Grandchamp, fille légitime d'Élise Massoutre et de Jules Grandchamp, natif de Peyrelevade et tué par un Prussien, en 1870, près de Rouen), ni des quelques arpents de bois et de prés qu'il exploitait dans ladite combe, mais d'une vraie ferme, de l'autre côté du plateau, au sud-ouest, près du village de Siom.

Chat Blanc le regardait sans ciller, ce jour-là, comme s'il ne comprenait pas ou qu'il fît semblant de ne point comprendre pour se donner le temps de réfléchir et aussi de l'aplomb, devinant que sa vie basculait de l'autre côté, qu'on ne peut être tout le temps la cognée mais aussi le bras qui la manie et, peut-être un jour, la bouche qui commande à ce bras, le bon côté, donc, où il serait possible qu'on l'appelle enfin par son vrai nom, celui de son père, nom et prénom qui étaient son véritable héritage et qu'il aurait désormais à faire vivre de la même façon que l'argent et la terre devaient vivre, disait le notaire en regardant le jeune gars d'un air à présent las, presque indigné qu'on pût léguer tant de bien à cette gourle au visage buté, froid, point trop laid quoique mal dégrossi et où semblaient s'achever, se résumer des siècles de privation et d'entêtement à survivre, en même temps qu'une volonté féroce de s'en sortir, avec une vivacité d'esprit qui devait presque tout à la haine (celle de soi aussi bien que des autres ou de la terre froide et ingrate) et au désir d'en finir avec ces années qui passaient trop lentement, celles de cette trop grande jeunesse où il n'était encore rien ; malgré enfin la terre qu'il aurait toujours sous les ongles comme le patois sur la langue, ce qui ne l'empêchait pas de comprendre ce que lui expliquait maître Laperge (dont les narines frémissaient dans l'odeur du gigot qui venait de derrière le mur de livres aux dorures passées, du fond d'un couloir sans fin, se disait peut-être le jeune gars, qui devait penser aussi que c'était ça encore la puissance : une odeur de gigot, ou ce qu'il supposait tel, n'en ayant jamais goûté, venant flotter parmi des livres au dos recouvert d'or), que madame Grandchamp, née Massoutre, et veuve de Jules Grand-champ, avait pris telles dispositions concernant une part de ses biens : soit une ferme avec un corps de logis, un grand bâtiment et un fournil, et douze hecta-res de terres cultivables et de bois surplombant la Vé-zère, à Veix, en face du village de Siom ; cela, elle le léguait à André Pythre, à la condition qu'il aurait, trois ans après la mort de la légatrice et au moment où le légataire aurait atteint ses dix-huit ans, fait la preuve qu'il s'occupait bien de sa fille adoptive, Ai-mée Grandchamp, et la traitait avec équanimité, avec la décence qui sied à un propriétaire ; à la condition aussi qu'il serait délivré de tout devoir militaire et, enfin, qu'il s'engageât à ne jamais démembrer la pro-priété ni à se séparer d'Aimée, qu'il n'avait néan-moins pas à épouser, contrairement à ce que stipulait un point antérieur du testament modifié par codicille peu avant le décès d'Élise Grandchamp.

— Tout ça est bien singulier, murmura le notaire, qui crut bon de souligner de nouveau que ces disposi-tions valaient jusqu'à la mort de la fille, avec l'impos-sibilité de jouir de la terre et de la maison si la fille ne vivait pas sous le même toit, peu importait ce qu'elle y ferait, bonne à tout faire ou servante maîtresse, ou idiote de la famille, pourvu qu'elle y fût au calme et au chaud pour le restant de ses jours, qu'elle ne criât point de douleur ni de peur, ni ne gémît, la nuit, comme la fille Vedrenne, laquelle n'avait d'ailleurs pas fait de vieux os, plus innocente qu'Aimée, et avait passé plus de dix années près de l'étable à cochons parce qu'on ne parvenait pas à la faire taire dans la maison, devenue à peu près comme les cochons, en tout cas par sa façon de réclamer pitance, ou d'avoir peur, devenue, quand on la délivra, aussi fine et mé-fiante qu'eux, avec, disait-on, le même petit œil rond, fixe et malin — affinée plus que rabaissée, disait-on encore, par cette proximité, et néanmoins perdue pour les humains, et mourant à dix-sept ans de ne savoir vivre avec eux ni sans eux.

Le jeune gars écoutait le notaire comme celui-ci le regardait : presque distraitement, avec ce qui pouvait passer pour de la hauteur mais n'était que de la gêne, pressés l'un comme l'autre d'en finir avec cette cérémonie mais prenant malgré tout le temps de dire les choses, peut-être parce que c'était leur devoir et qu'elles étaient peu banales. Il écoutait cet homme dont les joues grises prenaient dans la pénombre des reflets d'eaux profondes et qui disait pour conclure qu'il était, lui, André Pythre, responsable à présent d'une ferme et d'une femme, et que l'une n'allait pas sans l'autre, ce qui, malgré l'étrangeté des clauses, était dans l'ordre des choses. Il le savait, l'avait probablement su dès lors qu'Aimée n'était pas rentrée chez la mère Grandchamp ; peut-être avait-il alors deviné qu'on devait beaucoup, sinon tout, aux femmes et plus encore le jour où il était allé habiter dans la petite maison de la mère Grandchamp, après que cette dernière s'en fut allée chez son autre fille (l'aînée, la légitime, qui s'était opposée en vain au testament, il fallait bien le dire, mais le jeune gars semblait ne pas s'en soucier, habitué à la haine et à l'envie, à moins que l'hostilité lui parût légitimer l'héritage), à Peyrelevade, sur le coteau exposé à tous les vents, là où la terre était plus sombre et froide qu'en aucun coin du plateau, avait-elle coutume de dire, plus triste, aussi, sorte de thébaïde glaciale et pluvieuse où il suffisait de s'étendre sur son lit pour se sentir mourir, la nuit, dans la haute maison de pierre grise à pignon donnant sur la vallée, lorsque les vents rabotaient le coteau et soufflaient sous les portes, entre les volets, dans les cheminées, soulevant les ardoises avec un petit bruit sec et frénétique assez semblable à une grêle qui n'au-

rait pu tomber du ciel mais qui ne serait venue de
nulle part, de plus loin que la nuit et que de la bouche
même du vent, c'est-à-dire de ce qui n'a pas de fond,
de cette autre nuit dans laquelle la vieille femme
commençait à entrer, sans peur, avec une sorte de
lassitude mais aussi de reconnaissance, songeant à ce
qu'avait été sa vie comme si elle ne lui appartenait
déjà plus, comme à un objet dont on n'a plus l'usage
et qu'on abandonne, se rappelant presque amusée le
temps où elle courait sur ce même coteau, au printemps, parmi les genêts en fleurs, la gentiane et les
gueules-de-loup, avec sa jupe bleue, sa chemise de
toile à demi-manches et col à coulisse, son béguin
plat noué sous le menton et, par-dessus, un grand
chapeau de paille ; songeant à cela et à rien d'autre,
et en ces derniers instants, incapable de concevoir
qu'elle agonisait, oui, que pareille horreur pût lui arriver à elle pourtant prête à l'anéantissement avec une
joie paisible, cette joie qui est sans doute le vrai nom
de la paix et qu'on ne connaît que lorsqu'il est trop
tard, n'ayant eu, pas plus que les autres, de pouvoir
sur cette vie, tout avait passé si vite depuis qu'elle
avait gambadé dans la brande et connu l'homme qui
l'avait, à vingt-quatre ans, laissée veuve de guerre,
une guerre lointaine qui n'avait eu de terrible pour
elle que l'hiver très froid, l'avis de décès de l'époux,
la capture et la déchéance de l'empereur. Oui, tout
ça comme le reste avait passé trop vite pour qu'on y
puisse comprendre quelque chose ; et peut-être songeait-elle, enfin, au testament qu'elle avait fait, quelques mois auparavant, quand elle avait senti qu'elle
n'en avait plus pour bien longtemps, et à ce dont elle
avait pourvu ses deux filles, la légitime chez qui elle
s'éteignait dans le vacarme des grands vents qu'elle
n'entendait presque plus, héritière de presque toute
la fortune et le sachant déjà et pleurant sa mère avec

d'autant plus de véhémence, ayant eu elle aussi sa part de honte et attendu patiemment ce qui pouvait passer pour réparation ou rétribution ; et l'autre, l'innocente, l'objet du scandale et de la honte, pour qui dès l'orphelinat il avait fallu payer, mentir, essuyer les sarcasmes, s'habituer au soupçon, et qui était à présent pourvue d'une sorte de mari qui ne la touchait ni ne lui parlait et dont elle serait jusqu'à la fin la servante, la mère impossible et la sœur, voire l'enfant, et qui aurait besoin de lui comme lui d'elle, leur sort ayant été lié malgré eux dans le secret d'une étude, à Meymac, une après-midi de juin, comme l'air bourdonnait d'insectes paresseux et qu'Élise Grandchamp disait, avec une évidente satisfaction :

— Vous voyez, maître, je ne suis pas tout à fait mauvaise, pas comme celles qui enterrent leur petit vivant ou le laissent s'élever tout seul avec les gagnous...

Elle avait dit gagnou au lieu de cochon ou porc, le mot patois lui paraissant probablement moins violent que le français, puis elle s'était reprise et avait prononcé doucement cochons, rougissant, comme si elle avait juré devant cet homme qui, elle le savait, la jugeait plus froidement encore que le curé de Peyrelevade à qui elle avait tout dit de sa faiblesse d'un moment, alors qu'elle était veuve depuis trois ans et qu'elle était retournée chez ses parents et qu'Octavie avait quatre ans : elle s'était donnée à ce voyageur d'un soir d'avril que nul n'avait vu et dont elle-même n'avait peut-être aperçu que les yeux dans lesquels tremblait un peu d'or ; il n'avait pas eu besoin de beaucoup parler pour qu'elle le rejoignît, le même soir, sous les tilleuls, en bas du coteau, près du ruisseau dans lequel, l'après-midi, elle avait lavé du linge qui se balançait à présent doucement dans la nuit et mêlait son odeur à celle des tilleuls. Elle savait ce

qu'elle faisait (même si à son père, à sa mère, à ses
sœurs et aux autres elle avait dit que la tête lui avait
tourné, à cause des tilleuls, de la douceur étrange de
la nuit, de la vie qui lui avait paru un instant si légère), surveillant du coin de l'œil la maison paternelle
qui n'avait pas à cette époque le haut pignon qui avait
fait dire à ceux de Peyrelevade que les Massoutre portaient bien haut leur déshonneur, mais se disant
quand même, on peut le croire, que c'était ce qui
pouvait lui arriver de mieux, oui, que de se retrouver
pleine, sans avoir réfléchi et en acceptant tout ce qui
pourrait s'ensuivre, dans cette nuit si claire, et sentant
certainement alors la terre bouger sous elle comme si,
les yeux maintenant fermés, insouciante désormais de
voir s'allumer la fenêtre du père, elle s'était mise à
choir dans le ciel profond, le cœur battant à se rom-
pre, avec des larmes et un sourire qu'elle ne se
connaissait pas, et soupirant comme elle ne l'avait jamais fait — même quand l'époux, celui que la lance
de l'uhlan avait cloué à une porte de grange telle une
chouette ou une patte de sanglier, là-bas, vers Rouen
d'où il avait fait écrire que c'était bien beau les
mouettes qui remontaient la Seine avec les grands na-
vires, même quand l'époux se fichait en elle avec son
petit épieu mince et roide comme un robinet de barrique et qu'il la besognait sans la regarder, la chemise
point ôtée, sans qu'elle connût de lui rien d'autre que
ses mains, sa figure rouge et ce souffle de bouvillon
promis à boucherie — contrairement à l'autre, à l'in-
connu qui tenait ses épaules entre ses avant-bras et
son visage entre ses mains qui sentaient le genêt et
qui remuait en elle et la faisait remuer comme la terre
sous le soc avant de s'endormir contre elle, non pas
à la façon de Jules Grandchamp se retournant sur le
côté quand il avait fini, mais tel un enfant qui s'aban-

donne au sommeil, en souriant et en balbutiant un prénom féminin.

Elle passerait en songeant à tout ça, en devenant ce songe, puis la rêveuse absente, sans bien s'en rendre compte, comme surprise par la nuit, un peu étonnée, aussi, qui sait, que ce ne fût que ça, la vague satisfaction que tout fût dans l'ordre, malgré la nuit remuante, les sanglots d'Octavie et la grêle sèche des ardoises, entrée déjà dans l'oublieuse mémoire des autres, de ses filles, de son gendre et de l'autre, cette espèce de gendre sur qui elle avait parié. Elle mourait en paix : l'argent ferait son œuvre aussi sûrement que la terre ou les siècles qui l'avaient faite ce qu'elle était. Elle souriait, dit-on, lorsqu'un coup de vent plus fort que les autres l'emporta.

9

Le jeune Pythre (il nous faudrait désormais l'appeler ainsi, non que nous nous fussions trouvé soudain de l'estime pour lui : il resterait pour nous le fils du cocu, l'orphelin, le buté ; par considération plutôt pour cet héritage singulier dont nul d'entre nous n'eût pu avoir l'idée) comprenait sans doute qu'on est toujours à la merci des femmes, que ce sont elles, en fin de compte, qui l'emportent, qu'en leur faiblesse et leur surcroît de misère se fonde leur victoire.

Il était là, immobile dans la pièce pleine d'ombre où l'horloge allait sonner midi et où il pouvait lui sembler que le temps allait enfin commencer, non plus celui de Prunde où il n'y avait rien qui pût battre les heures comme monnaie universelle, mais celui dans lequel on ouvrait les livres et où les horloges sonnaient l'heure du gigot, devant ce notaire qui regardait le jeune rustre, cet innocent aux mains à présent pleines et qui ne mesurait peut-être pas tout à fait l'étrange contrat qu'il venait de passer avec la morte. Il semblait hésiter entre la résignation et les grandes espérances. Il n'avait rien pu contre cette Élise Grandchamp qui, depuis longtemps, depuis peut-être qu'il était né et qu'elle avait compris que le tuberculeux n'irait pas bien loin et que Marthe s'endormirait dans son veuvage, avait jeté sur lui son dévolu pour faire de lui, faute d'un gendre, un compagnon pour Aimée, puisque la vraie pitié n'avait pas plus cours chez nous qu'ailleurs et qu'il fallait acheter, échanger non seulement les bêtes et les biens, mais encore les femmes et les mâles et assurer par l'argent de quoi soulager ces plaies qui ne cessent de saigner en nous.

Au fond, il était comme nous : l'obstination lui tenait lieu d'orgueil, mais avec ceci de plus qu'il avait de l'orgueil et croyait qu'il valait la peine de s'obstiner. Il avait signé ce qui faisait de lui une manière de légitime imposteur, il ne l'ignorait pas, mais il ne pouvait agir autrement, sauf à demeurer dans la combe et devenir un jour, à son tour, une espèce de cocu silencieux et morne qui rêverait jusqu'à la fin à des maisons recouvertes de vigne vierge, des dames en blanc allongées dans des chaises longues, des livres aux reliures dorées et des horloges sonnant sur des odeurs inouïes.

Y rêvait-il en redescendant, ce soir-là, le chemin de Prunde, regardant sans les voir parmi les hêtres et les bouleaux les quelques maisons où nous faisions semblant de ne point nous soucier de lui qui d'ailleurs ne nous aurait rien dit et qui repartit, dès l'aube, après avoir peut-être demandé à Aimée de l'attendre, pour aller on ne sut jamais bien où, pour devancer l'appel, à Limoges probablement, disait Niarfeix qui prétendait que le jeune Pythre lui avait montré une carte postale représentant des soldats en képis et uniformes sombres montant une garde négligente et se roulant des cigarettes dans la cour ombragée de hauts frênes de la caserne du Train des Équipages, et pour rentrer plus d'une année après, ayant satisfait à l'un des termes du contrat, sans que la fille Grandchamp y ait trouvé à redire ou qu'elle ait cessé tout ce temps de préparer la soupe pour deux ? Il savait, cet automne-là, en rentrant à la combe (le même, mais cependant différent : arrogant et soumis, inquiet et déterminé, et en tout cas grandi, forci, plus fin) que c'étaient ses derniers jours parmi nous, qu'il fallait sans tarder quitter Prunde (c'était dans le contrat), la petite maison et les terres revenant à la fille aînée, et aller avec l'autre, l'innocente, se faire un nom de l'autre côté du plateau, sur la terre de Siom.

Nous n'avons rien tiré de lui, non plus que d'Aimée Grandchamp : ils ne nous voyaient déjà plus, nous dont le curé répétait que nous ne savions pas mieux regarder autour de nous que nos vaches, que nous étions arrivés là, dans notre nuit, et avions cherché à nous défaire de l'obscurité, à nous tailler dans le jour une figure plus humaine. Nous nous pensions éternels : nous étions résignés à tout. Nous nous sommes donc résignés au silence du jeune gars et de la grande fille. Nous les avons vus partir un matin, très tôt, dans les derniers jours de septembre. Il faisait froid. Il y avait de la brume. On sentait, à lever le nez vers le ciel, que ce serait une belle journée. La combe commençait à bruire mais point de voix humaines : nous étions tous chez nous, la face au carreau sombre, ou dans l'entrebâillement de la porte, ou plus loin, derrière les arbres, à regarder le jeune Pythre et la grande fille — celle que nous n'avions pu nous résoudre à nommer autrement, la drola, disions-nous aussi, faute de mieux et pour ne point dire pire. Nous les avons regardés porter le joug aux deux paires de cornes et lier les licols après que le jeune Pythre eut attaché au bas des cornes, pour les protéger, deux petites gaines de cuir assez semblables à celles que les lutteurs de foire, Niarfeix avait vu ça une fois à Égletons, se nouent aux poignets. Nous les avons regardés soulever ensemble, sans que nous ayons songé un instant à les aider, puisqu'ils n'étaient plus des nôtres, qu'ils ne l'avaient jamais été vraiment, soulever le timon et le porter au joug entre les têtes lentes dont les naseaux fumaient. Nous les avons vus charger dans la charrette le bois des lits, les paillasses, les édredons, quelques effets, le peu de vaisselle que Marthe puis la grande fille avaient su faire durer, serrée dans de profonds cabassous, de grands paniers bombés comme des ventres de brebis, et des outils. Mais ce qui nous indignait et empêchait qu'on se décidât à les aider, c'était le berceau qu'ils emportaient, celui d'André Pythre, le père et le fils, avec la chaîne qui permettait qu'on l'attachât au plafond pour le mettre hors de portée des rats, et qui donnait à penser que ces deux-là, l'orphelin et l'idiote, le quasi-gendre et celle qui était trop bête pour n'être pas bréhaigne, pourraient engendrer un troisième André qui braillerait dans ce même berceau où il se balancerait entre ciel et terre.

Seul le grand Niarfeix savait où ils allaient, lui qui avait acheté à l'héritière, la légitime, celle de Peyrelevade, sans qu'on connût d'où il tirait son argent, la petite maison et les terres, ainsi que quelques bêtes qu'il avait mêlées aux siennes — à l'exception des deux vaches attelées devant lesquelles marchait le jeune Pythre, les yeux rivés à la crête encore invisible. Au diable, diraient plus tard certains, quand ils se rappelleraient cette chose inouïe : qu'un gars de Prunde quittât la combe sans que ce fût pour tomber plus bas, dans la fosse éternelle, mais bien, à en juger par l'air qu'avaient ces deux-là, ce matin d'automne, pour des jours meilleurs, au-delà de Millevaches, quand ce ne serait qu'à l'autre extrémité du plateau, dans une autre entaille de la grande table de pierre où naissent les rivières et où les vents façonnent les visages aussi sûrement que les travaux et les songes.

Nous nous rappellerions longtemps l'expression qu'il avait, quand ils attaquèrent la côte, et ses yeux à lui, surtout, qui paraissaient y voir par-delà la brume, tandis que, derrière la charrette, la fille au calme regard de génisse, silencieuse et placide, accordait son pas et le balancement de sa tête à celui des bêtes rousses, les deux mains sur son ventre, comme si elle portait quelque chose sous ses jupons marron ou qu'elle fût près de s'accroupir dans un fossé, déjà lourde, certains l'avaient deviné, de quelque chose qui la dépassait, la faisait s'accrocher de temps à autre à la charrette et sourire étrangement.

Ils montaient sans se retourner. Nous étions sortis sur nos seuils pour regarder s'éloigner la petite silhouette en costume de droguet sombre qui avançait devant les bêtes et la charrette bleu passé à quoi s'accrochait l'autre silhouette en caraco rouge et châle noir. Nous les avons suivis du regard jusqu'au premier tournant ; avons attendu qu'ils reparussent après les épicéas de Gorce, là-haut, dans la brume qui commençait à se dissiper ; nous les avons vus atteindre les bouleaux de la crête, et longtemps les avons regardés au-dedans de nous et suivi leur cheminement vers la grand-route qui traverse le plateau, de Felletin à Meymac, et le long de laquelle on venait de planter des hêtres.

Ils atteignirent Chavanac au milieu de la matinée, s'arrêtèrent près de l'église, burent de l'eau à la bouteille en bois qui dépassait d'un des grands cabassous. Peut-être entendit-il sonner dix heures à l'horloge du presbytère. Il murmura, en français :

— Il est dix heures.

Il semblait s'étonner de pouvoir nommer les heures et d'avoir à compter avec le temps comme si sur les

étendues qu'il découvrait à ce moment-là, vertes, ro-
sâtres, jaunes, avec des taches d'un rouge flamboyant,
les heures dussent passer autrement qu'à Prunde ou
qu'il fût maître à présent sinon du temps, du moins
d'un temps qui était le sien et dont il saurait, on peut
le croire, faire quelque chose.

La fille grimaçait ; il ne la regarda pas ; il replaça
l'aiguillon sur son épaule et se remit en marche, prit
sur la gauche la route qui descendait vers Saint-Merd,
vers cette mer de bruyère, de bois, d'ajoncs et de
tourbières qui se relevait à l'horizon. Il avançait tête
nue comme il le serait toute sa vie, par bravade autant
que par humilité, l'avant-bras gauche sur l'aiguillon
comme il l'avait été, au régiment, sur le fusil que jamais nous ne lui verrions, la main droite dans la flanelle de sa ceinture, le regard attaché comme à une
proie à la route sur laquelle la poussière en séchant
se faisait plus légère sous les sabots et les roues ; tandis que l'autre, derrière, gardait les yeux rivés à cette
nuque, à cette tête aux cheveux très ras qui pas une
fois ne se tourna vers elle mais qu'elle suivait aveuglé-
ment, sans l'ombre d'une inquiétude, avec même,
pouvait-on se dire, une espèce de joie sourde qui
l'empêchait de regarder autour d'elle et de risquer de
se perdre, comme si, au-delà de Millevaches, on fût
entré en terre de sortilèges.

On les regardait passer sans hostilité, sans aménité,
non plus, au mieux intrigué par l'étrange couple, par
la grande fille aux yeux bridés, surtout, qui semblait
trop âgée pour être autre chose que la servante du
jeune gars à tête nue, à l'air furieux et décidé. C'est
ainsi que les virent passer ceux du Magimel, puis, peu
après midi, ceux de Saint-Merd qui les virent aussi
s'arrêter après les dernières maisons, sous les chênes
du tournant, où ils mangèrent un peu de pain et des
pommes de terre froides, cuites la veille dans le der-

nier feu. C'est ainsi que les vit, lorsqu'ils eurent la Vézère à leur droite et qu'ils furent entrés dans la lande, la bergère des Fargettes, appuyée sur son grand bâton ; elle leur cria, d'une voix de vieille chèvre qui avait autrefois fait courir le loup, quelque chose qu'ils ne comprirent pas et qui leur fit presser le pas : cette vieille chouette était bien un oiseau de malheur et il fallait sans tarder quitter ces étendues violettes sur lesquelles le vent s'était levé, aborder la montée vers Fournol, s'arrêter après les deux tournants, le hameau traversé, au début de la descente, et laisser souffler les bêtes, sans qu'il ait, lui, jeté le moindre regard aux maisons pressées sur l'éperon de granit non plus qu'à la fille, qui marchait en grimaçant et qui, depuis Saint-Merd, n'avait pas lâché le montant de la charrette. Les chiens de Fournol s'étaient tus et on n'entendit plus que le vent dans les genêts et dans les feuilles rouges. Il hocha la tête, cracha, se tourna vers les vaches, cria en patois qu'elles redémarrassent — ce qui pouvait aussi bien s'adresser à la fille qui d'ailleurs se mit debout aussitôt, sans un mot, en se tenant le ventre.

La route longeait de nouveau la rivière, plus large à cet endroit, entre d'énormes touffes d'herbe jaunâtre et des massifs de genévriers, transparente le plus souvent, avec des reflets d'acier, des cailloux blancs, du lichen gris, des grains de mica, presque aussi douce que des yeux de femme, aurait pu se dire le jeune gars s'il avait pu s'arrêter à de telles choses (à moins qu'il ne se souvînt de ceux de la dame en blanc, celle de chez les Marande, autrefois, à Saint-Sulpice-les-Bois, et qui était, aurait-il pu se dire encore, cela même qui n'avait point de prix, ou qu'en tout cas lui ne posséderait jamais, car elle était du côté de la vraie puissance, celle qui vous échoit par le sang et non par la conquête, oui, la vraie beauté, ce qui ne se discute pas et demeure à jamais pour les pauvres bougres une écharde vivante, une brûlure, une tristesse plus difficile à apaiser que toutes les faims qui leur tordent le ventre).

Bientôt ça sentit la résine. On fit boire les bêtes dans un bosquet de pins pour échapper au soleil de quatre heures. Une buse tournoyait à la verticale du bois, très haut dans le ciel. Il continuait à contempler l'horizon et se réjouit (ce furent les premiers mots qu'il lui adressait vraiment depuis qu'ils avaient quitté Prunde — et encore aurait-il pu se les dire à lui-même : il ne la regardait pas, n'avait pas remarqué qu'elle se traînait tout le long du chemin) que le cul de la Limougeaude fût propre. Aussi propre que celui d'Aimée, songea-t-il peut-être en la voyant s'accroupir, tremper ses mains dans l'eau, se les passer plusieurs fois sur la figure. Elle ne s'était pas plainte. Pensa-t-elle, si ce mot pouvait s'appliquer à elle, qu'il venait de parler d'elle ? Est-ce pour lui donner raison qu'elle s'avança sur deux pierres qui affleuraient au milieu du courant, y trouva une assiette sûre et, ramassant sur ses cuisses épaisses et blanches ses jupons dont elle saisit l'ourlet entre ses dents, entreprit de se laver l'entrejambes avec ce petit sourire qu'elle avait quand elle savait lui faire plaisir ?

Il haussa les épaules puis lui cria, sans regarder autre chose que les veines qui palpitaient sur ces cuisses et, par-delà cette toison qui lui remontait, épaisse, très haut sur le ventre comme un tablier de forgeron, la trace qu'elle laissait dans l'eau et qui ressemblait à une algue, lui cria que la route était encore longue jusqu'aux Buiges. Elle se releva aussitôt, la mine effarée, comme si la nuit lui tombait sur les épaules. Elle glissa sur les pierres, tomba dans la rivière, le ventre et les jambes dans l'eau, le reste du corps sur les mottes de la berge. Elle gémissait. Lui, retourné à moitié, l'aiguillon à l'épaule, la regardait sans bouger, songeant probablement qu'elle était bien trop malaveigne, trop bête pour souffrir vraiment, et qu'elle avait plus peur qu'elle n'avait mal, il en était persuadé — et à coup sûr exaspéré par les braillements qu'à présent elle poussait, allongée dans l'eau telle une pauvre souche. Il se retenait d'aller la battre. Peut-être le comprit-elle : elle se remit debout à grand-peine, toujours en se tenant le ventre, et suivit la charrette, ses jupons trempés l'empêchant de retrouver le balancement de la marche.

Elle cessa de geindre, alors que la douleur était encore là et qu'elle se mordait la lèvre et plissait le nez sous son grand feutre déformé, aveuglée aussi, probablement, par l'éclat du soleil qui s'abaissait devant eux, entre les branches, à moins qu'elle ne gardât comme avant les yeux fixés sur la nuque du jeune gars, sur ce cou très rouge, ces oreilles un peu décollées, ce front épais qu'elle apercevait par instants, et cette veste de droguet bleu foncé trop grande pour lui, et qui faisait, elle aussi, partie du marché conclu à Meymac entre une morte et un orphelin. La buse continuait de tourner dans le ciel. Peut-être n'y voyait-il aucun signe — à tout le moins rien qui le concernât ; car les signes sont comme les mots : ils ne valent pas pour tous ni en tout lieu, et les signes qu'il pouvait guetter, lui, devaient être d'un autre acabit, d'une splendeur tout autre ; d'ailleurs il n'avait toujours pas levé le nez de la route qui s'enfonçait à présent entre des bois de petits sapins, de bouleaux et de hêtres, desquels montaient des souffles froids, lourds, puissants, qui succédaient à l'odeur sèche et entêtante des genêts et des ajoncs. La nuit tombait ou plutôt, s'ils s'étaient retournés, ils l'auraient vue avancer à pas de loup, comme nous disions parfois, vers ce qui sanguinolait, là-bas, par-delà les collines plus basses, et ce qui saignait aussi en eux, voudrait-on dire : une joie sourde et pleine de rage pour l'un, pour l'autre la grande plaie des femmes.

Il y eut encore la longue côte des Buiges. Il se retourna : la fille titubait, se laissait presque traîner par la charrette ; la douleur lui donnait un visage enfin intelligent, mais aussi presque obscène avec sa bouche entrouverte, ses yeux perdus, renversés vers la nuit, et son halètement rauque, de sorte que c'était l'apparence de l'intelligence et non pas l'idiotie qui chez elle était insupportable. Il arrêta les bêtes, posa l'aiguillon en biais, contre le joug, et s'approcha d'elle qui s'assit sur le talus, les mains de chaque côté du ventre, les jambes allongées et légèrement écartées : de l'eau, du sang, peut-être, avait coulé dans la poussière, derrière la charrette, et continuait de couler, semblait-il, de sous les jupons (mais dans la semi-obscurité il eût aussi bien pu croire qu'elle pissait tout son soûl). Il cherchait à comprendre. Il s'éloigna un peu avant de demander, d'une voix trop lente et monocorde qui fut tout près de le mettre lui-même en colère :

— N'es-tu point grosse ?

Elle le regarda sans répondre, ne comprenant pas, devinant simplement qu'il lui arrivait quelque chose d'important, d'extraordinaire même, ou qu'elle avait commis une faute, à supposer qu'elle sût ce que c'était qu'une faute hors les fois, très rares, où elle avait cassé de la vaisselle, laissé mourir le feu ou bien lâché un vent devant le monde. Elle n'avait pas besoin de répondre : sa stupeur en disait aussi long que l'arrondi de son ventre jusqu'à ce moment bien caché sous les jupons qu'elle avait donc, au moins une fois, laissé relever sans bien savoir ce qu'on voulait d'elle, encore moins ce qu'elle faisait, derrière la haie, au

fond du bois, ou contre la grange, au printemps,
obéissant comme l'avait fait la vieille Grandchamp à
cet or que toute femme sent, au moins une fois, fondre en elle et tournant autour de cette chose dure qui
la fouillait, la clouait à la terre et cherchait au plus
profond, là où, disaient les filles de Prunde, aucun
doigt ne peut aller mais bien cette chose qui la soulevait, lui faisait pousser de petits cris, puis des couinements étranges, presque désespérés, assez semblables
à ceux du lapereau surpris par le chat-huant, et qui
l'avait laissée renversée, on peut l'imaginer, la tête
dans l'herbe mouillée, sans qu'elle vît plus rien, ni le
ciel trop bleu, ni les frondaisons vert tendre, ni le visage de celui qui s'enfuyait à travers bois après avoir
hurlé en elle plus fort qu'un homme en colère, cherchant sans doute à revoir, par-delà le jour et la nuit
et le grand silence qui se faisait en elle, ce grand oiseau blanc qu'elle avait contemplé enfant, alors que,
venant d'Ussel, elle traversait la forêt de Bellechassagne avec Élise Grandchamp, le jour où celle-ci l'avait
tirée de l'orphelinat, et qui avait pris pour elle, disait
la vieille femme, l'apparence d'un éternel amoureux ;
à croire qu'il venait aussi du ciel, le drôle qui l'avait
culbutée, ce jour de printemps, ou qu'il était blanc et
léger, ou bien les deux — drôle d'oiseau, à coup sûr,
pour forcer une innocente et lui faire connaître et le
ciel et l'enfer, éveillant en elle quelque chose qui fût
non pas tout à fait de l'ordre de l'intelligence mais de
la simple sensation du temps, un temps où il y eût
un avant et un après, une enfance et son contraire,
l'éternité et la nostalgie, les espoirs et les déceptions.
Et peut-être y songeait-elle encore, à cet oiseau, celui
de Bellechassagne ou celui de Prunde, qu'importait,
c'était sans doute le même, en levant les yeux vers la
buse qui avait semblé les suivre, haut dans le ciel,
pendant qu'ils traversaient la lande, depuis Saint-

Merd jusqu'aux abords des Buiges, jusqu'à ce qu'elle n'en pût mais, qu'elle lâchât sa douleur comme elle perdait son sang et que ce sang lui rappelât peut-être ce que lui serinait la vieille : que tout se paie et que les femmes paient bien plus cher que les autres, et que le sang qui chaque mois coulait d'elles était un peu des larmes de Notre Seigneur, il fallait le comprendre ainsi, on ne pouvait y échapper, c'était leur infamie et leur couronne de lumière.

Il lui souleva la jupe (ce n'était pas la première fois, aurions-nous pu murmurer) en disant qu'il n'allait pas lui faire de mal, qu'elle n'avait rien à craindre, que d'ailleurs le mal était fait, qu'il lui avait bien pourtant recommandé de faire attention, qu'elle n'était décidément pas plus maligne qu'une vêle qu'on lâche dans les prés, qu'on était arrivé aux Buiges où il devait bien y avoir un médecin. Elle restait là, les mains ouvertes ; les larmes roulaient sur ses joues ; elle contemplait avec effarement ce ventre qui avait tant grossi et le sang qu'elle perdait. La nuit était tout à fait tombée, mais il y avait de la lune et il restait immobile devant cette chair si blanche et frissonnante qui se laissait pour la première fois contempler sans qu'elle, la fille, fût le moins du monde impudique mais toujours innocente, à près de trente ans, comme une enfant prise en faute et qui se sait pardonnée, devant le jeune gars qui n'avait pas vingt ans et qui la regardait, soucieux et fâché, en murmurant avec beaucoup de douceur qu'il ne savait décidément pas ce qu'il allait faire d'elle, l'abandonner là au bord du fossé, comme elle le méritait, ou la renvoyer dans la combe d'où elle n'aurait jamais dû sortir — et cependant l'aidant à monter sur le timon de la charrette pour finir d'arriver aux Buiges, à son tour effaré, peut-être, qu'il lui soit arrivé ça, à elle, et se demandant qui ça pouvait bien être, la buse qui les avait accompagnés et qu'il avait fini par regarder quand, d'un coup d'aile, elle avait plongé vers la nuit, ou bien le vent d'hiver, ou le Saint-Esprit, ou encore lui-même, puisqu'il fallait bien, à présent qu'elle portait dans sa chair une autre chair qui saignait peut-être avec elle et que sa chute sur les pierres de la rivière ainsi que la trop longue marche avaient peut-être tuée, oui, qu'il fallait que cette chair, quelle qu'elle fût, eût un père et que ce pouvait être lui : n'était-il pas le maître, comme le lui avait expliqué le notaire, celui à qui tout est permis à condition qu'il reconnaisse ses actes et prenne sur lui les fautes de ceux dont il a charge, celui, enfin, pour qui la puissance ne se mesure pas seulement en têtes de bétail, en hectares et en bois, mais aussi, et surtout, au nombre de fois qu'il aurait fait s'arrondir le ventre des femmes ?

La fille ne disait plus rien. Peut-être était-elle bien, sur le timon, la tête calée contre la tranche d'une paillasse roulée, les jambes allongées devant elle, les yeux pleins de larmes et souriant comme une petite fille — cela même qu'elle n'avait jamais été vraiment ni tout à fait cessé d'être et dont on s'occupait enfin, les années n'ayant guère passé que sur son corps de grande bringue, au fond de la combe où il avait fallu la cacher, y compris à elle-même, la vieille l'ayant donnée pour orpheline et se réjouissant qu'elle ne parlât pour ainsi dire point, bénissant même le ciel qu'elle fût quasi idiote ; de sorte que ce qui pouvait passer pour signe de la colère divine en réalité les délivrait, la mère et la fille, du poids de la bâtardise et de la honte, la mère au fond se résignant, enterrant sa colère à elle, avec les mauvais souvenirs, puisqu'elle se découvrait l'indulgence sévère des pécheresses et qu'elle savait que toute femme porte entre les jambes cette étrange blessure, cette ouverture par laquelle elle ne cessera jamais de souffrir et, qui sait ? d'avoir envie de souffrir.

10

Ils entrèrent aux Buiges par la grand-route qui, venant de Meymac, descend à travers le bourg jusqu'à la Vézère d'où se levait, à ce moment-là, un brouillard qui cachait l'autre côté de la vallée, les dernières maisons, les bois de sapins, les carrières de granit, les plaines de Plazaneix. Ils avaient atteint l'autre bord du plateau. Plus loin, songeait-il peut-être, c'était la nuit noire, et le monde s'arrêtait là, comme ça, parce que tout avait une fin. Il rangea la charrette sur la place, devant un grand chêne. La fille semblait dormir. Il la secoua, la fit descendre, l'amena en la tenant par le bras jusqu'au café de Paris où il demanda un peu de soupe. Les buveurs s'étaient retournés ; ils regardaient en silence le jeune gars au visage buté et derrière lui la grande fille aux yeux perdus, qui avait l'air ivre et se tenait le ventre en dodelinant de la tête. Ils entendirent le gars demander à voix haute, sur ce ton un peu rogue et trop élevé à quoi ils ne se feraient jamais, la maison de la sage-femme, rougissant, leur sembla-t-il, de se sentir acculé à demander ça pour cette grande femelle qui ne pouvait évidemment être sa femme et qui tenait si peu debout que la patronne dut l'aider à s'asseoir près du poêle puisque lui, le jeune gars, paraissait décidé à ne rien faire, en ayant déjà assez fait d'avoir pris sur lui le fardeau que portait la fille, selon une vérité impossible qui le forcerait à dire non point qu'il était le père mais que la fille était grosse, que c'était comme ça, on n'avait pas à savoir de qui, même si c'était de ses œuvres à lui.

Et il se mordait l'intérieur des joues, en une moue que nous, ceux de Siom, apprendrions à connaître ; son regard s'assombrissait, semblait voir au-delà de tout ça ; et déjà, diraient certains, il faisait peur, à tout le moins inspirait de la défiance, voire un peu de dégoût. Il était le maître, nous le saurions assez vite, c'est-à-dire aussitôt que la sage-femme eut emmené la fille dans l'arrière-salle, de l'autre côté du couloir, et qu'il eut demandé au patron la route de Siom. Il avait dit Siom et non, comme nous autres, Sion ; mais nous n'avions pas envie de nous moquer : nous attendions, nous demandions ce qu'un pareil bougre pouvait bien aller faire à Siom ; et pendant que de la petite salle s'élevaient des cris intolérables, comme si celle qui les poussait s'indignait de sa propre douleur, il avait l'air, lui, de réfléchir, ou de chercher ses mots ; et il finit par dire dans un français un peu solennel :

— Je viens pour la ferme de Veix.

Il était sous le coup d'une rage froide, d'une détermination qui tendait son visage, le rendait presque haineux, faisait paraître plus étroite cette figure dans laquelle brillaient deux yeux trop petits : on eût alors dit un homme de la ville sans ses mains, grosses et pleines de cals, trop épaisses pour ce corps de taille moyenne et de frêle apparence. On ne le regardait pas longtemps : c'était le nouveau maître de Veix, et nous n'avions pas à nous mêler de ses affaires, même si, bientôt, nous trouverions à redire à ce qu'un gars aussi jeune, qui n'avait pas tout à fait l'air d'un paysan, reprît une terre dans notre canton, cette terre fût-elle à l'abandon depuis longtemps (au point que quelques-uns n'hésitaient pas à y voir, comme nous disions, une maudissure) et qu'il la reprît en compagnie d'une innocente plus âgée que lui et qu'il avait (il fallait bien se résoudre à l'admettre, faute de mieux) engrossée.

Sans doute sentait-il qu'il ne devait rien ajouter, qu'il n'eût pas dû s'arrêter, encore que cette halte ne fût pas peine perdue : on saurait qui il était, et puis, selon les dispositions du testament, que nous ne connaissions pas à l'époque, il ne pouvait laisser mourir la fille comme ça, surtout si près du but : il lui fallait franchir le seuil de Veix avec elle, fût-elle mourante — fût-elle morte, diraient plus tard quelques-uns d'entre nous qui avaient entendu la sage-femme lui dire que ça se présentait mal, qu'on devrait aller chercher le médecin. Il acquiesça. On envoya la petite servante arracher l'homme de l'art au repas qu'il prenait seul, comme chaque soir, un peu plus loin, à l'hôtel des Voyageurs. Le jeune gars se mit d'accord avec le cafetier et la sage-femme, crut bon de payer sur-le-champ, puis alla attendre sous le timon incliné dont il avait détaché les deux vaches qu'il délia ensuite de leur joug et nourrit avec du foin qu'il avait pris dans la charrette, comme s'il nous montrait déjà qu'il ne voulait rien nous devoir.

Il attendit jusqu'au milieu de la nuit que la fille fût délivrée, refusant de boire et de manger autre chose que ce qu'il avait avalé en arrivant : une assiettée de soupe dans laquelle il avait vidé un verre de vin, parce qu'il pensait probablement que c'était ce que devait faire un maître, un puissant et, par la force des choses, un père ; refusant aussi la chambre que lui proposait le patron, tout près de celle où la fille se reposait ; refusant enfin de jeter ne serait-ce qu'un coup d'œil au paquet de chair morte qui gisait à côté du lit, sur une table de nuit et qu'il lui fallait bien considérer comme sa chair, à lui, puisqu'elle ne pouvait être celle de tout le monde.

Il resta jusqu'à l'aube sous la charrette, enveloppé dans ce qui avait été la pèlerine de son père, à côté de ses vaches dont il voyait les longs souffles blancs s'élever dans la nuit. Il attendit que le soleil parût au-dessus des toits d'ardoise pour se mettre debout avec ses vaches, leur donner du foin, aller pisser derrière le chêne. Il n'entra pas dans la salle du café que balayait la petite servante, ne demanda pas de nouvelles de la fille ; il alla faire ce que lui avait dit le médecin (un jeune type originaire de Brive, aux minuscules lunettes cerclées d'acier, déjà presque chauve et probablement atterré qu'on puisse vivre dans une telle ignorance) : monter jusqu'à la mairie où déclarer le décès de l'enfant. Mais il s'arrêta à mi-côte, redescendit, dépassa le café de Paris, entra chez le boulanger où il acheta trois tourtes, de la farine, du levain ; puis il retourna attendre près de la charrette qu'apparût sur le seuil, aidée par la patronne, la grande fille brune, ni émue, ni inquiète, mais pâle, éblouie par le grand jour, le petit paquet blanc entre les bras, un mince sourire aux lèvres.

Ils ne dirent rien. Le jeune gars lia de nouveau les bêtes et attacha au joug le timon sur lequel revint se jucher la jeune mère, comme nous avons dit quelque temps, quoique s'agissant de la grande Aimée cela nous parût une sorte d'obscénité — ce qui, au reste, nous aida, contrairement à ceux de Prunde, à la nommer par cela seul qui lui appartînt vraiment : son prénom ; et cela d'autant mieux qu'il n'y avait point d'Aimée chez nous, dans le canton des Buiges et particulièrement à Siom, où nous n'aurions guère supporté qu'une idiote, une fille perdue, portât le même nom qu'une vraie mère, une épouse ou une descendante.

Nous les avons vus se remettre en route, lentement, le chemin n'était pas long jusqu'à Veix, lui cheminant devant ses vaches et paraissant épier sur la route, à sa gauche, son ombre courte, et elle sur le timon, adossée comme la veille à la paillasse et regardant ailleurs, ou nulle part, continuant de sourire en serrant contre son ventre le paquet blanc — sachant probablement que ce n'était rien, que ça n'avait pas existé, qu'il faudrait s'en défaire le plus tôt possible. Nous les avons regardés disparaître dans le brouillard qui se levait, en bas, du côté du pont sur la Vézère. Nous leur avions montré la route et les imaginions sans peine, sur la route de Limoges, quatre kilomètres plus loin, à l'extrémité des plaines, trouvant sur la gauche l'embranchement de Veix et descendant sous les hêtres comme entre des piliers d'église, silencieux et mornes, se représentant, lui, du moins, ce qu'ils avaient souffert et ce qu'il leur restait à endurer, et frissonnant de temps à autre, car c'était là des coins où le soleil ne venait pas ; et ils avaient retrouvé la Vézère, qu'ils passèrent au fond de l'étroite vallée, sur un frêle pont de planches, dans un brouillard qui ne quittait jamais ces profondeurs avant le milieu du jour.

Nous nous disions qu'ils devaient à présent atteindre Veix, au milieu des sapins, qu'ils ne pouvaient avoir manqué le chemin qui montait en tournant vers le long bâtiment bien assis sur un replat envahi d'herbes, d'orties et de ronces et qui rassemblait le logis, les étables et, au-dessus, la grange qu'on atteignait par un terre-plein, derrière, tandis que, de l'autre côté d'une cour envahie de fougères, commençait de s'ébouiller un petit fournil, à la perpendiculaire du bâtiment et comme lui couvert d'ardoise ; car madame Grandchamp, ainsi que nous l'avions toujours appelée, ici, avait bien fait les choses.

Oui, nous les voyions sans peine s'approcher du

bâtiment principal, s'arrêter assez vite, le jeune gars saisir une faux dans la charrette et se frayer jusqu'à la porte un chemin parmi les fougères, les ronces et les pousses de coudrier qui atteignaient hauteur d'homme. Il jeta un coup d'œil à Aimée, qui le regardait sans le voir, puis il introduisit dans la serrure la grosse clé que lui avait remise le notaire, avant le service militaire, et qu'il n'avait depuis cessé de caresser dans la poche de son pantalon où elle était attachée avec du gros fil, comme si c'était, mieux que les papiers sur lesquels il avait apposé une maladroite signature, mieux aussi que la présence à ses côtés de la grande fille au ventre blessé qu'il n'arriverait jamais, lui, à appeler Aimée (et qu'il n'appelait d'ailleurs pas, de sorte que, pour ne point encourir sa colère, elle savait épier depuis longtemps le moindre de ses airs ou de ses gestes), comme si c'était, donc, de ce long morceau de fer poli et tiède qu'il tirait l'assurance que les choses avaient changé, sans qu'on puisse encore les dire meilleures. Et tandis que la grande Aimée entrait dans la cuisine, son paquet sous un bras, et ouvrait en grand volets, fenêtres et portes, il se dirigeait vers la trouée de lumière, un peu plus haut, vers le nord-ouest, entre de très hauts sapins, là où, il le devinait, se trouvait la limite de ses terres. Il se retourna, embrassant du regard le tertre avec les bâtiments dont une cheminée commençait à fumer, les sapins tout autour et, plus loin, en contrebas, à peine visibles entre les arbres, sous les branches basses, les terres cultivables. À cet instant on aurait pu lui voir les yeux humides et l'entendre murmurer entre ses dents que ce bout de colline mangé de sapins, de ronces et de fougères valait bien la combe de Prunde, qu'ils seraient là aussi hors du siècle, que la propriété n'est qu'une douteuse façon d'être au monde quand on n'a personne d'autre à qui parler qu'une innocente taciturne et la rumeur des grands bois.

Les arbres remuaient doucement, déplaçant sur le sol de brèves taches de lumière dans lesquelles il se remit à marcher. Il dépassa les plus hauts sapins, au sommet de la colline, et découvrit en contrebas, dans une lumière très jaune, poudreuse, dorée, les deux versants d'une vallée assez large et profonde, fermée sur la droite par de plus hautes pentes, et ouverte sur la gauche sans que, de la hauteur où il se tenait, il pût voir jusqu'où elle allait. La rivière coulait au milieu, tout au fond, faisait encore un coude, étroite et bouillonnante et, après avoir franchi les rochers de Veix, près du pont, presque lente, encerclait quasiment la colline. Il s'accroupit, en un geste qui lui était familier et marquait une étonnante, irréfutable et immédiate familiarité avec le lieu où il se trouvait (et, avec le temps, où qu'il se trouvât) : geste de propriétaire autant que de nouveau riche, disions-nous, par quoi il prenait ce jour-là possession de ses terres, et découvrait les limites de son territoire : la rive de la Vézère, en bas, à ses pieds, jusqu'au moulin de Jouclas, sur la gauche et, face à lui, Siom, perché sur une autre colline, un peu plus basse — une avancée abrupte, plutôt —, bâti autour de trois rues, la plus longue descendant doucement jusqu'à une terrasse en forme de redoute, soutenue par de hauts murs de pierre sombre et plantée de trois jeunes acacias ; les deux autres rues, des ruelles au vrai, rejoignant par le haut, parallèlement, et par le bas, à la perpendiculaire, la place en pente, avec, au plus haut, devant l'église, un chêne immense. Quelques maisons basses, pour la plupart à toit de chaume, semblaient se terrer dans leurs potagers minuscules et leurs jardins en terrasses, lesquels n'entraient pas peu, quoique modestes, dans notre orgueil siomois, avec, bien sûr, le presbytère, derrière l'église, le café-restaurant Berthe-Dieu, sur la place, la demeure de M. Queyroix, plus bas, en descendant vers le cimetière et le moulin, et, vers le haut, un peu en dessous de la ferme de Chadiéras, mais de l'autre côté de la rue, trop imposant pour notre petit village, le grand vaisseau républicain abritant la mairie et les écoles entre ses hauts murs de crépi ocre, arrimé au flanc de ce qui était une autre colline, plus élevée que celle au faîte de laquelle était accroupi le jeune Pythre (mais point autant que le bord du plateau sur lequel passait la route de Limoges et qui fermait, à droite, la vallée), et dont le sommet était marqué d'un calvaire de granit gris que nous appelions croix des Rameaux.

Il entendit une cloche, plus grêle et obstinée que celle de l'église qui avait sonné quelques instants auparavant et empli la vallée tout entière comme si elle en prenait l'exacte mesure ; à quoi celle-ci ne pouvait prétendre qui se contenta de délivrer du grand vaisseau ocre une vingtaine d'enfants de tous âges en pèlerine bleu marine qui crièrent dans la grand-rue et au seuil des maisons où les attendaient les mêmes femmes à qui, il était midi, la cloche de l'église avait fait abandonner leurs piochous dans les jardins suspendus où elles semblaient disputer au ciel d'un bleu cru poireaux, raves, carottes et pommes de terre. Elles s'étaient immobilisées un instant, comme celles du lavoir ou celles qui revenaient des champs. Et lui aussi s'était signé, retrouvant peut-être là un geste d'enfance et avec lui une manière de paix, à moins qu'il ne fût émerveillé, pourquoi pas, de la clarté des cloches et de leur chant profond dans la vallée, alors qu'à Prunde il fallait tendre l'oreille, et seulement lorsque le vent était à l'est, pour ouïr un peu celles de Saint-Sulpice ; et encore s'imaginait-on les entendre bien plus qu'on ne les percevait ; de sorte que certains, des femmes surtout, avaient pris l'habitude, pour ne point se sentir complètement abandonnés de Dieu, de monter, à vêpres, jusqu'à la butte qui surplombe la combe, au nord-est, du côté de l'Auvergne, où l'on pouvait entendre un peu mieux le lointain carillon et où l'on s'agenouillait pour prier.

Le jeune Pythre, ou Pythre, comme nous l'appellerions bientôt, demeurait immobile. Le haut plateau s'arrêtait donc là, au bord de cette vallée dont on devinait qu'elle se poursuivait au-delà du coude de la rivière, laquelle devait, après bien d'autres coudes, se perdre en s'élargissant dans les verts, puis les bleus et les ors du lointain, dans des tiédeurs, aussi, qui donneraient aux voix et aux visages, à ce qu'il avait entendu dire, une douceur inconnue où les paroles avaient la rectitude des peupliers le long d'allées profondes, le long frémissement des trembles blancs et la belle clarté des vignes ; là-bas, avait dit le maître dans un de ces moments où il désespérait de ses gourles, on souffrait moins, ou autrement ; on vivait mieux, aimait mieux, mourait mieux. Car être né là-haut, sur le plateau, dans l'ombre des bois ou dans le creux des combes, au cœur des grands vents ou tout près de la tourbe, dans la brande, c'était une disgrâce à quoi certains tentaient d'échapper en descendant vers la vigne ou vers les pins, bien loin, au bord de l'océan et même au-delà des Pyrénées, tandis que d'autres allaient tailler et assembler des pierres dans les grandes villes, au nord, ou bien vendre du vin, encore plus au nord, dans les cités des Flandres et de la Wallonie, et que d'autres allaient se faire embaucher par l'État dans les chemins de fer, les postes ou les écoles avant, pour la plupart, comme s'ils ne pouvaient échapper vraiment à l'âpre sentiment de malédiction et de fatalité, de revenir mourir là où ils avaient ouvert les yeux, puisque à cela, où qu'on fût, on ne pouvait échapper et qu'aucun mot, ni ceux de la République, ni ceux du curé, ni même ceux des femmes, fussent-elles nos mères, n'aurait pu nous y soustraire, à peine nous apaiser quand la terreur s'emparait de nous avec la douleur et que, pitoyables voleurs de mots, nous espérions alors quelque rémission ou, pourquoi pas, quelque morceau d'éternité.

Veix

1

La grande Aimée était assise sur la pierre du seuil.
Elle tenait entre ses bras le paquet de chair morte.
Elle regardait le jeune Pythre, l'air plus stupide et
morne que jamais, attendant cette fois qu'il la débarrassât de ça, ayant probablement oublié ce que c'était
et même qu'elle avait pu le porter, sans doute un peu
inquiète de l'odeur qui commençait d'en monter et,
davantage, de n'avoir pas encore, alors que midi avait
sonné depuis longtemps, apaisé cette faim qui lui faisait tourner la tête et saliver, la bouche légèrement
entrouverte. Il comprit. Il lui dit d'attendre, qu'on
avait bien le temps, qu'on était chez soi, qu'il fallait
faire chaque chose en son temps, et proprement. Elle
baissa la tête et se mit à bercer ce qu'elle tenait contre
elle, avec un sourire insupportable, comme elle se
souvenait peut-être de l'avoir vu faire avec leurs pou-
pées de son, depuis les fenêtres de l'orphelinat, aux
petites filles d'Ussel.

Il avait délié les bêtes et les conduisait dans un enclos proche dont la clôture lui semblait encore bonne.
Il revint, s'approcha d'Aimée, murmura que ça ne
tarderait pas à puer comme là-bas, mais sans qu'il
cessât de sourire, comme s'il ne voulait rien voir là de
néfaste. Il accomplissait sa tâche ; il prit une tranche

dans la charrette et remonta vers la crête, lentement,
il était chez lui, rien d'autre ne comptait, il fallait
qu'on le sût, à tout le moins qu'il s'en persuadât et
qu'il lui fût donné au moins une fois dans sa vie de
connaître le bonheur, même si c'était là un mot qu'il
n'eût jamais employé et dont il n'eût même pas ap-
précié le sens. Aimée le suivit, soufflant et reniflant,
jusqu'au replat, entre les hauts sapins, d'où il avait
découvert la vallée de Siom. Il y avait sur la gauche,
au-dessus d'un groupe de rochers, un petit tertre qui
surplombait le champ sous les branches basses des
sapins. Il écarta les aiguilles, souleva la mousse, enta-
ma la terre où il creusa, longtemps, une fosse étroite
et profonde. Aimée était debout, de l'autre côté. Il
s'approcha pour prendre le paquet : elle recula. Il la
regarda, fut sur le point de rire, puis de se mettre en
colère : c'était la première fois qu'elle faisait preuve
de volonté, qu'elle rapportait un de ses gestes à une
cohérence plus large ou plus profonde que la satisfaction d'un petit rite domestique, d'un désir ou d'un
besoin. Et elle demeurait là, au bord de la fosse, l'enfant mort dans les bras, les yeux écarquillés, la tête
bien droite ; plus encore : elle se mettait à parler, à
chantonner plutôt, il ne savait, étant trop peu habitué
à l'entendre ouvrir la bouche. C'était quelque chose
entre la parole et le chant et qu'elle proférait, là, les
yeux maintenant clos, la figure plus blême que jamais,
en dépit des pommettes rouges, tombée à genoux
dans l'herbe humide et dans la terre, et que l'autre
écoutait, renfrogné, mauvais, aussi stupéfait que si ses
vaches s'étaient mises à parler, presque scandalisé
que cela vînt encore déranger l'ordre des choses,
c'est-à-dire l'idée qu'il s'était faite, on peut le croire,
pendant des mois et même heure après heure, de son
entrée à Veix. Il écoutait cependant ce qui pouvait
être aussi bien un thrène interminable que des balbu-

tiements d'idiote, sans oser l'interrompre, entendant
là-dedans la grande plainte des mères et des filles, et
aussi, peut-être, ce qui n'avait pu s'échapper de sa
gorge à lui lorsque sa mère était morte, oui, le chant
de celles qui sont entrées dans leur nuit, à la fois coupables et innocentes, tombées plus bas que leur fosse
future mais éternellement vierges et pures, quoiqu'on
leur ait labouré le ventre à satiété. Il écoutait, il regardait Aimée ouvrir la bouche, pour la première et la
dernière fois, se disait-il peut-être, de la même façon
qu'elle avait dû ouvrir les cuisses et que son ventre
s'était déchiré, un jour de printemps, avant de se déchirer mieux encore en cette froide nuit d'automne,
aux Buiges. Elle ne voulait rien, ne criait pas, ne nommait point, ne taisait pourtant rien, était à la recherche de quelque chose qu'elle ne parviendrait pas à
dire, qui lui échapperait toujours ou qu'elle trouverait
sans le reconnaître ni s'en souvenir, n'ayant pas plus
l'habitude de se plaindre que de s'entendre appeler
Aimée, et chantonnant, donc, en balançant le buste
de droite à gauche, avec un court mouvement circulaire autour du paquet blanc sur lequel elle gardait les
yeux fixés : geste de soumission non pas à l'homme
qui se tenait devant elle et pour la première fois attendait, était entré dans la patience des femmes, non pas
à ce qui n'avait pas même été son enfant, non plus
qu'à tous ceux qui pouvaient en être le père, autrement dit au vent, à l'eau vive, au bleu du ciel, mais
bien à ce sang qui coulait de femme en femme depuis
l'aube des temps, où se donnait et s'épuisait la vie,
depuis la première femme jusqu'à la dernière, chacune étant la première et la dernière, la faute et l'expiation, comme si pour elle, Aimée, comme pour toutes
ses semblables, la faute devenait l'unique espoir d'innocence ou de ferveur, une manière de grâce, puisqu'elle était née femme et quasi idiote, et que vivre,

qu'on le sache ou pas, c'était arborer sa faute comme un sourire, en chercher la confirmation par d'autres fautes, les appeler même, étant donné qu'on ne peut s'y dérober, les magnifier et les expier tout à la fois et cela sans qu'elle, Aimée, en ait eu la moindre idée, fruit elle-même d'une faute et son expiation.

Elle s'apprêtait à enfouir le fruit de sa faute à elle, quelque chose qu'elle n'avait même pas regardé et qui n'avait donc pas eu de visage, ni de nom, mais qu'elle ne se résignait pas à abandonner comme ça dans ces linges sales, en terre inconnue. Il finit par comprendre. Il alla chercher dans la charrette un de ces paniers rectangulaires à double couvercle de bois dont on se sert pour ramasser les pommes de terre. Il le posa devant Aimée, lui ôta des bras l'enfant mort et, avec précaution, le déposa dans le panier. Il attendit quelques instants, sans bouger, la tête basse : on eût pu croire qu'il priait, qu'Aimée aussi priait, les mains repliées et serrées contre la poitrine sur laquelle elle penchait la tête, comme s'ils entendaient l'un et l'autre sonner les cloches dans la vallée, où la lumière déclinait. Puis il s'agenouilla, cloua les deux couvercles, déposa le panier dans la fosse, se signa, marmonna, haussa peut-être les épaules.

Il combla la fosse. Après quoi il planta tout au bord un piquet de clôture auquel il lia un bout de bois à peu près propre, en guise de croix. Au moins pouvait-il se dire que les grands sapins lui serviraient de monument, assez écartés à cet endroit pour laisser passer un peu de lumière, et visibles depuis la fenêtre de la cuisine aussi bien que de Siom ; de sorte que, chaque matin, pour lui quand il sortirait pour pisser en tournant le dos au soleil levant (en un geste qu'il ne s'expliquait point, mais à quoi il ne dérogea pas une fois), comme pour elle, lorsqu'elle ranimerait le feu après avoir poussé le simple volet de bois gris, ils pourraient donner un coup d'œil en direction du tertre.

— C'était quand même pas un chrétien...

Il avait dit cela en français. Il parlerait désormais français, non seulement parce qu'on entendait mal son patois, à Siom, mais parce qu'il devinait que le français le protégerait, l'aiderait à gagner, sinon notre estime, du moins une manière de respect, de bienveillance froide ; car qui ne se fût méfié, à Siom, aux Buiges et dans tout le canton, de ce trop jeune homme qui était venu prendre possession de Veix accompagné d'une femme plus âgée que lui et à demi idiote, laquelle, qui plus est, portait en son ventre un enfant mort dont il avait fallu la délivrer en pleine nuit, dans une arrière-salle de bistrot, pas même sur une paillasse de servante : sur une table qu'on avait recouverte d'une vieille couverture d'écurie, tandis que lui, le jeune Pythre, comme si de rien n'était, passait la nuit sous sa charrette, à côté de ses vaches ?

Il parlait un français bref et rude dans lequel on entendait parfois quelque mot savant qu'il avait lui-même dû entendre à Limoges, pendant son régiment, un français qui n'était donc non plus pas tout à fait le nôtre et nous forçait à baisser la voix, tout de même que nous baisserions les yeux devant lui — furieux de plier devant ce type qui n'avait pas vingt ans et de qui nul n'aurait songé à se moquer, car il était propriétaire, héritier de madame Grandchamp qu'on avait peu connue, ici, mais dont on savait, en l'exagérant, la fortune et dont on finissait par se dire (toute autre supposition nous ayant paru scandaleuse) qu'il était le fils, encore qu'on ne sût rien de lui, qu'il ne s'appelât point Grandchamp et répondît au patronyme si singulier de Pythre.

Les premiers d'entre nous qui eurent affaire à lui songèrent à tout sauf à faire les braves. Davantage :

105

on prit devant lui l'habitude de se taire, d'en dire le moins possible : silence où se mêlaient effroi et respect, et aussi un peu de cette haine que ne manque pas d'engendrer ce qui survient sans avoir suivi le lent, le séculaire cours des choses. Certes, nous n'avons jamais été des âmes très bonnes ; mais pouvait-on faire confiance à un homme qui faisait fumer sa cheminée par une pauvre innocente plus âgée que lui, sa sœur ou Dieu sait quoi d'autre, allaient jusqu'à murmurer certains, et dont le ventre était impie ? Pouvions-nous trinquer, en outre, avec un homme qui ne buvait, comme les femmes et avec une grande lenteur, que de l'apéritif à la gentiane, un homme enfin dont nous ne pouvions prendre le nom au sérieux ?

Nous riions jaune. Il s'obstina et, pendant quelque temps, descendit chez Berthe-Dieu, vers six heures du soir, boire son verre de gentiane, et faire emplir un pichet de lait qu'on envoyait chercher, là-haut, de l'autre côté de la place, dans l'étable de la bistrote, près de l'église, et que rapportait, tiré au pis de la vache, une gamine au teint pâle qui redescendait en trébuchant entre les racines du grand chêne et dans les bouses, les yeux rivés à la mousse tiède et parfumée que la Berthe remettait ensuite au singulier buveur. Lequel la remerciait d'un : « Vous êtes bien aimable, madame », n'osant ajouter Berthe, ni rendre à celle-ci son sourire ; si bien que tout cela sonnait faux et que, à considérer l'air grave, buté et froid d'André Pythre, nous pensions qu'il se croyait, qu'il venait nous narguer, qu'il ne savait pas sourire, qu'il n'avait pas de dents, disaient les enfants, qu'il avait eu bien du malheur, murmuraient quelques femmes qui ne détestaient sans doute pas la façon qu'il avait de lever les yeux sur elles, lorsqu'elles le croisaient dans la rue, ou chez Berthe-Dieu, où il buvait assis non pas à la longue table avec ceux de Siom, mais à l'autre, la petite, près de la cuisine, seul avec la Berthe qui épluchait ses légumes ou faisait du tricot.

Il finit par parler, assez fort pour qu'on prêtât l'oreille, s'étant d'instinct placé sous la protection de la Berthe qui n'était pourtant pas femme commode, et de sa fille aux joues pâles qui le dévorait des yeux, depuis longtemps persuadé qu'on ne parvient à rien sans les femmes, eût-on tous les hommes avec ou contre soi. Il voulait savoir où se fournir en semences, en bêtes, en fourrage, et sans attendre, sans paraître se rappeler qu'il eût trouvé tout ça à la foire des Buiges, de La Celle ou de Treignac, mettant dans sa demande une telle douceur, une bonne volonté si manifeste que les plus méfiants d'entre nous, Jean Berthe-Dieu et son épouse qui se prénommait Eugénie mais qu'on ne pouvait faire à moins d'appeler Berthe, Jouclas le meunier, Heurtebise le forgeron, la mère Nuzejoux et ses deux brus, Pintoux, Poirier, Chabrat, Anglars, Roche, Besse, Orluc, fermiers ou métayers, tendirent mieux l'oreille, n'étant d'ailleurs pas là pour autre chose, de sorte qu'ils n'y virent malice, surtout quand le père Chadiéras, qui possédait la plus grosse ferme, à l'entrée de Siom, un peu plus haut que la mairie, se fut décidé à lui répondre, le lendemain, après que la Berthe eut déclaré (à Pythre, apparemment, mais c'était à nous qu'elle s'adressait, prenant par la force des choses une importance qui nous irrita) qu'il fallait voir. C'était un samedi. Il avait plu une bonne partie de la journée et, dès cinq heures, nous étions tous au bistrot, pour voir arriver Pythre, puis, quelques minutes plus tard, Chadiéras qui s'attabla devant lui. Nous buvions en silence. Nous eûmes beau tendre l'oreille, faire semblant de nous remettre à parler, de ne point nous soucier d'eux ; nous ne sûmes rien de ce qu'ils se dirent, s'ils se dirent quelque chose. Au moins avons-nous vu, ce même soir, le nouveau venu cheminer auprès du père Chadiéras jusqu'à la ferme, là-haut, longeant le haut mur qui soutenait le jardin de la mère Besse, puis la cour de l'école puis, de l'autre côté de la rue, le muret qui protégeait des potagers, entre le bistrot et le lavoir où les femmes en noir venaient, par n'importe quel temps, mêler leurs paroles au bruit de l'eau qu'elles faisaient bleuir.

On les vit ressortir au bout d'une heure, et le vieux Chadiéras raccompagner le jeune Pythre jusqu'au tas de fumier qui marquait l'entrée de sa ferme — chose qu'il n'avait faite pour aucun d'entre nous. La nuit était presque tombée. Les femmes qui étaient restées au lavoir pour le voir passer racontèrent qu'il avait l'air plus décidé que jamais, presque joyeux, oui, avec dans les yeux une flamme légère qu'on ne lui verrait que rarement. Nous fûmes quelques-uns à descendre jusqu'à la terrasse, en bas, sous les acacias, d'où on avait vue sur toute la vallée. Nous avons pu suivre sa lente descente vers le moulin, dès qu'il eut réapparu, après la maison de M. Queyroix, l'avons vu ralentir un instant à l'embranchement du cimetière, franchir le pont de pierre, adresser de la tête un bref salut aux aides du meunier, puis remonter vers ses sapins par un chemin qu'il ne débarrasserait jamais tout à fait de ses fougères et de ses genêts — ce qui était une manière de garder ses distances, ou de le prendre de haut, alors qu'il n'y avait vraiment pas de quoi être fier d'avoir débarqué chez nous comme ça, avec cette pauvre charrette et cette drôlesse qui avait mis à bas de la chair morte et à présent enfouie, là-haut, sur la crête, on pouvait voir d'ici le tertre et la croix, sans prêtre ni autorisation, comme des sauvages, et sans que personne ait osé leur dire de mettre fin à cette abomination — pas même l'abbé Trouche, notre curé, qui se promettait chaque jour d'aller au moins bénir cette tombe à propos de quoi il marmonnait :

— Laissons les morts enterrer les morts.

Phrase qu'il n'expliquait point, à telle enseigne que plusieurs (les plus humbles, les enfants et les simples) se dirent longtemps qu'André Pythre et Aimée n'étaient point tout à fait de ce monde, et nous autres qu'ils ne seraient jamais des nôtres.

Nous l'avons vu, dès le lendemain, aller chercher quatre génisses chez Chadiéras, et les lâcher ensuite dans son grand pré en pente, dont il entreprit de remettre en état la clôture, près du moulin de Jouclas et le long de la Vézère, où il aménagea un abreuvoir.

— Il est chez lui, murmura l'un d'entre nous sous les acacias de la terrasse, comme si cette vérité lui apparaissait soudain et qu'il fallût compter avec elle.

Comment aurions-nous pu l'ignorer puisque, outre le quasi-blanc-seing donné par Chadiéras, une partie considérable de ses terres et de ses bois s'étendait sous notre nez, sur l'autre flanc de la vallée, difficile à travailler parce que en pente ou inaccessible aux voitures ?

— Oui, il est chez lui, mais il n'est pas comme nous, pas même un vrai chrétien.

Les femmes n'étaient pourtant pas mécontentes de voir, là-haut où l'on croyait que c'était mort, fumer un feu nouveau ; elles savaient bien, elles, ce qu'il aurait fallu pour être vraiment des nôtres et où il aurait dû planter sa chair ; mais le pouvait-il, avec à ses côtés cette grande fille placide et morose sur qui il paraissait veiller comme on ne le fait pas pour une bonne ni même une grande sœur ? Est-ce pour parler de vaches et de semailles qu'il retourna chez Chadiéras, à la fin de l'automne, un soir où il y avait tant de brume que nous avons failli ne point le voir traverser notre village ? De ce qu'ils se dirent, là-haut, nous n'avons rien pu savoir. On dit qu'il ressortit la tête haute, les yeux plus durs que jamais, le visage fermé, les poings dans les poches. On n'y voyait pas à trois mètres. Quelques-uns soutiendraient l'avoir entendu crier, et que sa voix était aussi blanche que la gelée ; mais nul n'avait compris ce qu'il clamait : rage, dépit, victoire, on ne savait, mais c'était bien le cri de qui s'enfante lui-même dans le défi, semence sèche et néanmoins féconde à quoi les femmes étaient secrètement sensibles, non seulement les vierges et celles qui pouvaient encore enfanter, mais celles qui avaient passé l'âge et qui savaient ce que c'était qu'un tel cri, pour l'avoir entendu ou rêvé au moins une fois au plus sombre d'elles-mêmes, et quelles solitude, faim et détermination il disait, et encore quel désespoir, quelle misère...

Nous devinions de quoi il s'agissait. Sans doute Chadiéras ne lui avait laissé nul espoir, lui représentant qu'on ne pouvait disposer des femmes comme des vaches, surtout d'une de nos filles (en l'occurrence la seconde du vieux fermier, que Pythre avait dû apercevoir, près du cantou, la première fois qu'il était venu pour parler de bêtes et de semences, point très belle, ni plus très jeune, ni d'un caractère bien vif, mais fraîche, soignée, dure à la tâche, qu'il avait revue, depuis le bistrot, et qui ne lui avait peut-être point paru farouche) pour la faire vivre avec l'autre à qui il était lié par des liens aussi puissants que ceux du mariage et qu'on ne verrait jamais au village, qui ne serait jamais une fille de Siom (ce Siom que, répétons-le, nous prononcions Sion et qui avait pour nous quelque chose de céleste que le curé tentait de nous représenter mais à quoi nous ne comprenions pas grand-chose, sinon que, damnés ou innocents, pauvres et moins pauvres, nous vivions en terre bénie). Nous pouvions la voir, à la fin de la journée, s'il faisait beau, qui venait s'asseoir sur le petit banc qu'il lui avait installé sur la crête, non loin de la tombe où, nous le saurions bientôt, avait poussé un rosier sauvage. De là, elle regardait la vallée, nos maisons, nos jardins suspendus, la terrasse aux acacias, mais ne nous voyait peut-être pas, ne comprenait pas qui nous étions, comme si la rivière au bord de laquelle elle descendait une fois par semaine laver du linge et au-delà de laquelle elle ne s'aventura jamais était pour elle la limite du monde habitable, et que nous n'eussions pas, petites silhouettes grises, plus d'épaisseur que les éléments du vaste songe où elle vivait, et que rien n'existât auprès de la merveille du rosier né de sa chair morte.

2

On les voyait parfois s'asseoir côte à côte sur le petit banc, de l'autre côté de la vallée, le jeune maître et l'innocente qui souriait, songeant peut-être que c'était sa mère qui se tenait près d'elle, une main posée sur son épaule, l'autre sur celle du jeune homme à qui elle n'avait apporté que des terres, mais point son nom à elle qu'elle portait comme un nom de dame, Aimée Grandchamp, alors que lui devait se contenter de ce qui était une couronne d'épines, André Pythre, et qui en dissuaderait plus d'un de voir sa fille caracoler sous pareille bannière ; car nous avions à Siom le pur souci de notre nom et celui de Pythre, outre ce qu'il signifiait, avait pour ceux qui l'avaient vu écrit trop de lettres bizarres pour être vraiment chrétien.

Cela, personne ne se serait avisé de le lui dire, pas même le père Chadiéras. Depuis son banc, il regardait Siom avec l'opiniâtreté de ceux qui cherchent à comprendre et ne cèdent pas devant les évidences premières, malgré le ridicule ou l'opprobre, songeant sans doute que son heure n'était pas encore venue, qu'il finirait bien par trouver, de l'autre côté de la vallée, une autre femme que cette grande bourrique lourde et morose qui entretenait son feu et sa maison comme elle l'avait fait dans la combe et en qui il refusait de se ficher, lui abandonnant de temps à autre (c'était la vérité, il fallait bien le croire, c'était comme une fièvre qui la prenait, la faisait hululer et pleurnicher), ce membre qu'elle pétrissait avec de petits cris tant et si bien qu'elle en tirait un jet blanchâtre qui la faisait alors rire en soufflant comme une bête, la bouche largement ouverte sur de mauvaises dents, les lèvres humides, les yeux pleins de larmes. Et il se laissait faire, parce que aussi bien il fallait que cela sortît, que les songes n'y suffisaient pas plus que le travail et l'humiliation, et que les bordels des grandes villes étaient trop loin. Peut-être se rappelait-il alors les mots du grand Niarfeix qui soutenait que ce qu'ils avaient entre les jambes pouvait, si on ne s'en servait pas, empoisonner son homme, le rendre fadar, oui, plus misérable qu'un mendiant ou qu'un type atteint du haut mal.

Elle le pétrissait, debout près de la cheminée, après qu'il avait posé ses brages pour se coucher et qu'elle-même n'avait gardé sur elle que sa chemise de nuit ; et sans doute regardait-il remuer cette main qui s'emparait si doucement de lui en se couvrant d'une légère sueur, à moins qu'il ne songeât à la seconde fille de Chadiéras, celle qu'il n'aurait jamais parce qu'il était André Pythre et que ce que pétrissait Aimée ne lui servait à rien qu'à ne pas devenir fou ; à moins qu'il ne pensât déjà à la fille Queyroix qui, lorsqu'il montait à Siom ou qu'il redescendait vers chez Jouclas, le regardait derrière sa haie de thuyas, avec une arrogance et une hauteur qu'il n'avait jamais rencontrées dans les yeux d'une femme, pas même chez les plus belles putains de Limoges, ni chez les Marande, à Saint-Sulpice-les-Bois, quand il s'attardait trop longtemps à guetter le sourire de la dame en blanc. La fille Queyroix n'était certes pas des plus belles : elle allait sur ses trente ans, longue, tout effilée même, avec un nez camus et des lèvres plutôt épaisses ; elle toussait et parlait sèchement, mais elle avait de grands yeux gris et, sur le cou, un duvet blond que le vent faisait frissonner ; elle riait comme un enfant, comme il imaginait que ne doivent pas rire les filles ; et il aimait alors, on peut le croire, sentir la grande Aimée le pétrir plus vivement, jusqu'à ce qu'il n'y puisse plus tenir et se mette à mugir, les yeux mi-clos, le cœur battant plus fort, le souffle court, tandis qu'elle battait des mains, le visage rouge de bonheur, avant de l'essuyer avec le coin de sa chemise. Puis on n'y pensait plus, ne songeait plus qu'à la terre, car, dirait-il plus tard, ça vous ramenait à la terre, vous donnait des idées de terre lourde et remuée, fumante dans le soir d'automne, qui ne laissait jamais personne en paix et dont les femmes, il le sentait, étaient encore plus proches que les hommes puisqu'elles avaient leurs saisons, portaient, faisaient éclore, et que ce furent elles, quatre ans plus tard, qui restèrent à la travailler, avec les enfants et les vieillards, au milieu de l'été, après qu'on eut placardé de grandes affiches sur le mur de la mairie et que les cloches se furent mises en branle dans une étrange liesse : celles de Siom et aussi, dans l'air qui sentait l'herbe sèche et la pierre chaude, celles des Buiges, de Saint-Priest, de Saint-Hilaire, du Toy et de partout, de sorte que ce jour-là le ciel nous parut plus bleu, plus vaste. Les hommes s'affairaient sur les places, devant chez eux, autour des gares, joyeux et solennels, le regard déjà ailleurs, distrait, perdu, insoucieux en tout cas de l'inquiétude qui plissait les yeux de ceux qui restaient, comme s'ils devinaient, ces hommes, qu'on ne se mobilise que pour l'irrémédiable et que, guerroyant ou non, nous demeurons des enfants, nous nous terrons, geignons, regardons le ciel, y cherchons une fois encore des sourires et des aubes dans lesquelles nous finissons par nous incliner.

Mais le pays, la patrie, la gloire, cette croix sur laquelle nous apprîmes bientôt à saigner, ce n'était pas rien, non plus, ça valait bien des sacrifices ; et ça, ils l'avaient tous en tête, ce même jour, lorsque Léon Poirier, le maire, qui s'était autrefois battu contre les casques à pointe, les rassembla devant la mairie pour leur expliquer avec des phrases de Gambetta et de Victor Hugo ce qu'ils savaient déjà — André Pythre comme les autres, qu'Antoine Duclos, le garde cham-pêtre, était allé chercher par la route des Buiges et non par le pont du moulin —, ce qui avait fait crier à l'homme de Veix (qui à présent ne descendait plus à Siom que les jours de foire) qu'on lui foute la paix, qu'il n'avait rien à se reprocher, que les cloches ne sonnaient pas pour lui.

Il se retrouva avec les autres, ceux de Siom, de Couignoux, de Senut, de Lestang, des Places, de l'Oussine, de Monceaux, de la Gane, de la Moratille, de Condeau, de la Croix, de la Buffatière, des Freux et de tous les hameaux et les fermes de la commune, devant la gare qu'on avait bâtie à deux kilomètres de Siom, au milieu d'une petite plaine d'ajoncs et de bruyères. Ils se rassemblèrent là sous les ordres d'un sergent à moustaches recourbées, de la même façon qu'ils s'étaient assemblés, quelques années plus tôt, sur la route, entre l'école et le lavoir, pour une photo de classe, les plus jeunes devant, les grands croisant les bras, derrière, un peu goguenards, les pieds dans des sabots ou des galoches cloutées, la casquette de travers pour épater les filles, au milieu, dont beau-coup étaient devenues leurs épouses et qui, aujour-d'hui, se tenaient debout, à l'entrée du chemin, sous les sapins ; ils avaient, ce matin-là, comme naguère pour la photo, le visage tendu, ébahi, ou clos, à cause,

115

encore une fois, du soleil, cherchant peut-être à comprendre comment de ce petit trou rond, face à eux, à peine plus grand qu'un œil de veau, naîtrait une manière d'éternité — mais, au fond, ne s'en souciant pas outre mesure, déjà pris dans la torpeur d'être au monde sans bien savoir pourquoi, dans l'imbécillité forcenée de vivre qui serait leur lot à presque tous, sinon leur vraie joie, malgré la rudesse des tâches, les chagrins, la terre ingrate : tout ce qu'ils auraient bientôt, pour quelques-uns, à peine le temps de regretter, dans l'automne de 1914, ou au contraire, pour quelques autres (certains se tenant même encore parmi les femmes sous les sapins, honteux de ne point partir), quatre années pour méditer, quand ils ne seraient pas fauchés, étonnés de vivre encore, avec la boue, les morpions, les crapouillots, les gaz, le gel, la mitraille, le tonnerre, la peur, le blasphème, l'envie de foutre le camp et la haine — celle qui maintient en vie autant que la pensée de la terre, là-bas, au bord du haut plateau, et, par-delà la haine, l'espoir opiniâtre d'une aube qui ne fût pas celle des canons, avec de vrais oiseaux et les souffles de vent véritables ; se rappelant peut-être, ceux-là, le jour où fut prise la photo de classe et où ils étaient tous ensemble, avec, accoudé presque nonchalamment contre le muret, près du lavoir, son beau visage souriant, veston et pantalon noirs, le menton un peu rehaussé par un faux col blanc qui lui donnait je ne sais quoi d'un ecclésiastique, le jeune instituteur contemplant son troupeau galoché, casquetté, en culottes courtes, en jupes et en blouses longues : ceux qui allaient mourir et celles qui les pleureraient, celles qu'ils n'auraient pas épousées et ceux, très rares, qui en reviendraient, comme lui, le jeune maître d'école, avec quelque chose en moins et, en plus, une volonté de vivre qui sonnerait toujours faux, tout de même que sonnaient déjà faux, ce même soir, sur le quai de la petite gare, les paroles du maire, du curé et du sergent, et se disant sans doute, une fois revenus de là-bas (puisqu'on n'aurait bientôt plus de mot pour cette géographie-là), que la camarde les avait bien regardés, le jour de la photo, oui, regardés et choisis.

Pythre ne souriait pas avec les autres, le jour du départ, à eux mêlé pour la première fois et sans que nul cherchât à lui contester sa place, ni devant la gare, entre le fils Chabrat et les deux d'Orluc, ni dans le wagon qui roulait vers Limoges, ce soir-là, à travers la brume qu'ils auraient pu voir monter des étangs et des mares s'ils avaient cessé de rigoler ou, déjà, de regarder en eux-mêmes, tandis que l'ombre tombait, les sourires et airs guerriers bientôt ravalés avec la nuit, n'ayant guère l'habitude de regarder la terre en se croisant les bras, peu curieux de nature et peu à peu inquiets, et ne voyant en eux-mêmes pas beaucoup mieux qu'au-dehors, puisqu'il n'est d'horizon que celui dont l'enfance, la faim ou la peur ont établi le cercle.

Ils descendaient en brinquebalant vers les terres grasses de la Haute-Vienne dont ils ne verraient rien : la nuit était tombée peu après Eymoutiers et, de toute façon, dans le wagon quasi obscur, il n'y avait rien d'autre à faire qu'à serrer contre soi une musette contenant une chopine de rouge, un gros cassou de pain, une caillade et des paquets de gris, faute de pouvoir serrer une femme, épouse, mère, sœur ou fiancée, ou, peut-être, pour Pythre, la grande Aimée qu'il avait dû laisser à Veix avec un chien noir donné par le boucher des Buiges. Les récoltes, heureusement, étaient presque toutes rentrées, et le père Chadiéras avait promis de veiller sur Aimée. Elle n'avait pas pleuré, ni gémi, ne s'était pas tordu les mains dans sa blouse. Il avait dit :

117

— Il faut que j'y aille, avec les autres. On dit que ça ne sera pas long.

Elle s'était mise à l'attendre alors même qu'il n'était pas encore parti, songeant sans doute que son absence ne durerait guère plus que ses rares virées à Ussel ou à Tulle, d'où il revenait le soir même, par le dernier train, ou à pied, à temps pour soigner les bêtes, le regard plus clair que d'ordinaire, avec dans ses vêtements une odeur de cocotte qui l'eût rendue jalouse si elle avait su ce que c'était que le monde, les autres, le renoncement, la propriété, le temps — le temps, surtout, qui fit de l'année puis du nouvel hiver où elle l'attendit à peine plus qu'une longue journée, comme pour son service militaire ; croyant peut-être que le temps c'était l'espace (la maison, les bois, les prés, une partie de la vallée) où Pythre était et où il n'était plus, et où il fut, soudain, avec les premiers souffles du printemps, le visage creusé, la moustache plus fournie, les yeux encore plus secs et sombres que naguère, le front barré de rides qu'elle ne lui connaissait pas et qu'on n'y trouve point à vingt-six ans, le même donc et cependant un autre, ayant reçu là-bas la certitude que l'homme est méchant, qu'en tout cas lui-même y était devenu méchant, ainsi qu'il le lui avait écrit (la seule fois qu'il envoya, on ne sait pourquoi, quelque chose) sur une carte que Chadiéras était venu lui lire et qu'elle n'avait cessé de porter sur elle, nuit et jour ; ainsi qu'il le redirait, plusieurs fois, à son retour, pour le reste n'ouvrant jamais la bouche à propos de ce qu'il avait vu là-bas, d'où il ramenait, ça on pouvait le voir, une toux sèche et, au genou droit, une blessure qui, l'empêchant d'y retourner, lui ferait désormais arpenter le monde d'une tout autre façon, se déhanchant pour poser prestement sur le sol un bout de pied, en un mouvement de danse bref et ridicule qu'il accompagnait d'une grimace. Ce qui nous faisait murmurer deux choses : d'abord qu'il méritait bien son patronyme, ensuite que sa présence sur terre était de nouveau assurée, alors que ça continuerait, là-bas, pendant deux bonnes années, et que beaucoup de ceux avec qui il était parti, un soir d'août, n'en reviendraient pas, ou bien plus éclopés que lui, brûlés à l'intérieur comme au-dehors, aussi sombres et taciturnes que lui, sans avoir eu la chance, eux, murmurait-on, d'avoir été blessés plus tôt, comme si c'était toujours la mauvaise herbe qui devait le mieux croître, oui, de sales bêtes comme ce Pythre à qui tout souriait, en fin de compte, et qui n'avait, lui seul, pas de nom à inscrire sur le monument de granit qu'on élèverait bientôt au milieu de la place ; ce qui avait fait dire qu'il avait décidément une chance de cocu, à supposer qu'on puisse être cocufié par une innocente, à moins qu'il ne s'agît d'autre chose, du sort qui ne favorisait que les mécréants, les étrangers, les criminels, les idiots.

3

Il l'avait laissée, ce soir-là, alors que ce n'était pas
encore l'heure et qu'il n'avait pas faim, lui servir cette
soupe qu'elle avait préparée, jour après jour, pendant
près de deux ans, comme s'il allait pousser la porte et
s'asseoir à un bout de la longue table ; laissée aussi
lui pétrir le visage et le membre, même si à cela il ne
prenait plus de plaisir, ayant connu là-bas des filles
dans le ventre de qui c'était délice que de se planter,
comme ça, pour se délivrer de la canonnade, pas seulement celle des Boches, mais celle qui grondait toujours en nous, nous faisait rouler au plus profond de
nous et saigner à blanc, doucement, entre les cuisses
des femmes.

Il avait fallu se remettre à vivre, faire comme si de
rien n'était, feindre d'oublier, ne pas entendre, remer-
cier Chadiéras et traverser la rue de Siom sous les
regards de plus en plus hostiles de ceux qui étaient
restés, femmes, enfants, vieillards, veuves et orphelins, injustes les uns et les autres, mais de quoi il se
payait par quelques regards brillants de femmes, puisque, boiteux et mauvais, il était un jeune mâle, point
trop vilain garçon malgré son air buté et ses épaules
plutôt frêles, ou grâce à ça. Et puis il avait une si
drôle façon de marcher, avec sa jambe folle, que ça

lui mettait le pubis en avant, sans qu'il le fît exprès, et que ça commençait à leur manquer grandement, un homme dans le lit : c'était une peine en plus, qui s'ajoutait à leur douleur de mères ou d'épouses, ou de femmes sur qui on ne levait plus les yeux, et que rien, ni les mots du curé ni la certitude de l'opprobre, ne pouvait apaiser ; et leurs regards n'en flambaient que mieux, impérieux, hautains, absents.

Il leur fallut supporter son air de ne pas y toucher, son silence, son humilité pleine d'orgueil, et cette obstination, quelque temps qu'il fît, quelque tâche qu'il eût à abattre, à venir de nouveau chez Berthe-Dieu, le soir, vers six heures, boire sa gentiane qu'il trempait à présent de sirop de cassis pour obtenir, semblait-il dire en contemplant cet or bruni, un apéritif de personne comme il faut, d'ailleurs moins pour le plaisir de boire que pour être là, parmi ceux qui restaient, et avec le temps, parmi les morts que nous évoquions à voix basse ; pour être là, donc, sans qu'on sût bien pourquoi, par superstition peut-être, ou bien parce que, plus que les autres, il avait failli n'être jamais parmi nous, c'est-à-dire n'avoir jamais rien été ; à moins que ce ne fût pour autre chose, buvant à petits coups, écoutant la Berthe murmurer on ne savait quoi, par complaisance ou lassitude, en épluchant ses légumes avec son mince couteau qui faisait, lorsqu'elle ôtait les yeux des pommes de terre, un petit bruit si désagréable qu'on eût dit que c'était le silence même qu'elle creusait.

Il nous faudrait supporter ça chaque jour et surtout, au printemps de 1917, longtemps avant que tout fût consommé, et alors que tant des nôtres n'y avaient point de place, n'avaient peut-être de repos nulle part, supporter qu'on enfouît dans notre cimetière les restes de cette femme que nous n'avions pour ainsi dire pas connue, Aimée Grandchamp, et qui n'avait cessé de nous regarder vivre sans nous voir vraiment. Nous n'avions plus d'orgueil, ou, pour reprendre un mot de l'abbé Trouche, celui-là n'était plus de mise. Nous priâmes pour le repos d'Aimée Grandchamp, même si nous nous disions que ce n'était pas juste et que nous nous demandions comment l'âme d'une idiote pouvait trouver dans l'autre monde plus de repos qu'elle n'en avait eu ici-bas ; si bien qu'elle n'était guère à plaindre, nous disions-nous, ayant vécu dans l'ignorance de sa naissance et de son rôle sur cette terre, et trépassé dans son sommeil, à ce qu'on racontait, on ne savait de quoi, mais heureuse, répétait le curé, parce que innocente, et qu'il fallait bien que quelqu'un fût heureux, si les hommes n'étaient plus capables de l'être, depuis trois ans que durait leur fureur. Et nonobstant les langues qui s'agitèrent pour suggérer qu'André Pythre n'était peut-être pas étranger à ce trépas, force nous fut — à ceux du moins qui montèrent à Veix pour voir la dépouille — de constater qu'Aimée Grandchamp avait sur son lit de mort un visage apaisé, doux, souriant, avec ses cheveux châtains qu'elle avait laissés pousser depuis son arrivée chez nous, et bien coiffés, vêtue d'une jolie robe grenat qu'on n'avait jamais vue sur elle et que Pythre devait lui avoir rapportée de là-bas (de Paris, assuraient les femmes ; d'une maison bourgeoise, là-bas, dans les houblonnières de Belgique, dirait plus tard le fils Orluc, celui qui était revenu et qui avait été dans la même compagnie que lui, oui, d'une grosse demeure dont un soir ils avaient, mais fallait-il le croire, forcé l'entrée pour s'abriter d'une pluie qui tombait sans discontinuer depuis plus d'une semaine et coucher, malgré les fusants des Boches et le bruit de notre artillerie, dans de vrais lits, boire du vin bouché et croire un instant qu'il y avait des vacances à la guerre) : un visage à ce point délivré de l'idiotie que nous l'avons trouvée presque belle, ce qui nous suffit, à nous qui n'avions guère confiance dans les médecins et surtout pas en ce jeune docteur des Buiges (celui-là même qui avait autrefois délivré la pauvre fille), pour rendre à André Pythre toute son innocence.

Nous l'avons donc suivi dans l'église, derrière le cercueil en chêne à quoi le fils Magnac avait travaillé toute une journée et toute une nuit avant d'aller mourir, quelques jours plus tard, sur le Chemin des Dames (ce qui fit dire à quelques-uns que les Pythre ne lui avaient pas porté chance et explique peut-être la disparition, ce même jour, du grand chien noir qui avait veillé sur Aimée et qui avait attendu, pendant la cérémonie, à la porte de l'église). Nous l'avons vu, l'opiniâtre boiteux, renifler sous la voûte basse qui portait encore, au milieu de la moisissure, trace de la peinture d'autrefois, lorsqu'on faisait étape ici sur le chemin de Compostelle. Peut-être se rappelait-il ce sein magnifique qu'il avait dû téter, autrefois, pour que le sang de la jeune accouchée ne s'empoisonnât pas ; et il y avait pris goût — non pas, bien sûr, à cette chose aigre qui suintait du mamelon gros et dur comme une noisette et qu'il ne se résignait pas à appeler du lait, mais à la douceur de ces tétons gonflés, très lourds, avec des veines violettes, où perlaient souvent des gouttes de sueur et entre lesquels il enfouissait sa figure tandis qu'elle chantonnait, bouche fermée, avec une tendresse dont il ne l'aurait pas crue capable, une main lissant ses cheveux ras ou caressant son cou, se balançant lentement et le balançant avec elle en un mouvement semblable à celui des grands sapins, sur la crête, à la fin de l'été, quand le vent du matin soufflait dans la vallée en déchirant le brouillard. Il l'avait tétée de la même façon qu'elle l'avait pétri entre les jambes, chacun ayant (on peut voir les

choses comme ça) soulagé l'autre de ce qui le menaçait, le sang ou l'esprit, l'humeur ou la semence,
condamnés tous deux (par Dieu, la nature, madame
Grandchamp, et, indirectement, par nous) à n'être
pas davantage l'un pour l'autre, ni moins.

Aussi continua-t-il, lorsque le lait fut tari, à découvrir la blancheur magnifique de ces seins sans lesquels
il eût peut-être fini par mordre la nuit ou enfouir ses
cris dans la terre, pendant qu'elle plongeait la main
entre ses jambes de telle sorte qu'ils gémissaient ensemble, sans se regarder, oubliant sans doute qui ils
étaient, à tout le moins pour Pythre qui, le reste du
temps, surtout après sa guerre, semblait porter sur ses
épaules le poids du monde.

Voilà du moins ce que l'on racontait, à Siom ; à
quoi certains n'hésitaient pas à ajouter qu'il était né
à Veix d'autres paquets de chair morte, vite mués en
anges et enfouis avec le premier dans le tertre. Mais
là encore les langues s'arrêtèrent devant le visage
d'Aimée — devant la beauté de ce visage qui souriait
en s'éteignant. Elle ne pouvait savoir de quel mal, in-
dolore et irrésistible, elle était la proie, devinant peut-
être que quelque chose allait lui arriver d'extraordinaire, enfin, qu'elle allait s'absenter à son tour ou,
plus vraisemblablement, qu'elle allait s'endormir
alors que ce n'était pas l'heure, et s'abandonnant en
effet à son propre poids dans le mauvais lit où elle
était venue au monde, sans doute étonnée de se sentir
si lourde et que cette lourdeur fût si plaisante, et bien-
faisante, comme si, pour la première fois, elle se laissait aller à elle-même, à ce qu'elle ne savait pas être
elle-même mais à ce désœuvrement et à cette ignorance qui n'avaient à ce moment plus rien de commun avec le pauvre songe qu'aurait été sa vie et qui
étaient déjà l'entrée dans le grand sommeil, oui, et
dans les songes de ceux, Pythre, nous autres, ceux de

Prunde peut-être, qui longtemps et malgré eux allaient désormais la rêver et où elle s'abîmait doucement. Elle mourait en souriant, dans la clarté un peu acide d'une après-midi d'avril, sans comprendre pourquoi il la regardait avec tant d'attention ni pourquoi ses yeux qui en avaient vu tant d'autres, là-bas, s'embuaient ; incapable de comprendre enfin comment la maladie avait œuvré en elle sans qu'elle s'en fût rendu compte, même si elle avait pu deviner qu'il s'agissait d'autre chose que de coliques ou du sang menstruel. Sans doute ne savait-elle pas qu'on dût mourir, et avant ça, qu'il lui faudrait garder le lit, se laisser nourrir, laver, peigner par lui ; et elle murmurerait, elle qui ne s'était jamais plainte ni levée après lui ni couchée avant lui, qu'elle était bien fatiguée, pleurant et souriant, comme elle le ferait, quelques jours plus tard devant le médecin des Buiges qu'il s'était décidé à aller chercher, qu'elle reconnut peut-être et qui déclara à voix haute, après l'avoir examinée :

— Il fallait me la montrer plus tôt !

Pythre ne l'entendit pas. Il souriait, lui aussi, avait sans doute décidé que ce sourire serait sa manière à lui de n'y pouvoir plus rien, de se résigner avec elle au sang mauvais, à ce qui gargouillait dans son ventre, au fait qu'elle avait chaud et froid tout à la fois et ne savait comment le dire, que sa fièvre lui était une joie, la rapprochait d'elle-même dans le temps qu'elle s'en détachait, sans comprendre que c'était ça, la vie : cette joie soudaine et fugitive des derniers instants, qu'on eût aimé ne pas connaître alors qu'il était trop tard, cette allégresse, oui, ce ravissement incomparable, la fin des incertitudes. Il fallait s'endormir, comme les autres, sa mère, Marthe, ce petit qui était passé de son ventre à la tombe et qui n'aurait fait que dormir.

Le jour allait se lever ; on pouvait le deviner au

bruissement plus vif du vent dans les sapins et aux premières pattes d'oiseaux sur l'ardoise. Le médecin était parti, pestant contre ces pauvres gourles qui ne savaient pas vivre, qui ne voulaient peut-être pas vivre, mais continuaient de survivre comme ils le faisaient depuis des siècles entre l'hiver et le ciel. Elle regardait, on peut le croire, la serviette sale repliée sur le dossier d'une chaise près de sa tête qui devenait de plus en plus blanche et qui pâlit encore lorsqu'il ouvrit la fenêtre et que tout se mit à frémir dans la pièce, y compris Aimée qui souriait doucement, s'enfonçait dans sa nuit et dans le froid, suant, pleurant, pissant, ne se retenant plus, car c'était ça aussi, l'allégresse. Elle ne pouvait partir autrement que dans cette exsudation totale d'elle-même, dans ce frémissement mué en un tremblement régulier, profond, celui que donnent les grands froids et la vraie nuit, dans quoi elle était entrée tout en se demandant encore, c'était possible, pourquoi il perdait, lui, son temps à rester là, assis sur la petite chaise, près de sa tête, à lui passer de l'eau de Cologne sur la figure alors qu'il aurait dû être à soigner les bêtes, même si ça lui faisait du bien, cette eau de Cologne, elle l'avait tant aimée, il lui faisait tant de bien à s'occuper d'elle ainsi, il pouvait continuer, c'était bien, oui, comme ça, sans en avoir l'air, il allait maintenant la prendre dans son rêve, la dormir, la mourir tout doucement, c'était ce qu'il croyait l'entendre murmurer ; et comment l'eût-elle exprimé autrement que par ce peu d'air remué, elle qui ignorait quelle douceur peut avoir le langage et qui cependant murmurait, entre ses lèvres blanches, qu'il la dormirait, la mourrait, la songerait bien, ou quelque chose comme ça, sans que, pas plus que lui, sans doute, elle comprît ce qu'elle chuchotait. C'était la belle défaite du souffle, un accompagnement triomphal et inutile, tout comme ces mains qu'elle

nouait et dénouait sur son ventre, le chant misérable
du souffle qui commençait à se faire rare et qui deviendrait bientôt râle, comme si la nuit lui sortait de
la bouche, enténébrant un instant son visage ; visage
qui plongerait d'un seul coup en lui-même, aspiré de
l'intérieur, Aimée s'abîmant en elle-même, la bouche
ouverte, les yeux écarquillés, les mots s'étant tus sans
que ce fût pour autant le silence, sidérée semblait-il
d'avoir pu les prononcer dans le temps même qu'ils
lui faisaient défaut, et elle se dérobant avec eux, avant
qu'elle ait pu nommer, peut-être, ce qui l'avait émer-
veillée ici-bas et à quoi il se pouvait qu'elle songeât :
le rosier sauvage qui avait poussé sur la tombe et
qu'elle abandonnait à présent au rêve de l'autre, lequel demeurait coi, les lèvres serrées, le front plissé,
le regard plus sombre que jamais, devant l'Aimée,
comme il disait depuis peu, qui gisait là, le regard si
bleu ni éteint ni stupide : tranquille, la tête légèrement penchée sur la droite, et qui souriait.

4

Il n'avait pas bougé. Il regardait ces mains encore rouges, épaisses, aux ongles courts et extraordinairement blancs. Il frissonna, s'ébroua, se rappela sans doute qu'il fallait faire vite, que l'odeur ne tarderait pas. Il ouvrit toute grande la porte d'entrée sur le petit jour. Il fallait ne point ressembler aux bêtes, par exemple revenir vers le lit, et dévêtir entièrement la jeune morte : tâche de femme, certes, mais qu'il était le seul en ces circonstances à pouvoir accomplir. Il contempla ce grand corps aux formes épaisses et belles qui ne s'était jamais fait voir à nul homme et qu'Aimée n'avait elle non plus jamais pu regarder, faute de miroir, d'eau ou de regard assez grand pour lui renvoyer d'elle, à supposer qu'elle en fût curieuse, une image. Il passa la serviette imbibée d'eau de Cologne dans les plus secrets replis de cette chair jusqu'à ne plus rien sentir d'autre que l'odeur ordinaire de la pièce, la salle, plutôt, où ils vivaient, faisaient le feu, la cuisine, veillaient, dormaient, elle non loin de l'âtre et lui dans le coin opposé, n'ayant pu se décider ni l'un ni l'autre à prendre les deux chambres qui s'ouvraient dans le fond et qui servaient de cellier.

On dit qu'il resta longtemps devant cette chair nue et blanche, qu'il s'assit pour mieux la contempler,

qu'il fuma une cigarette, que c'était la première femme qu'il voyait toute nue, que ce fut à regret qu'il
l'habilla — qu'en tout cas il eut du mal à remuer ces
membres pour lui passer la robe grenat dans laquelle
nous ne l'avions jamais vue, pas même le dimanche,
là-haut, sur le petit banc, abritée, s'il ne faisait pas
beau, sous un grand parapluie d'homme, et qui faisait
marmonner à certains que c'était bien là la preuve
que les temps — ceux où l'on pouvait voir des idiotes
vêtues à la dernière mode — avaient changé et que le
siècle, encore une fois, nous avait oubliés.

Il lui joignit les mains ainsi qu'on avait fait pour sa
mère, et ces mains étaient nues, Aimée ne possédant
ni chapelet ni bijoux, rien de ce qui pose une femme
et qui, chez elle, eût été déplacé. Il la regarda : le
visage avait déjà changé : nulle stupeur, résignation,
effroi ou ivresse désespérée, mais l'ouverture tout entière du visage, sa recomposition autour de son sourire, la trace de ce qu'elle n'avait pas été, son abandon
à l'altération, à cette nuit qui n'était plus notre nuit
et dans laquelle elle continuait de choir comme si la
mort n'en avait pas fini avec elle. Rien d'exemplaire
ni de terrifiant : quelque chose de lourd déjà, de terri-
blement ancien, avec le poids de l'abandon et la légè-
reté de l'innocence, et cette eau de Cologne sous
laquelle perçait dans la fraîcheur du matin cela même
qu'il ne voulait respirer, quelque chose de singulier,
entre l'odeur et le ricanement, qui accompagnait la
montée du visage non pas vers le jour mais vers ce
surcroît d'innocence qui fut sa seule et vraie beauté,
que nous fûmes quelques-uns, ce jour-là, à découvrir
et qui nous fit nous dire qu'elle était pardonnée.

Il rabattit sur les yeux trop pâles les paupières lourdes et bistrées ; ensuite il entreprit de lui fermer la
bouche, n'y parvint pas, lui entoura la tête et les lèvres d'un morceau de baptiste qui lui venait de sa

mère et qu'elle gardait dans un coffre, avec de vieux jouets, des bouts de bois, des cailloux blancs, d'autres objets inutiles. Alors elle ressembla à une morte.

Ce qu'il fit ensuite, nous l'avons vu de nos propres yeux. Ce fut d'abord, sur la crête, un grand feu qu'il entretint toute la journée, près duquel il creusa lentement, on eût même dit avec précaution, entre les grands sapins. Il creusa jusqu'à midi, disparut pendant plus de deux heures — ce qui nous fit penser qu'il déjeunait : mais qui pouvait sérieusement croire qu'il eût passé deux heures à manger et à boire auprès d'une morte qui commençait à sentir ? Lorsqu'il réapparut, l'après-midi était bien avancée ; il guidait sa mule depuis la carriole qu'il avait dû acheter à cause de sa patte folle ; il s'arrêta près du feu, le ranima, puis déchargea des sacs de ciment, des planches, des piquets, des outils qu'il entreposa sous les branches basses. Nous l'avons vu disparaître dans le carré qu'il avait ouvert, et jusqu'au soir on put entendre des coups de marteau ou de pioche. Le feu brûla fort tard, peut-être même toute la nuit, si nous ajoutons foi à ce que nous dirait, le lendemain matin, la vieille Amélie Besse qui se levait plusieurs fois entre le coucher et le lever du soleil pour aller pisser dans son coudert qui dominait la place et rêvasser sous les étoiles. En tout cas, au petit matin, il brûlait plus que jamais, bien droit dans l'air frais, et Pythre était à l'œuvre au bord d'une espèce de construction carrée, à demi enfouie dans la terre et dont la partie la mieux visible, sans doute le dos, était orientée vers Siom. Ça ressemblait au château d'eau qu'on bâtirait, bien des années plus tard, au-dessus de la croix des Rameaux, sur la route de La Celle, dans le champ de Nuzejoux.

— Il finit de venir fou, ricanait le plus jeune des Pintoux qui, depuis que les hommes étaient au front et qu'il ne restait à Siom que les vieillards, les gamins et les infirmes, avait la voix plus haute. Nous n'avions guère envie de rire ; nous devinions bien ce qu'il fabriquait, là-bas, lui qui n'était pas venu, la veille, déclarer le décès et qui négligeait ses bêtes. D'ailleurs nous n'aurions pas eu à nous le demander longtemps : nous l'avons vu, à la fin de cette même journée, son feu pas même éteint, comme s'il se moquait qu'il puisse mettre le feu aux sapins (comme s'il se moquait aussi de nous, avons-nous songé), descendre jusqu'au pont, puis monter le raidillon du cimetière où il ne s'attarda point, redescendre, arriver enfin chez nous, la tête légèrement inclinée vers l'avant. On aurait dit qu'il avait bu. Mais (l'abbé Trouche nous le dirait plus tard) ses yeux étaient plus sombres que jamais. Il entra au presbytère, en ressortit bientôt, descendit chez Berthe-Dieu où il but, debout, d'un seul trait, son verre de gentiane ; après quoi il se tourna vers la salle — vers nous qui avions eu le temps de remonter de la terrasse aux acacias. Il nous regardait comme s'il nous voyait pour la première fois, l'un après l'autre, et qu'il eût oublié qu'il était parmi nous (avec Toinou Perreau dont l'armée n'avait pas voulu parce que trop innocent) le seul homme valide, et que nos pères, nos frères, nos fils, nos époux habitaient les orages, là-bas, qu'ils y répandaient leur sang et leurs entrailles, étaient cloués aux éclairs, rongés par les ténèbres auprès de quoi nos plus noires nuits étaient des puits de lumière, qu'ils travaillaient là-bas une terre dont ils étaient eux-mêmes le fumier, alors qu'il était là, lui, son verre de gentiane à la main, la moustache bien recourbée, plein du ciment des bâtisseurs, et qu'il répétait :

— Elle est morte...

Il nous répétait ça, à nous qui ne l'avions pour ainsi dire point connue et qui trouvions indécent qu'on vînt plaindre devant nous la mort paisible d'une jeune idiote au moment où (on voit combien nous étions injustes, oublieux de sa blessure au genou et d'états de service héroïques qui lui avaient valu une croix qu'il se refusait à porter) le fils de Poirier, le maire, venait de finir saigné comme un cochon accroché aux barbelés des Boches, et si déchiqueté, racontait le cadet des Roche qui était de sa compagnie, que sa propre mère ne l'aurait pas reconnu et qu'il fallut pour apaiser un peu les esprits que l'abbé Trouche clamât en chaire que son Sylvain était devenu une goutte de sang sur le front de Jésus.

Nous lui tournâmes le dos. D'ailleurs, il ne nous voyait plus, ne nous avait jamais vraiment vus, étant donné que nous n'avions pas voulu nous laisser regarder autrement que dans le lointain des soirs, lorsqu'il s'asseyait sur le petit banc en compagnie de celle qui n'était plus. Seule la Berthe eut à cœur de murmurer :
— Eh oui, la pauvre diable...

Il eut un bref sourire, et sortit en balançant comme un gandin l'espèce de canne qu'il s'était décidé à porter, épais bâton de buis au bout duquel il avait fiché une pointe, l'autre bout consistant en un bref nœud du bois, ce qui nous faisait songer que nous n'aurions pas aimé nous rencontrer avec ce gars au détour d'un chemin, surtout pas sur cette crête de Veix que nous connaissions bien et où nous l'avons vu, jusqu'au lendemain soir, se donner à ses travaux de terrassement et de maçonnerie. Le feu avait encore brûlé tout le jour. Les nuages avaient défilé sans qu'il soit tombé la moindre goutte : le temps était avec ce Pythre que nous avons vu, ce même soir, tandis que nous nous préparions pour la messe où nous ramenaient ces temps difficiles, nous qui ne savions plus prier seuls, descendre vers le moulin, debout en habits du dimanche dans sa carriole avec, derrière lui, le beau cercueil de chêne. Nous l'avons donc regardé descendre en cahotant jusqu'au pont, manquant de verser à plusieurs reprises à cause des bosses et des racines et aussi du chien noir qui courait le long des roues, et s'assurant par-dessus son épaule que le cercueil était toujours là, ainsi qu'il le ferait dans la côte de chez Queyroix, l'air évidemment soumis et buté, mal à l'aise dans un costume sombre, mal coupé, tout neuf, que nul ne lui avait du moins encore vu, le menton raidi par le col trop blanc sur quoi était posé un petit nœud qui ressemblait à un hanneton.

L'abbé Trouche se tenait sur le côté de l'église, près de la petite porte. Pythre ne disait rien, attendant peut-être qu'on sonnât le glas, qu'on ouvrît les grandes portes du porche sous lequel avaient fini par s'avancer les vieilles de Siom. Chadiéras était là, lui aussi. Cela nous décida. Nous avons accompagné le cercueil dans l'église dès que le curé se fut décidé à tirer les deux battants de la grande porte : c'était après tout une femme qui était là, nous voulions bien nous le rappeler, devant nous, dans cette boîte en chêne qui sentait si fort l'eau de Cologne que c'était plus écœurant que si elle eût senti autre chose. Nous lui devions respect et mémoire, tonitruait l'abbé Trouche, c'était une chrétienne, même si elle ne l'avait jamais su et qu'elle avait traversé comme en songe notre vallée de larmes, point méchante, demeurée inconnue à elle-même autant qu'aux autres, avec l'humilité des simples, ayant péché sans le comprendre, oui, en dépit d'elle-même et de la sorte sauvée, malgré, disons-le encore, ce fardeau qu'avait été son corps, cette tombe, aussi bien, dans quoi elle avait vécu, faute qu'un homme pût l'épouser, et morte néanmoins dans le bonheur des simples à qui le demi-jour de l'esprit est une clé du Royaume.

Nous avons commencé à comprendre ce qu'il avait derrière la tête quand nous l'avons vu, aidé par Chadiéras et le fils Magnac, charger le cercueil dans la carriole et l'y arrimer solidement. Le petit Roche sonnait le glas. Les femmes s'étaient regroupées en silence sous le chêne, bien enveloppées dans leurs châles. Les hommes entraient chez Berthe-Dieu. Mais tous nous l'avons vu descendre jusqu'au tournant de chez Queyroix, disparaître derrière les thuyas, réapparaître, alors qu'il aurait dû prendre le raidillon, sur la droite, pour aller au cimetière, à l'embranchement qui est avant le moulin, s'arrêter un instant (de sorte que nous avons pu croire qu'il allait monter vers Couignoux), puis passer devant chez Jouclas. Il remonta chez lui lentement, marchant à présent devant sa mule qu'il tirait par la bride. Il s'arrêta sous les sapins. On le voyait à peine. La nuit commençait à tomber. Il ralluma le feu. Nous l'avons alors vu détacher le cercueil, le faire glisser sur des planches jusqu'à l'étrange construction dans laquelle il descendit et où il amena la bière. Nous avons pu croire qu'il n'en ressortirait pas. Nous étions debout sous les acacias dont les bourgeons sortaient, attendant qu'il émergeât du caveau, espérant peut-être (car nous étions en ce temps-là à l'écart de nous-mêmes, incapables de compassion, pas plus pour autrui que pour nous) qu'il n'en remonterait jamais. Il nous fallut nous résigner à le voir en sortir et se tenir au bord, immobile, dans l'attitude de la prière, avec derrière lui ce grand feu qui menaçait les sapins et le faisait paraître bien plus grand qu'il n'était et plus dur, plus inquiétant, le visage creusé, rouge et noir, immobile et cependant agité, frémissant.

5

Il n'avait pas trente ans et se retrouvait seul avec sa jambe folle et ses morts sur la colline, sur la montagne comme nous avions coutume de dire, au milieu de ses terres, dans une maison cernée de grands bois eux-mêmes encerclés presque entièrement par la boucle profonde de la Vézère, les lents brouillards et les vents, avec, en son plus haut point, ce tombeau pour lequel il avait commandé une croix de granit à Poulignac, le carrier des Buiges.

Nous aurions voulu l'oublier, faire comme s'il n'existait pas ; mais enfin il était vivant, lui, et venait se reposer, le soir, sur le petit banc, alors que tant d'autres continuaient de suer le sang dans les orages, là-bas, et que ceux qui étaient morts n'avaient pas de sépulture plus définitive qu'Aimée Grandchamp. Ça nous semblait injuste et scandaleux. Ce n'est pourtant pas ce qui explique qu'on ait vu, le lendemain ou le surlendemain, poussant devant eux quatre prisonniers en uniforme vert-de-gris, les gendarmes des Buiges descendre notre rue, prendre le chemin du moulin, et monter jusqu'à Veix, accompagnés de notre maire qui, lui, allait à pied. Ils parlementèrent assez longtemps devant le caveau. Ils étaient descendus de cheval. Pythre les écoutait sans ciller, avec même une pointe de défi, le menton relevé à proportion de l'infirmité qui le faisait boitiller, feignant de ne point comprendre que les morts, ici comme à Prunde et sur tout le territoire de la République, obéissent encore au siècle, qu'il ne leur est pas permis de gésir n'importe où, malgré ce qu'il avait pu voir, là-bas, en Argonne, au Kemmel, ou du côté de Charleroi, malgré aussi ce curé qui s'était fait bâtir son tombeau, près de la Regaudie, sur la route de La Celle, au sommet d'une colline et qui reposait là, sous un petit toit d'ardoise, le mur du sud défendu par une grande croix blanche, entre de hauts thuyas. Mais il fallait, n'est-ce pas, se plier à la loi, les gendarmes étaient formels, le maire également, tous pleins de déférence envers l'ancien combattant :

— Sinon, nous ne serions plus tout à fait des hommes, n'est-ce pas ?

Pythre ne répondit pas.

— Nous serions comme ceux-là, reprit le brigadier, en désignant du menton les quatre Allemands : quatre prisonniers dont Pythre, comme tant d'autres, chez nous, avait fait la demande à l'approche des moissons.

Il regardait les quatre bougres, avec leurs feldgraus sales, leurs bottes éculées, leurs casquettes rondes et plates, leurs bras dont ils ne savaient que faire, et leurs yeux résignés : trois hommes mûrs et un jeune, qui attendaient en grimaçant sous le soleil de midi.

— De vraies têtes de Boches, dit l'autre gendarme, oui, plus bêtes que méchants...

Pythre semblait ne pas entendre. Il n'y avait rien à répondre. Il dut regarder les prisonniers ouvrir la grille qui protégeait l'entrée du caveau, desceller la dalle sous terre, la faire basculer, entrer dans le tombeau, en tirer le cercueil, le déposer devant les gendarmes et le maire, tandis que Pythre regardait ailleurs, en direction de la vallée, et que le brigadier lui disait :

— Allons, ne faites pas l'enfant !

Et il tendit la main vers ce que Pythre gardait dans la poche de sa veste, depuis que les autres étaient arrivés à Veix, et de quoi il n'avait pas un instant ôté sa main : un pistolet d'ordonnance, ramassé Dieu sait où, et que l'ancien combattant sortit soudain et, avec une solennité qui effraya les gendarmes, le maire et les Allemands, les incitant à se tenir tranquilles, qu'il déchargea, le bras bien tendu au-dessus de sa tête, puis jeta aux pieds du brigadier. On vit ensuite ce spectacle non moins extraordinaire : celui de l'innocente Aimée, exhumée et descendue à travers champs, en plein midi, sur les épaules de quatre Bavarois, et conduite jusqu'au cimetière de Siom où l'attendait Chave, le cantonnier, qui servait aussi de fossoyeur, près d'une fosse ouverte dans le coin nord, sous les chênes de Chadiéras et devant laquelle se tinrent bientôt, outre ceux du cortège, l'abbé Trouche et les vieilles du village. L'odeur était forte, écœurante, obstinée. On se hâta d'enfouir la bière et de dresser à l'extrémité de la tombe une croix de bois sur laquelle André Pythre viendrait clouer, quelques jours plus tard, une plaque d'émail portant le nom d'Aimée Grandchamp, sans dates, soit qu'il ne connût pas celle de sa naissance, soit qu'il entendît nous montrer (mais se souciait-il encore de nous ?) que le temps ne passait pas pour lui comme il passait pour nous.

Nul n'aurait songé à parler aux gendarmes de l'autre corps, celui de l'enfant qui devait se trouver là-haut dans le caveau et que les Bavarois avaient sans doute aperçu. C'en était assez : nous avions respiré ce que jamais nous n'aurions dû sentir, cette pestilence, cette infamie qui avait empli soudain la vallée et fait hurler les chiens. Au moins les choses étaient-elles à présent dans l'ordre. Il y aurait, pendant longtemps, des langues pour soutenir qu'Aimée Grandchamp ne reposait pas en terre chrétienne, que Pythre et ses Bavarois (les deux qu'on lui avait attribués et les deux autres qui dormaient à Veix et qu'il fallait amener chaque matin sur la route de la Becette, après la croix de Bonneau, où ils retrouvaient les autres prisonniers qui travaillaient à la route qu'on ouvrait dans la vallée, entre le bois de Tempêtier et le Bec de Joug, en direction de Tarnac) qui étaient, on le savait, ses âmes damnées, depuis le premier instant, depuis qu'il avait déchargé son pistolet à la face des gendarmes et à notre gueule à nous tous, que Pythre et ses Boches, donc, étaient allés déterrer en pleine nuit la pauvre fille qu'ils avaient ramenée à Veix : cette vieille pisseuse d'Amélie Besse avait bien vu la lumière, cette nuit-là, du côté du cimetière, Jouclas aussi qui avait cru entendre et sentir sous ses fenêtres passer le cortège du diable.

On n'y alla pas voir de plus près. Nous avions nos propres soucis, nos larmes, nos fièvres, notre peu de joie. Nous comprenions que Siom se vidait de son sang. Nous ne songions plus à mal. Déjà nous vivions plus pour nos morts que pour les vivants. Ceux qui étaient revenus n'étaient pas en bien meilleur état que Pythre ; ils avaient ça en commun : les cauchemars, un corps blessé et la certitude que le jeu n'en valait point la chandelle. Mais il fallait faire semblant ; il surgissait encore, le soir, sur la crête ou chez nous, pour boire sa gentiane ou faire des provisions à l'épicerie que Chabrat et Berthe-Dieu, qu'opposaient des points de vue divergents sur la bonne marche de la République, venaient d'ouvrir de chaque côté de la place, immanquablement suivi d'un de ses Boches en uniforme gris, très propre, rasé de frais, la moustache lisse, parfumé murmurait-on, et tous deux marchant avec une assurance, une arrogance même, qui commençait à agacer les mères et les autres, celles qui n'avaient pas connu l'homme ou qui ne s'étaient point abîmées dans le veuvage, tandis que les pères et les frères caressaient en pensée le chien de leur fusil. Ce que les Bavarois eurent bientôt compris, et ils en plaisantaient avec Pythre en qui ils plaçaient une aveugle confiance, vite redevenus, malgré l'uniforme, la haine, la différence des langues et les blessures innombrables, ce qu'ils étaient dans leur pays lointain : des ouvriers agricoles, braves types, certainement, que la guerre avait rendus méchants ainsi qu'elle avait fait pour nous, mais vite redevenus prompts à l'obéissance et à la tâche. Ils ne quittaient plus leur maître (comment l'appeler autrement ?) avec qui ils marchaient, un peu en retrait, une bêche, une hache ou une faux sur l'épaule, et, comme leur maître, paraissant ne rien voir de ce qui les entourait.

On murmurait. On ignorait combien de temps encore ça durerait, là-bas, et combien ces grands gaillards aux yeux clairs dont on parlait comme de véritables bêtes fauves, si différents en tout cas du vieux Hans que la mère Nuzejoux avait reçu pour bêcher son jardin et couper son bois, resteraient parmi nous. Il faut le dire : nous en avions peur, même si c'était d'André Pythre que nous avions surtout peur, et nous nous disions qu'à eux cinq ils auraient pu mettre Siom à feu et à sang ; et le vieux Magnac se rappelait à voix haute ce qu'il avait vu, en Normandie, pendant l'hiver de 70 : des filles de quinze ans forcées par les uhlans sur des tables de ferme, devant leurs mères, puis abandonnées à l'infanterie. Nous tremblions, mais ne croyions tout à fait ni à ce que racontait Magnac ni à notre peur. Certains commençaient à regarder d'un autre œil le maître de Veix — ce que leurs filles faisaient depuis belle lurette, plus particulièrement depuis la mort d'Aimée Grandchamp, depuis qu'on croyait savoir que les terres de Veix étaient à présent bien à lui, et qu'il pouvait les arpenter avec un juste orgueil.

Il nous faudrait pactiser ; nous savions qu'il avait parmi nous, outre l'indulgence des femmes, un appui ancien et solide, et qu'il ne lui manquait plus qu'une épouse. D'aucuns murmuraient, dans l'ombre rougeoyante des cantous, sous les acacias, au fond des lits, qu'il ne fallait pas se presser, que la guerre ne durerait pas cent ans, que certains bataillons, à ce qu'on rapportait, avaient refusé de se battre, qu'on avait dû fusiller nos propres soldats et que d'ailleurs si l'autre (nous l'appelions parfois de la sorte) voulait prendre femme chez nous, ce ne pourrait être que la fille Queyroix dont les terres n'étaient séparées des siennes que par la Vézère et qui le guettait derrière sa vitre, ses thuyas, ou même, disait-on, dans le chemin qui va de la route des Buiges à Couignoux en passant par Veix et qu'elle parcourait dans son automobile, à toute allure, et en riant on ne savait de quoi, comme s'il seyait à une femme de rire à gorge déployée, cheveux et foulards au vent, dans cet engin de mort du haut duquel elle paraissait clamer qu'elle n'était point fille à se laisser imposer un homme qu'elle n'eût pas choisi.

Idée qui bientôt fut sur toutes les lèvres et à laquelle nous nous fîmes tous, y compris monsieur Queyroix, le père, qui avait espéré pour elle un meilleur parti que ce trop proche exil sur la colline d'en face en compagnie d'un boiteux sans nom ni réputation. Mais il était, le vieil homme, usé par les années, les rudes hivers, les ennuis d'argent, incapable, d'autre part, de résister aux sourds désirs de cette fille qui avait souvent fait la fine bouche et redoutait, à présent qu'elle avait trente ans, de ne pas trouver chaussure à son pied : il céda, n'ayant d'ailleurs point le choix, entendant battre en sa fille le sang tumultueux de sa mère et le redoutant plus, sans doute, lui qui n'aimait que sa tranquillité, que ce minotaure boiteux à qui sa condition de quasi-gentilhomme l'obligeait à sacrifier sa fille, quoique l'autre n'eût encore rien demandé et qu'il ne parût même pas attendre ce sacrifice.

En tout cas, il ne se vengea pas de la sorte (à supposer qu'il eût à cœur de nous faire payer nos années de mépris), jamais ne lâcha ses Boches sur nos filles, ni dans les bois où elles allaient ramasser champignons et branches mortes, ni dans les éteules où nous les envoyions glaner, ni dans les champs où elles gardaient les brebis ; bien au contraire, il les eût volontiers mis à notre service, comme il voulut le faire pour les Orluc, lorsque le père tomba devant Verdun : Yvonne Orluc refusa, ne comprit pas, et nous autres avec elle feignîmes de ne pas comprendre, de nous indigner. Il ne se montra pas arrogant non plus quand, dans les premiers jours de 1918, monsieur Queyroix qui, quelques semaines auparavant, n'aurait pas même daigné lever les yeux sur le boiteux, le déhanché, le béquanille, le diable dansant, monta jusqu'à Veix, un matin, dans son cabriolet et ses meilleurs habits, en passant non par le pont du moulin, mais en faisant le grand tour par la route des Buiges, et se tint debout devant Pythre qui, peut-être gêné, étonné, ou triomphant, ignorant à coup sûr qu'il eût dû se lever, restait assis à sa table avec ses Bavarois assis également dans la pénombre, près du cantou. Le vieillard y vit du mépris : il demeura près de la porte entrouverte, et, dans le froid, parla sans détour de sa fille, du sentiment qu'elle avait pour lui, André Pythre, prononçant ce nom avec effort, mais en souriant, ce qui pouvait passer pour de la déférence et fit sourire l'autre comme s'il entendait cela pour la première fois de sa vie. À peine d'ailleurs si Pythre écoutait monsieur Queyroix, ignorant sans doute que le vieillard qui frémissait dans la lumière froide de janvier, près de la porte, et lui parlait si drôlement, descendait des Queyroix du Montheix dont le manoir était encore debout, là-bas à l'autre bout de la vallée, en face de Couignoux, derrière ses chênes immenses, et depuis longtemps cédé aux Barbatte qui vivaient là-bas, entre leurs fermiers et leurs bêtes, les chats-huants, les renards et les souffles des bois ; ignorant donc que ces Queyroix étaient descendus à Bordeaux, au milieu du siècle dernier, pour s'établir dans le né-goce des vins et que c'était lui, Jacques Queyroix, le dernier, le cadet, celui qui n'hérite pas, qui vient trop tard, l'être pour rien, qui avait rêvé d'autre chose que de Paris, des Flandres ou de la Wallonie, s'était laissé vendre par un aigrefin rencontré quai des Chartrons une île minuscule de l'archipel des Glorieuses, un îlot qu'il prit pour paradis et dont l'administration colo-niale délogea l'improbable roitelet, le Queyroix des Glorieuses, ruiné, humilié, mais secrètement satisfait peut-être, au fond, d'avoir été roi parmi des palmes et des femmes languides, pendant toute une année, par ailleurs peintre médiocre qui brûla sur la plage toutes ses toiles avant de revenir à Bordeaux, point dépité d'avoir été quelque chose, faute qu'il fût quel-qu'un, et en tout cas pas un de ces Queyroix qui l'at-tendaient : sa mère et ses trois frères, lesquels pour en finir lui proposèrent une rente convenable à condition qu'il aille la manger à Siom, où l'on avait gardé quel-ques terres, maison de famille et banc à l'église, et où nous l'avons vu arriver en même temps que le nou-veau siècle, avec sa fille née on ne savait où ni de qui et une domestique couleur café au lait, sans doute bien plus que servante, et que tout le monde, ici, appela la Glorieuse tant elle avait l'air royale, posant sur notre monde un regard lointain, parlant peu, portant beau foulards, madras et anneaux. Le climat la tua, ou la nostalgie, ou encore l'indifférence du maître et celle de Blanche, la fille, dont quelques-uns murmuraient qu'elle n'était pas aussi blanche qu'elle en avait l'air et qu'elle lui ressemblait, à cette Négresse, quoique d'autres crussent savoir que M. Queyroix l'avait eue de la fille d'un fonctionnaire en poste à Madagascar.

Tout ça, Chadiéras aurait pu le lui raconter et même lui montrer, au cimetière, la tombe où elle gisait, à côté du caveau familial, sous une stèle sans croix ni nom, ni date, et sur laquelle une main d'enfant avait gravé avec une pointe maladroite : Glorieuse. Pythre ne s'en souciait pas. Il restait assis à sa table devant le vieillard qui parlait, le chapeau entre les mains, dans un contre-jour qui le faisait paraître plus maigre encore, au seuil de ce qui n'était plus tout à fait une cuisine mais presque un corps de garde et où, de toute façon, monsieur Queyroix eût refusé de s'asseoir, sous le regard des quatre Bavarois qui ne comprenaient rien à ce qui se disait, qui regardaient les deux hommes, le maître au visage de vieil enfant et le vieux si distingué qui écoutait à présent le jeune lui parler, le regard ailleurs, d'une voix qu'ils ne lui connaissaient pas, confuse et sourde, lui dire que ce n'était pas possible, qu'il n'était pas digne, que le mal était fait, et, les yeux soudain voilés, parler d'un autre temps, d'un jardin clos, d'une dame en blanc : à quoi le vieillard ne comprenait goutte, croyant à quelque surenchère et restant un moment désarmé, les bras ballants, avant de repasser la porte sans que l'autre ait cherché à le retenir.

Ainsi avons-nous su qu'André Pythre n'épouserait pas Blanche Queyroix, quelque goût qu'elle eût pour lui. Nous avons entendu le vieux père nous dire que monsieur Pythre avait d'autres projets, il ignorait lesquels, mais qui devaient dépasser le cadre de Siom pour qu'il refusât la main de Blanche. Il ajouta qu'il avait trouvé là-haut un homme bien seul, en proie à une mélancolie dont seule une femme pourrait sans doute le tirer, à moins qu'il ne fût abandonné de Dieu. Cela ne les rendit pas plus aimables à nos yeux, ni le père humilié ni sa fille qui commençait à sécher sur pied, ni l'autre surtout, avec ses Boches, lui dont nous ne savions toujours pas ce qu'il attendait de nous, s'il voulait quelque chose, de quoi nous finissions par douter, même si les plus prudents répétaient qu'un type pareil, ça ne renonce jamais.

6

Il attendit la fin de la guerre. Nous avions nos morts, peu de descendants mâles, et nos filles qu'il faudrait songer à établir. Il avait encore ses Boches qui avaient remis en état sa maison et ses terres et qu'on renverrait bientôt en Allemagne. On dit que ceux-là auraient voulu rester, plus dociles et rudes que les grands bœufs roux qu'on les voyait mener sur le versant de la vallée, en dessous de Couignoux, là où la Vézère fait encore un coude puis descend brusquement jusqu'à Treignac à travers des bois épais, par d'étroits défilés, ouvrant le vieux tuf à une lumière déjà plus douce, dans laquelle on croit sentir le fruité tiède des plaines, une douceur inconnue, une manière de large qui, depuis toujours, attire les plus audacieux comme les plus désespérés — ou encore ceux qui rentraient chez eux, tels les quatre Bavarois et les autres prisonniers qui avaient creusé la route vers Tarnac et qu'on rassembla, un matin de décembre, dans la cour de l'école : ils étaient tous là, nos prisonniers, et, derrière les grilles, les enfants qu'ils avaient vus grandir et, plus loin, quelques femmes et filles qui les regretteraient — tous, sauf un des Bavarois de Pythre dont le maître de Veix avait signalé, trois jours auparavant, la disparition. On ne le retrouva pas ; il ne fut aperçu nulle part, ni dans le canton, ni ailleurs, ni même chez lui, en Bavière, ce qui nous fit croire qu'il était mort et enterré dans le caveau de Pythre, entre l'idiote et l'enfant. On disait encore beaucoup de choses, par exemple qu'il vivait caché à Veix, dormait dans la grange, au-dessus des vaches ; certains affirmaient qu'ils avaient vu briller son crâne ras sous la lune, une nuit qu'ils braconnaient dans l'anse de Veix ; d'autres qu'ils l'avaient à plusieurs reprises entendu jurer dans son jargon, derrière les coudriers qui marquaient les limites avec les terres de Couignoux, et que, quoi qu'il en soit, Pythre n'aurait jamais pu tout seul abattre autant d'ouvrage ; d'autres, encore, organisèrent une battue nocturne pendant laquelle ils ne rencontrèrent, dit-on, que leur peur avec, au bout du chemin de Veix, le canon du fusil d'André Pythre dont la lune faisait briller l'acier. La rumeur était vive. Les gendarmes revinrent ; mais la dévotion des Boches à André Pythre était connue et on n'osa demander que le caveau fût rouvert : c'eût été, pensions-nous, la fin de quelque chose, pour nous comme pour les autorités, « notre fin à tous », piaillait la mère Nuzejoux : oui, notre fin, car si nous savions de quoi Pythre n'était pas capable (et jusque-là il nous avait montré une manière d'indifférence respectueuse qui pouvait tenir lieu de paix), nous le sentions prêt à tout. Nous n'étions pas moins raisonnables que ceux des Buiges, de Saint-Priest ou de Tarnac, ni plus fadars : nous aussi avions droit à la paix. Le Bavarois continua, mort ou vif, d'errer parmi nous (et son histoire, sans cesse réinventée ou déformée, hanta longtemps les plus jeunes esprits, les plus faibles aussi) le plus singulièrement du monde, effrayant les enfants, faisant tourner le lait des femmes et des vaches, amenant les orages et la grêle, couchant dans le tombeau d'où il sortait, à l'aube, pour travailler avec Pythre.

146

Ils marchèrent ensemble, les prisonniers, sur deux colonnes, jusqu'à la gare, où ils montèrent dans des wagons, à l'endroit même où, quatre ans plus tôt, ceux de chez nous étaient partis pour l'improbable gloire et n'auraient, pour la plupart, que celle de figurer sous l'inscription : « La commune de Siom à ses enfants morts dans la guerre 1914-1918 », noms et prénoms gravés dans le marbre des plaques qu'on visserait bientôt sur trois côtés du haut fût de granit qu'on éleva sur la place, à mi-chemin du jardin du presbytère et du grand crucifix de bois qui se dressait dans le champ de Besse : rassemblés, ces morts, dans la pauvre gloire de l'ordre alphabétique, non pas comme ils étaient tombés, là-bas, dans les jours de colère et les nuits d'acier, mais de la façon qu'on les appelait, chaque matin, à l'école et comme on les avait hélés, sur le quai de la gare, pour les embarquer dans les wagons. Gloire qui en valait pourtant bien d'autres, et mieux, par exemple, que celle d'avoir survécu et de se rappeler, jour après jour et jusqu'à la fin, ces nuits où chaque fils agonisant dans la boue, le froid et ce qui n'était plus qu'un mauvais feu d'artifice tellement on était déjà loin de son corps, se demandait pourquoi sa mère l'avait mis au monde et abandonné. Et ils se retrouvaient, ces survivants, éclopés, maigres, taciturnes, malades des gaz ou du séjour dans des camps en Silésie, avec des lichens qui leur rongeaient le ventre et l'âme, sachant qu'ils n'étaient pas tout à fait de retour, et même qu'ils ne reviendraient jamais vraiment : ils se tenaient tous là, les revenants en ce matin d'avril 1919, à l'entrée de la route neuve, à quelques mètres de la croix de Bonneau, en rangs muets, les drapeaux inclinés frémissant dans l'air acide, où brillaient leurs médailles et leurs larmes, le visage néanmoins fermé, dressé vers le sous-préfet qui venait de prononcer quelques phrases, le maire aussi, dans lesquelles il était question de sacrifice, de patrie, d'avenir dont cette route, creusée conjointement par d'anciens ennemis et des Français, était le symbole. Près d'eux se tenait l'abbé Trouche ; derrière lui, les femmes de Siom, les enfants, les vieillards qui avaient su tenir leur rang durant l'épreuve. Le sous-préfet embrassa deux fillettes — celles d'Anglars et de Sivadiaux, chez qui il ne restait plus aucun homme, et qui toutes deux portaient un bouquet de fleurs des champs — avant de couper avec des ciseaux que lui présentait, sur un coussinet de satin bleu ciel, brodé par ses soins, Blanche Queyroix, le mince ruban tricolore tendu entre deux hêtres.

André Pythre était là, parmi les survivants, très droit, lui aussi, et admiré comme les autres, malgré sa jambe folle qui l'obligeait, même arrêté, à se tenir d'une drôle de façon, un peu à l'étroit dans son uniforme où les autres semblaient flotter et trembloter ; mais nul n'eût songé à sourire : c'était encore le temps où les survivants se mouvaient dans une éternelle lumière d'été et où les autres, ceux de l'arrière, ainsi qu'on les appellerait encore longtemps, ne les voyaient pas tels qu'ils étaient, mais les portaient sur de très hauts pavois devant les enfants et les veuves. Ils étaient là, les fils Pintoux, Heurtebise, Arbiouloux, Peyrat, Jouclas, Duclos, Roche, Besse et Célestin de la Voûte, dans sa chaise roulante, et André Pythre, donc, frissonnants sous les hêtres et l'azur, offerts aux yeux de tous, particulièrement à ceux des femmes et des filles, aussi humides et calmes que les yeux des bêtes sur le foirail, mais au fond desquels on aurait pu voir passer par instants quelque chose qui tenait de la fureur et de l'émerveillement.

Le sous-préfet serrait des mains. L'abbé avait agité son goupillon sur la route qui s'enfonçait, toute blanche, entre les coteaux de Lornon. Personne n'osait y avancer avant que l'automobile officielle y eût disparu, suivie des gendarmes à cheval. Nul n'avait eu de mot ni, sans doute, de pensée pour Eugen, le grand Wurtembergeois barbu qui avant d'être fait prisonnier avait maintes fois échappé à la mort mais pas à ce gros hêtre qu'on abattit au bord de la route, près de la Becette, un soir de juillet. Pythre n'avait regardé ni les orateurs ni la route, mais, de l'autre côté, près du talus, parmi les chapeaux et les coiffes, deux yeux presque noirs qui n'avaient pas quitté les siens, qui semblaient plutôt non pas le contempler, lui, mais, avec autant de modestie que d'obstination, regarder, fouiller en lui ; non pas en son cœur, puisque nul, pas même une mère, ne peut savoir vraiment ce qu'il y a dans un cœur d'homme, c'était aussi vrai qu'on meurt toujours seul, mais au fond de lui, c'est-à-dire en ce point où seule une femme, fût-elle encore, comme celle-là, une adolescente, peut porter la main. Et il baissait les yeux pour revenir, agacé ou gêné, à ceux qui, sous le petit chapeau au bord duquel tremblait une poignée de cerises, le pliaient sans qu'il le sût encore à un ordre de choses qu'il ignorait, malgré Aimée Grandchamp, malgré Blanche Queyroix, malgré la dame en blanc. Le reste du visage disparaissait le plus souvent derrière l'épaule du père, un homme trapu au visage rouge et paisible, aux mains énormes dont il semblait embarrassé et qu'il croisait et décroisait devant lui sur son costume sombre : c'était, nous allions vite l'apprendre, un tailleur de pierre de Féniers, de l'autre côté du plateau, pas très loin de Prunde, dans la Creuse, qu'on avait embauché pour les pierres des ponts et les bornes, dans la vallée, et qu'on remerciait ici avec tous les autres. Il avait amené sa fille, sa Pauline aux yeux charbonneux comme les siens, au visage vif, étroit, frémissant, plus régulier que beau, au corps très fin, presque fluet en dépit

149

d'une poitrine haute et rebondie dont on voyait bien qu'elle était fière.

Pythre la regardait ; ils se regardaient comme s'ils savaient déjà ce qui allait s'ensuivre, et qui dura près de deux ans, ne sachant pas, lui, ce que c'était que ça, aimer, ni cette fille de dix-sept ans qui restait fille, malgré sa belle mine, et qui ne voulait, disait-elle, point se marier, attendait peut-être quelqu'un, un prisonnier, un disparu, et qui, elle non plus, ne pouvait encore mettre un nom sur ça mais finit par s'y résoudre et se plier à la règle : les retrouvailles dans les foires, fêtes, bals, à Peyrelevade, Tarnac, La Celle, Pérols, Saint-Setiers ou Faux-la-Montagne, les paroles brèves échangées sous les feux d'artifice, les tonnelles fraîches, une buvette, un chêne, un porche, tandis que le père, qui n'était jamais bien loin, tournait la tête pour ne pas gêner et laisser faire cette loi à laquelle il s'était lui-même plié vingt ans auparavant avec celle qu'il avait épousée on ne savait où, au hasard d'un chantier, dans quelque village d'Auvergne, et qui n'avait pas résisté longtemps aux boniments d'un voyageur de commerce (ou, racontait-on, d'un simple rétameur) : elle les avait plantés là, sur la colline de Féniers, l'homme qui sentait la sueur et la pierre, qu'elle voyait rarement parce qu'il était, disait-elle, « toujours en l'air », et la fille qui l'avait tant fait souffrir pour venir au monde et dont, dix-sept années plus tard, il se trouvait, lui, Odilon Bordes, embarrassé depuis qu'elle était devenue femme puis amoureuse, qu'il ne pouvait la laisser aller seule pendant qu'il taillait le granit dans les villages et sur les routes, tâchant à n'accepter aucun chantier qui lui interdît de rentrer chez lui, le soir, n'ayant personne pour la surveiller, et, bien qu'il la sût sérieuse, ne pouvant plus se fier tout à fait aux femmes. Aussi écouta-t-il, un soir d'octobre, à Pérols, après l'ouvrage, alors qu'il venait de

se laver les mains au lavabo du couloir et s'asseyait à
sa table, dans le petit hôtel des Touristes où l'on
n'avait jamais vu d'autre touriste que les quelques pèlerins d'Eymoutiers ou d'Ussel qui venaient pêcher
chaque automne, et où il avait dû, pour une fois,
prendre pension, le temps que les pierres du monument aux morts soient taillées et assemblées, aussi
écouta-t-il ce gars de Siom, qu'il avait fini par connaître de vue, même si Pauline et lui n'en avaient jamais
parlé, et qui venait de surgir devant lui en boitant, les
yeux durs, décidés, point déshonnêtes d'ailleurs, et
qui l'entretenait de sa fille, le chapeau noir sous le
coude — ce que jamais nul homme n'avait fait devant
lui — puis qu'il avait posé, en même temps qu'une
mince canne à pommeau d'argent — de celles qu'on
voit aux bourgeois et aux gandins —, sur la toile cirée
à petits carreaux bleus et blancs, une fois qu'il l'eut
invité à s'asseoir, moins par goût d'avoir un commen-
sal que pour en finir avec ce qui le gênait : que l'autre
se tînt debout devant lui avec sa canne et sa patte
folle, son air ténébreux, ce sentiment pour Pauline
qu'il fallait expliquer, à lui qui ne savait pas plus
écouter que le jeune gars n'avait d'aise à parler et
qu'il écoutait cependant évoquer, après sa fille, ses
terres, ses bêtes, ses bois et tout un tas de choses auxquelles Odilon Bordes s'entendait mal, et pour enfin
murmurer ce mot, ou ce nom :

— Pythre.

À quoi Bordes finit par répondre :

— Eh bien quoi ?

— Pythre, André Pythre, c'est mon nom.

— C'est point un mauvais nom, dit Bordes après
un temps de silence. Il n'y a pas de mauvais noms.

Et ils se regardèrent, sans sourire, tous deux gênés
mais bien débarrassés, comme on dit ici, soulagés si
l'on préfère, le premier d'avoir enfin casé cette fille

dont nul n'aurait voulu, là-haut, autour de Féniers, afin de ne point devenir le gendre du cornu, comme on l'appelait, bien qu'il se prétendît veuf, et l'autre qui pour une fois buvait autre chose que son apéritif à la gentiane, d'avoir pu prononcer sans rougir devant ce tailleur de pierre qui ne savait probablement rien de sa légende ; ou, s'il la connaissait, qui le considérait avec l'aplomb tranquille de ceux qui travaillent la pierre et non la superstition de ceux qui ont affaire à la terre et qui sont, en fin de compte, bien trop proches des femmes et des cycles du sang pour juger sans passion et accepter parmi eux un André Pythre, une Blanche Queyroix, ou même une Glorieuse, tous êtres qui s'en étaient remis un jour à cette loi à laquelle le gars de Veix n'aurait jamais osé donner le nom d'amour, ne croyant pas que ce mot le concernât ou qu'il en fût digne, encore moins qu'il désignât cela même dont il pouvait espérer une sorte de salut.

Car il savait, depuis la mort d'Aimée, qu'on ne peut demeurer sans femme, sauf à finir fadar comme le domestique de Couignoux qui s'était pendu à une poutre, que seule une femme peut poser la main sur cette barre de feu qui brûlait le ventre et les reins ; et encore lui restait-il à découvrir quelle douceur il y a entre leurs cuisses, quelle soie se déchirait dans cette nuit du printemps de 1922 en lui tirant des larmes, celles dont s'étaient sans doute moquées les filles à soldats, celles qu'il n'avait pu verser à la mort de sa mère, ni devant le corps d'Aimée ; tandis qu'elle, Pauline, s'étonnait qu'on puisse la rouer de la sorte, toute vive, au fond d'un lit aux montants de fer qui grinçait, le soir de ses noces, ouverte par cet araire dont elle devinait à peine la forme et qui la faisait gémir et crier de peur, de douleur et, sans doute, de quelque chose d'autre qui lui soulevait le cœur et le corps tout entier, frissonnante, en nage, incrédule, plus résignée qu'abandonnée, l'écoutant haleter, lui, sur son épaule, contre son cou, sur sa poitrine qu'elle avait eu encore plus de mal à lui abandonner que ses cuisses, ayant gardé sur elle, malgré ses exhortations, cette chemise où elle suait sang et eau et qu'il cherchait à déchirer avec ses dents, soufflant de plus en plus fort, puis s'arrêtant, sans un cri, comme si on l'avait frappé sur la nuque, et se retirant d'elle qui n'écouta plus que les battements de son propre cœur ; ni déçue ni lasse, étonnée, un peu écœurée, acceptant que ce ne fût que ça et entrée de la sorte dans le grand secret des femmes, bien décidée à être heureuse, puisque c'était ça qui comptait, tout le reste n'étant que l'œuvre des ténèbres.

Sans doute ne songea-t-elle plus à son repas de noces, aux Buiges, dans une petite salle de l'hôtel des Voyageurs qui n'était pas chauffée ; on était au printemps, et puis c'était une si maigre noce ; la pièce sentait la cire froide et la pomme sure qu'on avait dû y entreposer jusqu'au matin, les carreaux n'étaient pas faits, le papier à fleurs se décollait par endroits et les rideaux étaient loin d'avoir la propreté de la nappe sur la table à laquelle étaient assis quelques hommes et femmes qui ne se connaissaient pour ainsi dire pas et ne se reverraient sans doute plus, intimidés, peu loquaces, ne parlant pas le même patois et malhabiles en français, ce qui, malgré les vins et les liqueurs, empêchait qu'on parlât de soi ou cherchât à en savoir davantage les uns sur les autres : d'un côté André Pythre et Pauline, mariés le matin même à la mairie, puis dans l'église de Féniers (presque à l'aube, avait-on dit, et par un curé remplaçant qui semblait furieux de se trouver là, tout comme le maire, lequel avait l'air embarrassé, hésitant, comme s'il ignorait ce qu'il avait à faire, de l'autre Odilon Bordes, son frère et sa belle-sœur qui tenaient une ferme dans un endroit nommé Louzelergue, et une grand-tante qu'on avait fait venir de Felletin et qui était sourde comme une trappe. Chadiéras était venu avec son épouse. On avait même fini par faire entrer le vieux domestique qui les avait conduits aux Buiges. On parla donc de la guerre, encore et toujours, pour ne point avoir à parler d'autre chose, chacun se contentant de cette monnaie-là, vraie ou fausse, et ils avaient mangé et bu, le repas était bon, on l'avait voulu abondant, le domestique, ivre, s'était endormi sur un coin de nappe, tandis que le frère d'Odilon Bordes, non moins ivre, s'était levé pour chanter dans le contre-jour, avec une voix de fausset, une chanson qui fit rougir les femmes, s'esclaffer les hommes et ouvrir à l'unique enfant de la tablée, le neveu, le fils du frère, des oreilles décollées, une bouche qui n'en pouvait mais et des yeux immensément tristes. On avait entrouvert la fenêtre ; un chien aboyait dans le potager dont on n'était séparé que par une palissade en bois moisi ; la servante bâillait debout près de la desserte ; on avait avalé le café et les digestifs. Tout avait été dit. L'enfant était encore plus pâle. Les mariés se souriaient. Le père Bordes échangeait en aparté quelques mots avec son frère. Madame Chadiéras contemplait le motif du tableau accroché entre les deux fenêtres et qui représentait, dans un paysage champêtre, au bord d'un clair ruisseau dont les eaux étaient barrées au fond par un moulin, une jeune fille aux jambes dénudées qui s'apprêtait à entrer au bain, tandis qu'un peu plus loin, à l'abri d'arbrisseaux, trois vieux hommes observaient la scène d'un air grave. Mais ce n'était peut-être pas seulement ça que contemplait, à moitié endormie, madame Chadiéras, et qu'avaient dû regarder, elles aussi, à un moment ou à un autre, la servante, la grand-tante, la femme de l'oncle et même Pauline : c'était, on pouvait le penser, leur propre vie, leur innocence piétinée, leurs rêves ignorés, le sacrifice de la chair, les gémissements, la soumission à la loi, les noces inévitables sous les arbres d'un petit hôtel de campagne, dans une cour de ferme, dans une modeste maison de famille, à Féniers, Tarnac ou Bonnefond, en un semblable printemps, avec la même joie mêlée d'anxiété qui leur tordait le ventre et les forçait, telle Pauline, à sortir de table pour aller s'accroupir derrière le fumier, dans un bosquet de coudriers ou dans les latrines au fond du potager ou de l'arrière-cour, sous les regards blagueurs des rouliers et paysans attirés par la noce, veillant à ne point salir davantage la robe blanche sur laquelle il y avait des taches de vin en quoi elles voyaient un mauvais signe, afin, se disaient-elles, de n'en pas voir de pires, plus tard, lorsqu'elles regarderaient luire sur elles des dos d'hommes en nage qui les recouvriraient plus lourdement que l'ombre des grands hêtres.

Ils arrivèrent à Veix en fin d'après-midi ; on n'avait pas dansé : ce qui fit dire que c'était une brave noce, oui, des épousailles pressées, un mariage de pauvres. Reste que (rendons-leur cette justice) ils avaient tous deux fière allure dans la carriole, Pauline un peu ivre et somnolant sur le siège au risque de choir chaque fois qu'elle renversait en souriant la tête vers le ciel, et lui, Pythre, qui conduisait en silence, avec sur les lèvres un petit air de satisfaction qui ne trompait pas, qui trompait d'autant moins que ses yeux étaient à ce moment comme du miel de forêt, et brûlants, et aussi durs que naguère. Une fois passé le pont de planches sur la Vézère, il descendit pour guider sous les sapins, dans la montée, la mule renâclante, de la même façon qu'il avait marché, quelques années plus tôt (en vérité peu de temps mais quasiment un siècle en regard de ce qu'il lui avait été donné de vivre), devant la lourde charrette de l'exode, avec l'autre femme, celle qui l'avait empêché d'être des nôtres sans que nous pussions à présent voir en lui un véritable étranger, et qui reposait on ne savait où, sur la crête, auprès de ce fils qui n'avait pas existé, ou sous la croix de bois dans un coin du cimetière, ou dans les mains du diable, nous ne voulions pas le savoir, ce n'était plus notre affaire. Et il triomphait à sa manière, silencieux et morne, rentrant chez lui comme s'il revenait de la foire, avec, malgré sa patte folle et sa sombre légende, une fille saine et jolie, et, disait-on, délicate, qui avait son certificat d'études, et qui ne tarderait pas à lui donner un fils.

7

Celui-là ne vint pas comme l'autre, en des langes qui avaient été son suaire, ni dans la nuit froide d'octobre. Mais on trouva à redire que ce fût en septembre et que l'enfant fût en pleine santé. Pythre avait fait venir pour assister Pauline dans le travail trois femmes de chez nous, dont une toute jeune, à peine quinze ans, la sixième fille de Roche, plus laide qu'un cul, chuchotions-nous, et qui ne repartit pas, qui demeura chez lui comme servante. Les autres rapportèrent que Pauline Pythre avait mis au monde, sans guère de souffrances, un beau petit gars qui braillait fort tandis que le père n'avait pas bougé du cantou où il avait fait du feu, malgré la chaleur de cette fin d'été : il semblait ne point s'intéresser à ce qui se passait dans le grand lit, au fond de la pièce, n'avait même pas souri quand la mère Nuzejoux lui avait tendu son fils. Il s'était mis debout, avait regardé le visage de sa femme qui levait vers lui des yeux inquiets, et il lui avait dit, sans un geste ni le moindre sourire, de sa voix que les tranchées avaient rendue définitivement rauque :

— Je vais finir de soigner les brebis.

Il ne se comporta pas autrement, l'année suivante, quand il leur vint une fille. On était en novembre et, comme il l'avait fait la première fois, il attendit que l'enfant fût né pour sortir, mais ce jour-là sans rien dire à Pauline. Il alla (c'est ce que racontait la mère Chabrat qui, comme l'année précédente, secondait la Nuzejoux) se recueillir sur le tombeau — à moins qu'il ne recommençât à nous défier de là-haut comme il ne tarderait pas à le faire, ouvertement, disions-nous (même si, aujourd'hui, nous pouvons regretter cette promptitude à nous croire ses victimes), avec cet Amédée et cette Suzanne qu'il portait dans chaque bras avec une évidente satisfaction et que l'abbé Trouche baptisa dans l'église, avec, à chaque fois, Pythre qui jetait à la sortie des poignées de sous et de dragées que nos gamins allaient chercher entre les racines du grand chêne et jusque dans les bouses des vaches de Berthe-Dieu. Nous prîmes l'habitude, dès la naissance de la petite, de les nommer ensemble, Médée et Suzon, comme s'ils étaient nés le même jour et qu'ils eussent formé un couple de bessons. Et quand, quelques années plus tard, celle qui était restée chez eux, la fille Roche, cette brune petite Jeanne que tous avaient feint d'oublier, à commencer par son père qui se rappelait toutefois son existence le jour où elle apportait sa paye, apporta également un ventre qu'elle ne pouvait dissimuler et qui de laide la rendait grotesque, on sut qu'il viendrait un troisième enfant, chez les Pythre, peu importait la femme, puisque Pauline était sèche, du moment que lui, le Pythre, ainsi que nous nous mîmes à l'appeler (quand nous ne disions pas autre chose, plus bas, entre hommes, quelque chose qui convînt mieux à ce gaillard qui fécondait les terres et les femmes comme si sa vie en dépendait), du moment donc qu'il pouvait s'enraciner, peser plus lourd, et faire ouvertement ce qui nous fait entrer dans l'opprobre, et néanmoins, lui, continuer de venir boire sa gentiane chez nous, le soir, par n'importe quel temps, précédé de sa petite toux sèche à laquelle nous ne nous habituerions pas, avec cet air à la fois fier, un peu timide et buté qui nous dissuaderait de l'aimer ou de le respecter mais point de le craindre, non parce qu'il avait engrossé Jeanne ou couché autrefois avec une innocente ou encore sauvé sa peau à la guerre, mais parce qu'il était un être venu on ne savait d'où, nul ne s'était risqué à le lui demander, même si l'on croyait savoir, d'après Jouclas qui le tenait d'un type de Cisterne ou de Freyte, qu'il venait d'un patelin au nom presque aussi singulier que le sien, de l'autre côté du plateau, voire de plus loin ou de nulle part — en tout cas de quelque lieu où il n'y avait ni terre ni femme, ce qui pouvait expliquer, songions-nous sans pour autant lui trouver des excuses, qu'il menait sa vie comme il cultivait ses terres et faisait ses enfants : avec l'opiniâtreté de ceux qui n'ont jamais cru à rien mais font tout pour y croire, afin de ne point sombrer avant l'heure et aussi parce qu'il faut bien s'abandonner de temps à autre au chant des sèves et des femmes.

Nous l'avons accueilli, ce Jean, fils de la petite Jeanne et d'on ne savait qui (une feinte incertitude nous semblant alors préférable à l'infamante vérité, même si nous savions depuis longtemps, depuis la guerre, devoir en passer par là et que nous devinions l'appétit de Pythre sans limites) et que sa mère abandonna à ceux de Veix, non parce qu'elle n'aimait pas l'enfant, ni parce qu'il était intolérable qu'un homme vécût avec deux femmes dont il avait des enfants, mais parce qu'elle, Jeanne (malgré la tournée que lui administrait quotidiennement le père Roche qui aurait pourtant bien dû savoir, tout comme nous, qu'il ne pouvait en être autrement, qu'elle avait été en quelque sorte choisie et que c'était là un nécessaire opprobre, un moindre mal), ne voulait pour rien au monde retourner vivre à Veix d'où elle s'était enfuie, une nuit, avec l'enfant, pour venir heurter chez son père qui refusa de la laisser coucher chez lui qu'elle n'eût révélé le nom du père. À quoi elle ne consentit pas, même quand on eut vu Pythre, à l'aube, avant que le coq chantât et que le brouillard eût commencé de tourner au blanc, frapper à la porte de Roche, et demander à voir la fille. Roche apparut une nouvelle fois à la fenêtre de l'étage, son bonnet sur le crâne et le fusil à la main, et cracha. Il comprit, tourna les talons, finit par découvrir accroupie sur le seuil d'une remise la petite Jeanne (qui en vérité n'était ni si petite, ni si jeune, ni si laide que naguère), donnant le sein à l'enfant et regardant en tremblant l'homme de Veix, ou plutôt l'ombre qu'il faisait à ses pieds dans le soleil levant. Il lui tendait la main ; il souriait ; mais ceux qui le virent à ce moment n'auraient pu dire si c'était à Jeanne ou au petit, ou bien à autre chose — à rien, peut-être, car il était homme à sourire pour rien et, en tout cas, pas quand il fallait. Il avait pris l'enfant sans rien dire, sans que Jeanne eût non plus ouvert la bouche tandis que le père Roche criait :

— Tirez-moi ça de là, la putain et le mioche, tirez ça de là !

Pythre ne l'entendit même pas : il brandit l'enfant dans les premiers rayons du soleil, en pleine rue, aux yeux de tous, fier et désespéré, comme s'il nous le jetait à la face, cet enfant de l'amour, cet enfant d'or et de nuit qui braillait à pleins poumons et nous appelait aux fenêtres, réclamant avec vigueur ce que le père croyait être son dû : être admis parmi nous, quoique nul ne pût ignorer qu'il était trop tard, que c'était sans doute à nous d'être accueillis chez lui ; mais on n'y croyait pas, c'était ainsi, une faute collective dont l'origine appartenait déjà à notre incertaine mémoire et aux bouches des femmes.

Nous l'avons vu remonter à Veix sans Jeanne, l'enfant contre sa hanche, le regard apaisé. On sait qu'il demanda au curé de venir le baptiser, là-haut, ce Jean dont il n'était pas certain qu'il fût le père, et qu'il éleva les trois gosses à la dure. Nous avons appris à les aimer, ces trois gamins que nous voyions descendre, le matin, le versant de la vallée et marcher jusqu'à l'école, silencieux et lents, les yeux baissés, avec de pauvres sourires, en se tenant par la main, le plus souvent, la fille entre ses frères. Après tout, disions-nous sous les acacias, il fallait bien que la souffrance et l'injustice désarmassent un peu, qu'au moins cette enfance-là fût épargnée.

Et elle le fut ; c'est du moins ce qu'on crut pendant une dizaine d'années et au début de leur adolescence — jusqu'à l'autre guerre, à laquelle s'en allèrent peu de gars du canton et où, de Siom, il ne tomba que trois gars : un de Peyre Nude et deux de la Vergne. Non que nous fussions épargnés : nous avions déjà payé notre tribut, vingt ans plus tôt, et sentions que tout ça ne nous concernait plus tout à fait, que nous étions sur le déclin, à peu près les derniers d'une manière d'être sur terre ; et nous voulions que ces trois petits puissent témoigner un jour en notre faveur : l'âge rend oublieux ou coupable, et nous étions quelques-uns, l'été, dans l'ombre bleue des arbres, assis sur nos chaises, sur le banc ou sur le muret couvert de lichen gris, à regarder derrière nous aussi fixement que nous observions, jour après jour, l'opiniâtre fumée qui montait de la cheminée des Pythre, et à nous souhaiter de tels intercesseurs — sans doute parce que nous n'étions pas encore sous terre et que nous n'avions pas encore fait tout le mal qui était en notre pouvoir. Il ne nous déplaisait pas encore de vivre, nous n'en étions pas las, ni surtout de parler, de tout et de rien, mais principalement de ceux de Veix, à propos de qui nous n'avions pourtant plus guère à dire, depuis tant d'années. C'est pourquoi nous nous plaignions, de nous, des autres, de tout ; et puisque ça ne suffisait pas, nous plaignions aussi les trois petits comme s'ils n'avaient point de mère et alors que nous avions fini par l'estimer, cette Pauline qui descendait, une fois par semaine, souriante et modeste, faire ses provisions chez nous, et en qui nous ne pouvions tout à fait nous résoudre à voir l'épouse de Pythre. Les trois petits n'étaient, au fond, pas plus à plaindre que les nôtres, objectait-on parfois et avec raison, ce qui nous faisait réserver notre pitié pour des temps à venir. Alors, nous nous reprochions de parler tels des oiseaux de malheur, nous qui avions fait notre temps, ou peu s'en fallait, qui n'étions plus bons à grand-chose, et qui pouvions à présent nommer plus de morts que de vivants.

Nous les imaginions dans le grand bâtiment, là-haut, sous les branches épaisses des sapins que Pythre ne se décidait pas à couper, malgré les vents et les orages qui les penchaient sur les toits au point qu'ils emportaient des ardoises et assombrissaient tout, pièces et âmes, et inclinaient au silence. Nous les suscitions sans mal, rangés autour de la table longue, sous les poutres noires de la maison cernée de souffles qui finissaient par entrer, par la cheminée, par-dessous la porte ou encore par ce puits, dans l'autre pièce — sans compter le plus inquiétant, à l'extrémité de la table, face à la fenêtre, Pythre le taciturne qui regardait manger les trois petits, en rang, le dos au feu, et Pauline debout derrière eux, entre l'âtre et la cuisinière à bois, pour les servir avant de se mettre à manger, non pas à table debout, comme si elle voulait laisser entre l'homme et elle la distance qu'on doit garder avec toute bête, et comme les enfants, plus appliquée à se taire qu'à goûter ce qu'ils avaient dans leur assiet-

te, écoutant se répandre autour d'eux les bruits innombrables de la nuit (car, dans cette pièce et dans
les chambres, c'était toujours la nuit), lançant de
temps en temps un coup d'œil vers le père à qui tous
ces bruits paraissaient obéir, distribuant à chacun, selon qu'il posait les yeux sur Médée, Suzon, Jean, ou
même Pauline, son lot de sonorités, de signes, de
mystère.

Nous les plaignions mais ne faisions rien pour eux,
ils ne l'auraient pas toléré, n'auraient pas même accepté une pomme, une sucrerie, un bout de pain. Ils
posaient sur le monde un regard calme. Ils étaient
d'une douce sauvagerie, point méchants, mais déjà
fiers d'être des Pythre, le cadet, surtout, qui était un
peu des nôtres, que nous trouvions plus beau que son
frère ou sa sœur et qui tenait plus de Pythre (à supposer qu'on pût le dire beau, celui-là, même s'il était
loin d'être laid) que de sa mère, sauf pour ce grand
front et ces lèvres assez minces qui lui venaient Dieu
sait d'où. D'ailleurs tous trois avaient dans l'œil des
reflets qui n'étaient pas d'ici et dans lesquels l'on
croyait voir briller quelque chose d'inquiétant, de
douloureux et d'âpre qu'on trouve chez ceux qui se
sont résignés à eux-mêmes.

Ils apprirent à sourire, à écouter, à regarder dans
les yeux qui leur parlait, à paraître francs comme le
blé mûr, même si nous les sentions rivés au fait d'être
des Pythre, comme d'autres à leur bosse, leur œil fol,
une tignasse d'écureuil — la fille seule montrant, avec
les ans, plus d'orgueil et d'arrogance tranquille, sachant qu'elle pourrait jeter un jour ce patronyme aux
orties, et sûre d'une beauté qu'elle devait presque
toute à sa mère, mais transfigurée, portée à ce point
qui faisait que, déjà, on ne pouvait la regarder que le
souffle coupé.

Nous les avons vus grandir, la petite relever ses nattes brunes et friser sa frange, comme les nôtres, avec de l'eau sucrée, les garçons se mettre sur la tête un béret bleu marine, puis une casquette plate à visière et revisser aux lèvres, avec un sourire fat, une cigarette de gris. Ils ne quittaient guère Suzon qui savait les apaiser avec des gestes que d'aucuns trouvaient singuliers : baisers au coin des lèvres, mains emprisonnées entre des seins déjà amples, chansons fredonnées au plus bas de la voix et qu'on écoutait les yeux fermés, où qu'on se trouvât, et tout un jeu de signes avec les doigts et les mains qui les faisaient ressembler, à l'école ou à Veix, à de hautains sourds-muets. Pour le reste, ils ne différaient pas des nôtres, cherchaient à faire couler leur vie parmi nous comme la Vézère au fond de la vallée. Nous aimions cette comparaison : on ne naît pas impunément au bord d'une rivière, et nous savions que celle-là n'était pas n'importe laquelle ; on épousait peu à peu ses lenteurs, ses tourbillons, ses méandres, ses sauts, sa transparence ; et celle-là était tranquille, sauf au printemps où elle montait jusqu'au parapet du pont, léchait le mur du cimetière et noyait le bas des prés de Pythre, de Queyroix et de quelques autres.

Il fallait alors passer par l'autre pont, celui de Veix, au bas du puy Lagâche, et arriver à Siom par la Chapelle, sur la route d'Eymoutiers. Mais nous les avons souvent vus, le dimanche, surtout, déboucher de la Vézère entre la colline de Veix et le puy Gaillau, à gauche, dans une barque que Pythre devait avoir lui-même construite et peinte en un rouge vif. Sans doute la mettaient-ils à l'eau derrière la colline, tout près du gros éboulement, dans une sorte de crique où nous venions autrefois pêcher. Le grand Pythre était accroupi à l'arrière, les deux garçons ramaient, la mère et la fille, assises à l'avant, regardaient Siom où elles allaient aborder mais où parfois le maître ne s'arrêtait pas, continuant vers Monceaux, à sa guise, sans que les femmes cessassent de sourire, belles dans leurs robes dominicales et sous leurs chapeaux de paille à larges bords et à rubans roses, comme si André Pythre dût les conduire au bout du monde — loin de Veix et de Siom, de ces collines froides, de cette terre noire qu'il fallait sans relâche disputer aux genêts, aux fougères, aux ajoncs, à la bruyère, à la pierre ; loin, songeaient-elles probablement, des étroits défilés où l'eau tourbillonnait dans des marmites de géants et de chute en chute avant de s'élargir, là-bas, au-delà de Treignac et d'Uzerche, et de prendre la couleur vert pâle des vraies rivières, de refléter des berges lentes, plantées de trembles et de saules, où les hommes n'étaient plus sur terre pour imiter le lichen sur le granit, mais avaient su défaire la pierre du lichen et la plier à autre chose qu'à ces calvaires, ces bâtisses basses ou massives, ces tombeaux plus inaltérables que des noms propres. Oui, elles devaient songer, Pauline et Suzon, quand elles se promenaient ainsi sur les eaux larges (ce qui nous faisait murmurer une fois de plus que les Pythre ne pouvaient rien faire comme tout le monde et que par-dessus le marché ils commençaient à se croire), qu'il existe des contrées plus clémentes où poussent des oranges et des citrons, où la lumière n'est plus celle des landes et des grands bois, ni celle, trop bleue, de la vérité sur soi que l'on découvre entre la pierre et le ciel, mais quelque chose qui vous détourne enfin de vous, vous rende l'innocence des gestes et des mots ; et elles se disaient sans doute à elles-mêmes ce qu'elles avaient cru voir, les yeux mi-clos, à l'avant de la barque, tandis que le vent léger d'avril leur enveloppait la figure comme ce tulle moucheté qu'elles avaient envié à Mlle Queyroix, lorsqu'elles la rencontraient conduisant son automobile sur la route des Buiges ; elles se disaient les vergers en fleurs, les villes blanches ou roses, les parfums et les voix plus libres que des rires, la mer enfin dont s'était approché le fils Nuzejoux qui descendait au printemps s'embaucher dans les pinèdes des Landes ; et elles pleuraient de bonheur. Les deux garçons songeaient eux aussi qu'il est peut-être une autre vie, ici-bas, que ni le maître d'école ni les poètes ne mentaient tout à fait, qu'on pouvait aller ailleurs, dans ces parties colorées en violet des cartes géographiques, où l'on pouvait cueillir à satiété (l'aîné des Orluc avait rapporté de ses années dans la Coloniale des photographies que son plus jeune frère faisait payer pour laisser regarder, mais, au grand étonnement de tous qui n'avaient pas deviné qu'il était amoureux de Suzon, il les avait montrées, sous le préau, derrière le tas de bois de l'instituteur, aux deux frères qui n'y avaient jeté qu'un regard négligent et qui, surtout, avaient refusé d'aller chercher leur sœur) des fruits aussi beaux et mûrs que ceux qu'on peut voir dans la chemise des lavandières, au bord de la rivière, au printemps, en aval du moulin, pendant les lessives du printemps. Oui, ils devaient bien se dire, eux aussi, qu'on n'est pas totalement disgracié entre le nom impossible et le granit, l'ardoise et la brande, l'eau et le ciel trop bleu.

Mais la plupart du temps les trois enfants abordaient seuls chez nous, ou avec leur mère, au bas de la terrasse aux acacias, pour cette messe à quoi Pauline tenait tant et où elle conduisait les enfants, tandis que le père, retraversant la rivière, restait de l'autre côté, près de la barque qu'il avait tirée sur l'herbe et sur le bord de laquelle il s'asseyait pour se rouler une cigarette de caporal, nous tournant le dos, les yeux dirigés vers l'aval, songeant peut-être, lui aussi, aux jardins des grandes plaines, à l'océan, aux pays où l'on cueille les femmes, loin des hommes de Siom, qui restaient debout à palabrer et à boire, pendant que les femmes étaient à l'église, vêtus néanmoins comme s'ils les y avaient accompagnées, participant à leur manière à ce rite ennuyeux à quoi la paix retrouvée les dissuadait de croire mais dont ils ne s'écartaient pas tout à fait ; ils étaient comme tout le monde : ils ne pouvaient oublier qu'il leur faudrait mourir.

Or nous n'avions pour tout rêve, nous autres, que des liqueurs brutales, l'entrecuisse de nos femmes, nos pauvres souvenirs, ou encore la grande lande du plateau où l'on s'était mis à planter de ces sapins de Douglas qui appelaient la nuit, non seulement celle des sous-bois mais la fin de ce que nous avions été pendant tant de siècles ; et nous nous disions que ce n'était pas plus mal, que nous n'y pouvions plus tenir, qu'il fallait en finir — ce qui ne nous empêchait pas de nous répéter que notre plus grande gloire était encore de tenir bon, ici, tapis contre cette table de pierre froide où l'hiver régnait plus longtemps que partout ailleurs, oubliés de Dieu, quoi qu'en dît l'abbé Trouche, en sursis dans les combes, les vallées, sur la lande, oui, dans la seule gloire de nos noms, que ceux qui nous avaient précédés avaient mués en terre, en arbres, en rocs, en métiers, en villages même ; car nous voulions rester dignes de ce qu'ils signifiaient encore, Heurtebise, Orluc, Magnac, Chabrat, Besse, Anglars, Roche ; et si nous ne l'entendions plus et que, consultés, le curé et l'instituteur haussaient les épaules pour signifier que ça ne voulait plus rien dire, Jouclas, Queyroix, Sivadiaux, Pintoux, Chadiéras et tant d'autres, nous ne nous enorgueillissions pas moins de leur signification cachée, plus ancienne que les autres, qui remontait même, pensions-nous, à ces nuits où les femmes avaient vu briller l'éclat des armes et des dents, des rires, des ongles, des chairs qui leur avaient ouvert le ventre pour fixer sur la table de granit un peu de l'herbe des steppes de l'Asie. Alors nous pouvions plaindre les Pythre.

8

Bientôt nos conversations eurent un autre cours, plus inquiet, véhément, incertain. Au printemps de 1938, on vit trois hommes venus de la sous-préfecture arpenter la vallée pendant plusieurs jours, prendre des mesures avec d'étranges longues-vues et des piquets gradués comme d'énormes thermomètres qu'ils portaient sur l'épaule. Nous ne sommes guère curieux que de nous-mêmes, ne nous soucions pas du malheur d'autrui, rien ne saurait nous détourner de notre pente. Aussi avons-nous d'abord prêté fort peu d'attention aux trois fadars du cadastre qui mesuraient on ne savait quoi, étudiaient peut-être comment bâtir un nouveau pont, Farges devait bien le savoir, notre nouveau maire qui n'avait pas plus que nous le goût de son prochain mais que nous avions élu pour n'avoir pas à faire semblant de nous en soucier.

Les trois types logeaient chez Berthe-Dieu, dans les chambres des voyageurs d'autrefois, que l'on rouvrait seulement à l'automne pour les louer à des pêcheurs de Limoges. Ils étaient peu causants ; ils faisaient les mystérieux. Lorsque nous les avons vus traîner Farges, notre nouveau maire, pour lui montrer les courts piquets blancs et rouges fichés en terre, dans toute la vallée nous avons cessé de sourire. Nous nous som-

mes mis à attendre. Certains parlaient de remembre-
ment, d'autres d'une route qui viendrait traverser
Siom et nous rendrait au siècle. Le maire ne voulait
rien dire. À sa mine de belette malade, nous devinions que c'était grave. Mais c'est de la bouche du
géomètre que nous avons fini par apprendre que la
vallée allait être engloutie.

Nous sommes descendus avec lui sous les acacias.
Il parlait bien, avec des phrases courtes et précises. Il
nous montra les piquets blancs et rouges, la ligne
qu'on pourrait tracer en allant de l'un à l'autre, sur
chaque versant de la vallée, pour marquer la limite
des eaux. Le barrage serait édifié plus loin, vers le
Montheix, à l'entrée des gorges. Le moulin de Siom
et celui du Montheix, ainsi que les maisons de Theil-
lard et de Lavaud, seraient sous les eaux, tout comme
une partie des terres de Couignoux, de Queyroix, de
Pythre, de Sivadiaux, de Roche.

— Vous aurez, dit le géomètre, les pieds dans l'eau
et l'électricité sur vos têtes.

Nous n'avions pas envie de rire, n'avions nul besoin ni de ces limbes, ni de débarcadères, ni que Siom
ressemblât à une forteresse marine : nous voulions
l'obscurité, la pauvreté, la fin, et ce mal qui toute notre vie aurait été, on s'y résignait, sans le comprendre,
notre innocence à nous.

Le géomètre regardait dans le vide. Il fallait bien
qu'un de nous se décidât :

— Et les morts ?

Les femmes, qui n'avaient jusque-là rien dit, se mi-
rent à pleurer.

— Il faudra les déplacer.

C'était Farges qui avait parlé. Il s'était approché
sans qu'on l'entende, à la limite de l'ombre. Il ajouta
qu'il avait songé à un nouvel emplacement, dans un
pré communal, là-haut, derrière la colline, à l'em-

branchement de la route d'Eymoutiers : un beau pré en pente douce, entouré de grands hêtres, d'où on voyait Siom et toute la vallée. Ça nous faisait une belle jambe. Autant dormir sous l'eau et en finir véritablement avec la terre, les vivants, la loi humaine. Nous comprenions que la terre même ne valait plus rien, que la propriété n'est pas plus éternelle qu'un corps ou un nom, et que nous étions vraiment les derniers. Nous n'avons plus rien dit, avons tapé sur l'épaule de Jouclas, qui perdait tout, comme nous taperions bientôt sur celle de tant d'autres qui nous regarderaient, hébétés, les larmes aux yeux, sans bien comprendre. Nous songions tous qu'on allait rouvrir la terre, faire bâiller les tombeaux, rappeler au jour nos défunts sans leur dignité naturelle, comme au Jugement dernier, sauf qu'ils ne comparaîtraient point, que ce serait nous qui aurions à nous justifier de ce dérangement. Le grand sommeil est bien le privilège des plaines. Avons-nous alors songé à Pythre et à cette pauvre Aimée dont nous avions, une fois déjà, troublé le repos ? Nous sommes-nous souciés de savoir enfin si la tombe était occupée ? En vérité, ça ne nous importait plus. Il nous semblait que c'était Siom que nous allions enterrer là-haut, oui, et que tout allait trop vite : déjà les trois frères Rivière construisaient un mur d'enceinte, tandis que des terrassiers des Buiges — des Espagnols au visage fermé et aux yeux aussi durs que ceux de Pythre — creusaient les tombes et les caveaux.

Il fallut arrêter un jour. Le grand déplacement (comme nous l'appellerions et comme l'appelleraient nos maigres descendants, tout le temps qu'ils s'en souvinrent) eut lieu deux mois plus tard, avant les pluies d'octobre. C'était une journée claire et encore tiède : pas de plus beau jour, songions-nous, pour ces retrouvailles. On éloigna les enfants et les femmes. La terre fut éventrée d'un même geste, comme sur un signal, et avec une même fureur et le souci d'aller vite. Les lames basculèrent, et les stèles, et les croix qu'on chargea dans des voitures, des tombereaux, à dos d'homme — les nôtres : nous n'aurions accepté que nul autre, surtout pas des étrangers, s'en charge. On mit au jour des odeurs que quelques-uns d'entre nous connaissaient pour les avoir respirées dans les tranchées et les ossuaires, extravagantes, difficiles, infâmes, nous ne savions comment les qualifier et nous scandalisions qu'elles ne puissent avoir de nom, redoublions de fureur et de pitié, ahanions davantage contre ces pauvres morts, hurlions parfois comme des chiens. Les plus à plaindre étaient ceux qui avaient des morts récents : ils s'entourèrent le visage de linges parfumés, firent de grands feux d'herbes sèches où ils avaient envie de se précipiter. Rien n'y faisait ; avec eux nous respirions la puanteur sucrée qui s'élevait dans la vallée et nous donnait à croire, malgré l'abbé Trouche qui se tenait debout, au plus haut du cimetière, sous les chênes de Chadiéras, appuyé sur la croix des morts, près de défaillir, que nous étions damnés.

Mais nous n'aurions pu imaginer, ni ceux qui avaient respiré (et ils s'en souvenaient) l'odeur d'Aimée Grandchamp exhumée, ni même ceux qui s'étaient sentis pourrir sur pied comme Augustin Nouaille, le domestique de Condeau qui s'était pris la main gauche dans un piège à renard, l'avait vue devenir toute noire et puante, quoiqu'il eût pissé plusieurs fois dessus et l'eût trempée dans l'eau de Javel, jusqu'au moment où il avait fallu la couper, nous n'aurions pu imaginer que cette puanteur-là fût notre lot, nous qui étions déjà si peu de chose, petits bonshommes affairés par une matinée claire de septembre sur la pente d'une vallée condamnée, penchés, les uns et les autres, sur les restes de nos pères et de nos mères, de nos enfants parfois, en des cercueils pourris, éventrés, ouverts sur des ossements encore habillés de chair et de tissu, sur des boues rougeâtres, vertes ou noires dont on ne savait plus ce que c'était, terre ou chair ou l'indissociable mélange des deux, l'innommable destin de l'orgueil et de l'indignité, ou encore l'ultime coquetterie de la chair qui se refusait à la terre, l'apparence humaine stupéfaite d'elle-même, de son odeur, de son ignominie, de son altération : tout cela qu'il fallait ramasser à la pelle et remettre dans des cercueils neufs ou, pour les plus vieux os, dans des boîtes qu'on emportait sous le bras. Certains ne trouvaient rien, la terre ayant tout digéré sauf les poignées du cercueil ou une mâchoire, mais emportaient ça ou une pelletée de terre que le curé bénissait tout de même qu'il bénissait les morts dont on n'avait plus souvenance et les autres, ceux qui puaient effroyablement.

Cela dura toute la journée. Nous laissions derrière nous une terre éventrée, obscène, pitoyable comme un ventre de femme violentée. Il ne fallait pas nous retourner, et chacun, à la fin de cette journée, ne regardait plus qu'au fond de soi, Pythre comme les autres, vraiment, qui était venu, quand ce fut presque fini, ouvrir son coin de terre d'où il semblait bien, certains le confirmeraient, avoir retiré quelque chose, os et morceaux de planches mêlés aussitôt déposés dans une boîte, non pas de celles que la municipalité fournissait gratuitement pour la circonstance à ceux qui réduisaient les corps, mais un coffret de bois étroit et long comme un étui à violon, qui ressemblait à de l'acajou et qu'il devait lui-même avoir façonné. Il remonta à Veix avec ça sous le bras, sans se presser, sans un regard pour nous, à peine s'il avait laissé l'abbé Trouche bénir le coffret, rentrant chez lui pour le déposer dans le caveau ou sur sa cheminée, ou n'importe où mais pas chez nous qui ne pouvions nous opposer, plus de vingt ans après, à ce qu'il reprît son bien, comment l'appeler autrement, et nous le jetât en quelque sorte à la face : il avait attendu, il avait eu raison, vingt ans, c'était beaucoup, c'était même inquiétant, nous l'avions oublié, nous pouvions trembler, et nous avions ce soir-là l'âme bien noire dans l'étrange cortège, heureux lorsque les gaz d'échappement ou une saute de vent éloignaient un instant la puanteur des nôtres — notre puanteur, pouvions-nous même dire, car si nous n'étions pas encore cadavres, nous sentions comme ça au fond de nous, nous n'avions pas besoin, ce jour-là, qu'on nous le rappelât. Nous avancions, les yeux attachés à la haute croix d'argent poli que portait le curé, à l'avant de la procession, et qui scintillait dans le soir non pas comme une bannière de justice ou d'orgueil mais comme l'aigle que les vaincus s'apprêtent à jeter aux pieds des vainqueurs.

Lorsque nous sommes arrivés sur la place, les femmes étaient là, debout, en noir, malgré l'interdiction, et nous n'avons rien dit, les avons même laissées faire la haie puis se joindre au cortège d'un seul bloc, mais séparées de nous autres par quelques mètres, tandis que derrière les carreaux et les arbres les enfants regardaient, effarés, atterrés par l'odeur et par ce qu'ils entendaient brinquebaler à l'arrière des quatre camionnettes qui avançaient lentement : ils regardaient passer ces morts que les vivants allaient ensevelir une seconde fois et bien vite, malgré la solennité du moment, car, avec la nuit qui approchait, nous n'étions plus tout à fait certains d'être de ce monde ni que ce ne fussent pas des morts allant enterrer des morts que nos enfants avaient regardés passer.

Au nouveau cimetière, ni archevêque ni sous-préfet, comme Farges nous l'avait laissé croire (et qu'importait ! Ne savions-nous pas qu'il n'y a plus de gloire à laquelle puissent venir boire ces loups !), mais notre curé et celui des Buiges, accompagné d'ouailles avec qui nous étions alliés, et cette cohorte de femmes en noir, surgies on ne savait d'où et qui pleuraient devant les tombes. L'odeur cessa avec la nuit, mais nous la cherchions encore autour de nous, et même en nous, de la façon qu'on agace une dent gâtée. Les feuilles des hêtres remuaient doucement. On commença à se disperser, à parler, à rigoler. De nouveau, on se croyait immortel. Mais en nous-mêmes ça continua de puer, et ça puerait longtemps encore. Les femmes avaient beau se mettre de l'eau de Cologne, priser, mâcher de la menthe ou de la sauge, et nous, nous envelopper le visage de fumée de tabac, l'odeur était là, en nous, sournoise et révoltante, nous faisant prendre en horreur puis en grande pitié non seulement ceux que nous avions enfouis, là-haut, derrière lou brau, sous les hêtres, mais encore ceux que nous avions engendrés et dont nous pouvions nous dire, tant ils étaient jeunes, qu'ils étaient innocents, et aussi ce que nous étions : des gourles en sursis, des morts sans sépulture, nous rappelait notre vieux recteur ; à quoi nous préférions rester sourds, parce qu'il ne différait guère de nous et que nous n'avions pas besoin de lui pour savoir que vivre ce n'est rien d'autre que chercher une dignité qui tienne lieu d'amour et d'innocence. Notre rudesse était notre seul héroïsme et le souvenir de nos pères une bien pauvre piété. Nous avions, ce jour-là, dans la pente du nouveau cimetière, écouté l'abbé Trouche sans l'entendre ; nous ne voulions d'ailleurs penser à rien et surtout pas à ça ; nous n'avions pas besoin de ça pour savoir ce que nous deviendrions sous la lame. Sans doute avons-nous songé à celui qui n'était pas là, qui ne nous avait pas accompagnés et qui, depuis que les géomètres avaient commencé leur travail, n'avait pas montré le bout de son nez, alors que c'était lui, avec Jouclas et ceux de Couignoux, qui pâtirait le plus du barrage sur la Vézère. Mais tout était dans l'ordre, même s'il nous arrivait de ne plus très bien distinguer les vivants des morts ni si lui, André Pythre, n'était pas plus vivant que nous.

— Laissez les morts enterrer les morts, avait dit, une fois de plus, le curé qui, lui aussi, pouvait penser que c'était nous-mêmes que nous enterrions, ce jour-là. Nous en savions à présent plus que lui, en tout cas plus que nous n'en voulions savoir, étions d'aussi mauvais pauvres qu'il y avait, ailleurs, de mauvais riches, avions renoncé aux vrais mystères pour nous soucier, encore et toujours, de celui d'André Pythre, à propos de qui nous pouvions nous dire, le même jour, qu'il était aussi bien une sorte de mort, une âme en peine qui cherchait à habiter ce corps qu'on appelait Pythre, aussi vainement qu'il habitait parmi nous, avec ces terres qu'on allait bientôt noyer et ce nom impossible.

Il ne se montra pas davantage lorsque nous dûmes nous presser à la mairie pour les indemnisations, ni quand le chantier s'ouvrit au Montheix, au bout de la vallée, à l'entrée des gorges. On eût dit que rien de tout ça ne le concernait — la guerre non plus, ni l'occupation. Jean continuait de fréquenter l'école ; les deux autres aidaient à la ferme ; on les voyait faire paître ensemble les bêtes sur le versant ombreux. Rien ne laissait penser que ça dût changer, n'était la rumeur assourdie que le vent faisait monter des gorges et la présence d'ouvriers du barrage, le soir, chez Berthe-Dieu qui s'était agrandi et trouva bon de peindre sur sa façade neuve, au-dessus du potager, en hautes lettres marron dans un cartouche blanc : Hôtel

Restaurant du Lac. Au moins un à qui ça profitait, murmurions-nous, alors que plusieurs d'entre nous furent obligés de s'embaucher au barrage et que nulle fumée ne s'éleva plus du moulin de Jouclas ni des maisons condamnées dont on avait cloué portes et fenêtres et même balayé l'intérieur : on ne se décidait à les abandonner que propres, comme les morts.

9

Elle vint en février 44. Elle monta peu à peu, un matin, très tôt, et pendant de longs jours. Au début, on eût dit une crue plus importante que les autres ; puis le débordement eut quelque chose d'excessif, d'obscène, dans sa lenteur implacable, surtout lorsque le pont fut submergé et que du moulin et des autres maisons on n'aperçut plus que les pignons et les cheminées. Le cimetière disparut le quinzième jour ; le seizième, l'eau arrivait à mi-pente ; ce n'est qu'au bout d'un mois et demi que nous avons pu voir ce que serait notre paysage une fois qu'on aurait débarrassé l'eau de tout ce qui y flottait : morceaux de bois, paquets d'herbes, cadavres de petits animaux et même une génisse qui avait dû s'échapper et se perdre dans les bois de Couignoux : tout ce dont les eaux, ou plutôt cette nuit que nous avions écoutée monter avec ses petits bruits de succion, ses feulements, ses soupirs de bête fatiguée, ne voulaient pas.

Ceux qui avaient pleuré sur la terrasse, ceux qui s'étaient voilé la face ouvraient maintenant les yeux sur cette étendue d'eau malpropre muée en lac profond, calme et noir, avec quoi il fallait pactiser. La terrasse avait une allure de belvédère, les prés de Nuzejoux et de Queyroix aussi dont l'eau venait battre les clôtures comme elle léchait le pied des grands sapins de Veix, où le tombeau d'Aimée Grandchamp était à présent juché sur son monticule comme sur une presqu'île. Et nous finissions par en être heureux, malgré la guerre au loin et, au-dedans de nous, des soleils toujours plus bas : heureux, donc, que le temps nous ait fait présent de ces eaux qui nous séparaient définitivement de Pythre dont on ne revit plus, dès que le lac eut atteint le pied de ses sapins, le petit Jean à l'école ; de sorte que, si on n'avait vu fumer la cheminée là-bas parmi les arbres, on aurait pu se dire qu'ils n'y habitaient plus, ou qu'ils vivaient une autre manière de vie, d'outre-tombe peut-être, en tout cas d'outre-lac, ce qui, pour nous, et s'agissant de Pythre, revenait presque au même. Ceux des Buiges nous avaient appris que le grand Pythre (ainsi que nous commencions à l'appeler) ne décolérait point — à sa manière : le visage fermé, les yeux sombres et fixes, un étrange sourire aux lèvres, se mordillant l'intérieur des joues. On disait qu'il boirait ces eaux ou qu'il en crèverait de rage. Il ne trouvait autour de lui nulle terre à acheter, et certains s'en réjouissaient, le voyant déjà plier bagage, guignant même ce qu'il lui restait de bois et d'ajoncs sur la colline, et l'envoyant au diable ; d'autres songeaient qu'il pouvait acheter des terres plus loin, par-delà les plaines de Plazaneix, après la gare, à la Moratille, à la Voûte, à Condeau, à la Geneytouse ; surtout, nous ignorions encore que, depuis la mort d'Aimée Grandchamp, il n'avait plus rien, qu'il était redevenu un fermier comme les autres, ou peu s'en fallait, et qu'il rendait des comptes à Octavie Bogros, l'autre fille Grandchamp qui avait réussi à faire annuler le testament d'Élise Grandchamp, de sorte qu'il ne resterait plus à Pythre, pour vivre, que des bons du Trésor et sa pension d'invalide. L'argent de l'expropriation revenait donc à Octavie Bogros, avec ce qui restait de la propriété et qui ne pouvait plus guère servir que de maison de campagne ou de pavillon de chasse. Elle était la fille légitime, et il n'était pas mauvais qu'en cette époque troublée, difficile, incertaine, les choses revinssent dans l'ordre, et qu'un Pythre fût remis à sa place par les femmes, la terre, le temps.

Or, qui aurait pu prévoir que dès la fin de la guerre (nous aurions dû nous méfier, nous souvenir de la précédente) il habiterait parmi nous, au cœur de Siom, en bordure de la place, face à l'église, dans la petite maison sans étage ni cave où venait de mourir la mère Besse, avec la grange attenante, le potager et le pré qui d'un côté surplombait la grand-rue, devant chez Berthe-Dieu, de l'autre côté la place, et que bordaient sur les deux derniers l'école et la rue haute où il possédait en outre, derrière chez Rivière, une chaumière basse qui menaçait de s'ébouler dans le pré en pente ? Tout s'était passé très vite, après qu'un vote du conseil municipal eut refusé au fils Besse, qui habitait Treignac, le presbytère désert depuis la mort de l'abbé Trouche, deux ans plus tôt. On finit par savoir que Besse avait traité avec André Pythre avant même que sa mère fût enterrée, qu'il l'avait trouvé tout à fait digne et disposé à croire que la terre comme le reste était une vaste couillonnade, que l'époque était au commerce, à l'électricité, à la vitesse — autres fadaises, sans doute, mais dont il y avait à tirer profit tout comme il avait fait sa pelote, disait-on, lui, le fils Besse, en revendant le ciment qu'il volait au chantier du barrage.

On sut aussi qu'ils avaient signé l'acte de vente à Treignac, chez maître Boissie, et qu'André Pythre possédait chez nous, depuis plus d'un an, soit depuis 1943, une maison dont les volets demeuraient clos et le jardin sans soins tout comme le pré au bord duquel le grand crucifix de bois s'inclinait sur le côté ; de sorte que si on s'était habitué à dire en parlant de la maison : « anciennement chez Besse », pour n'avoir à rien dire d'autre, on continuait d'espérer qu'elle ne serait jamais rouverte — en tout cas pas rouverte par lui, Pythre, ni par les siens.

Le temps semblait nous donner raison, et aussi les orties et le chiendent qui poussaient sous les fenêtres, envahissant les allées et l'étroit parterre en demi-lune qui séparait le seuil des cailloux de la place. Nous savions pourtant qu'il avait vendu ce qui lui restait de bêtes, ses outils et même cet invraisemblable camion-tracteur Renault à quatre roues motrices et à bandages pleins qui avait tracté des pièces d'artillerie lourde pendant la Grande Guerre et qu'il avait racheté à un type d'Ussel et maintenu en état pendant deux décennies : on l'entendait rugir dans les bois de Veix, le soir, ce qui faisait dire aux mères grondeuses qu'elles allaient chercher l'homme de Veix, ce Pythre qui se mettait en colère, la nuit, et qui emportait les enfants de l'autre côté. Et nous nous demandions ce qu'ils pouvaient bien faire, là-bas, sur ce qui était à présent une presqu'île dont on ne pouvait sortir qu'en barque, le pont de Veix étant noyé, ou par le chemin malaisé qui traversait Couignoux et rejoignait la route de Gourdon aux Buiges ; oui, ce qu'ils pouvaient bien faire, tous les cinq, sous les sapins qui donnaient au lac sa couleur sombre, pendant tout un hiver et un printemps, retenus entre le ciel et l'eau par l'orgueil insensé, croyions-nous, d'un seul homme, par sa haine, par la vengeance qu'il entendait savourer mais qui, peut-être, ne l'intéressait déjà plus, comme s'il sentait que, dépouillé des terres qui ne lui avaient pourtant jamais appartenu, il nous devenait peu à peu indifférent qu'il vécût sur sa colline, ou à Siom, ou ailleurs, faute que nous puissions nous pardonner les uns les autres ou l'accueillir vraiment parmi nous.

Mais nul n'aurait pu imaginer de quelle façon il arriverait chez nous, par une nuit d'été, celle de la Saint-Jean précisément, comme s'ils avaient décidé d'être eux aussi de la fête, d'en finir avec les années sombres, de rendre les armes. Nous n'avons pas oublié cette nuit tiède et claire où, vers dix heures, tout Siom était descendu sur la terrasse pour voir le feu que nous avions décidé d'allumer, cette année-là et malgré la guerre, non plus dans le pré de Berthe-Dieu, au fond de la petite vallée qui s'étend entre l'église et, plus haut, la route d'Eymoutiers, près de la fontaine Saint-Martin où beaucoup allèrent encore puiser après qu'on eut installé l'eau courante. Le bûcher s'élevait à gauche de la terrasse, sur ce qu'il restait d'un pré communal en pente. Nous parlions de tout, de ceux qui n'étaient plus là comme des nouveaux venus, du barrage, de l'eau, de l'électricité, de la guerre, et d'une défaite qui ne nous concernait pour ainsi dire pas, même si quelques-uns de nos fils étaient entrés au Maquis. La plus jeune des filles Nuzejoux était descendue au bord du lac, une torche à la main, vêtue de blanc, une couronne de houx sur ses épais cheveux sombres ; elle s'apprêtait à déposer sa torche au pied du bûcher lorsque (oui, à ce moment précis, comme si on nous eût observés ou qu'une main plus puissante s'en fût chargée) une vaste lueur rouge monta de l'autre côté du lac, dans les sapins des Pythre ; et nous aurions pu croire que les Pythre, là-bas, faisaient leur propre feu dans leur cour si bientôt on n'y avait vu aussi clair qu'au crépuscule ou que le soleil se fût levé au sud-est : les sapins s'embrasaient les uns après les autres autour d'un foyer qui devait être la maison et dont on devina que le toit s'effondrait à la colonne d'étincelles et de fumée écarlate qui s'éleva bien au-dessus des autres flammes avec des sifflements, des cris, des couinements qui semblaient venir d'en bas, de la terre. On sonna le tocsin. Les femmes étaient tombées à genoux, Solange Nuzejoux avait jeté sa torche dans l'eau et regardait grandir les flammes, immobile, les bras ballants, comme nous qui reculions peu à peu comme si nous avions craint que l'incendie nous cuisît la figure — laquelle était d'ailleurs plus rougie par l'effroi et la honte que par les flammes, diraient ceux qui comprirent en apercevant, au milieu des eaux, debout à l'arrière de sa barque que faisaient avancer les deux fils, tandis qu'assises à l'avant les femmes ployaient l'échine au-dessus des eaux qui semblaient avoir elles aussi pris feu, André Pythre aux mâchoires serrées, aux yeux fixes et sombres, qui nous souriait avec une telle douceur qu'il nous parut à tous qu'il s'était mis à rire et à chanter sur les eaux, et qu'à cela nous ne pouvions résister.

TROISIÈME PARTIE

Siom

1

« Comme ils devaient bien nous voir, eux, ceux de
Siom, les femmes agenouillées sous les arbres, les enfants perchés sur les murets et les hommes qui
commençaient à descendre vers la berge dans la clarté
de l'incendie ! Et comme ils me regardaient moi, le
petit, le dernier, accroupi dans la barque qui venait
de toucher terre, dans l'ombre de Papa qu'ils avaient
regardée se dresser sur les eaux non pas comme celle
d'un être humain, mais comme une flamme noire,
plus longue et plus droite que les autres, que celles
qui embrasaient les eaux et qui leur feraient dire que
Papa avait mis le feu au lac ! »

Il avait quinze ans et savait, aussi certain qu'il s'appelait Jean et qu'on n'est bien sali que par la boue,
qu'eux, les Pythre, avaient commis une faute, une
sorte de crime. Eux : c'est-à-dire le père que Médée
avait vu allumer le feu sous les sapins et dans le bâtiment, et qui dirait bientôt, même si nous savions
qu'ils n'avaient plus un brin de paille ou de foin à
rentrer, là-bas, que ça avait pris dans la grange à cause du foin qui n'était pas tout à fait sec. Et ils savaient
que nous savions, puisqu'ils étaient les Pythre, ceux
qui venaient de la nuit aussi bien que des flammes,
de la nuit muée en flammes, des flammes qui ne puri-

fiaient rien, qui au contraire avaient un goût d'enfer, de joie insensée, d'éclat de rire dans les ténèbres. Oui, père, femme, enfants, tous des Pythre, des instants de la ténèbre humaine illuminée par l'incendie de Veix, par ce feu qui brûla toute la nuit et le jour suivant, et qui n'était rien à côté de ce qui devait brûler en eux.

Cette fois-là, ils montèrent chez nous entre deux haies d'hommes et de femmes silencieux dont les yeux brillaient dans la nuit rougeoyante, comme s'ils passaient entre deux rangées de couteaux (et on raconta plus tard que les trois fils Rivière avaient vraiment sorti leurs couteaux et qu'ils s'étaient approchés tout près des Pythre), ils montèrent jusqu'à l'ancienne maison des Besse dont le grand Pythre ouvrit la porte avec une grosse clé qu'il contempla, ainsi qu'il l'avait fait vingt-quatre ans plus tôt, devant la maison de Veix, avant de l'introduire dans la serrure sous les yeux des siens et des femmes de Siom qui les avaient accompagnés jusqu'à la demi-lune de gazon qui marquait l'entrée de leur nouveau domaine. La mère s'appuyait au bras de Suzon ; les deux garçons restaient en arrière ; eux aussi regardaient la clé briller dans la main paternelle, et ils purent sentir, une fois la porte ouverte, ce que la maison leur soufflait au visage : quelque chose de rance et de froid, avec on ne savait quel parfum de ce qui avait été une vieille femme, comme si, bien qu'elle fût morte depuis longtemps, la mère Besse continuait d'y veiller, seule dans la petite cuisine où elle avait fini ses jours, sous la lampe nue couverte de chiures de mouches, jouissant de cette lumière plus sûrement que de tous les soleils auxquels elle avait tendu sa figure, et qui l'empêcherait de mourir dans le noir.

Quatre pièces et un grand grenier vide sous un toit d'ardoise à pans coupés, des murs de granit rose, « et pas de cave, murmurait Jean, ni surtout de cellier comme dans l'autre maison, avec ce couvercle de bois posé par terre, sur ce puits sans margelle où il menaçait de nous jeter, Médée et moi, et aussi Suzon, d'une main attrapant le couvercle, de l'autre resserrant ses doigts énormes sur mon cou et m'approchant la tête du trou dans lequel il se mettait à crier comme le diable, je ne comprenais pas, ce n'était pas notre patois ni du français, on aurait dit que sa voix sortait du puits, froide, profonde, toute noire, et je criais moi aussi dans le puits, mais je ne reconnaissais pas ma voix, tandis que Médée et Suzon, debout à la porte du cellier, se tenaient par la main, avec des larmes dans les yeux et que, derrière eux, je voyais Maman, dans la cuisine, assise à la longue table, les mains jointes sur la nappe devant un tas de lentilles... ».

Et il se précipiterait vers elle qui, comme les autres fois, se lèverait avant qu'il l'ait rejointe, qui le prendrait par le bras et le mènerait au lit qu'il partageait avec Médée, dans une chambre de derrière, où il s'endormait en écoutant Suzon chantonner, de l'autre côté de la cloison. Les branches des sapins frôlaient les murs, les volets, les ardoises. Pauline ne l'avait pas regardé, ne lui avait pas dit un mot, n'avait lâché son bras qu'au moment où elle l'avait senti choir sur le lit, dans la semi-obscurité ; puis elle était sortie en refermant sèchement la porte derrière elle. « Car Maman, murmurait-il, a toujours fait semblant de ne pas m'aimer, d'avoir avec moi des gestes brefs, Médée disait que c'était pour ne pas mettre en colère le père, pour qu'il ne nous fâche pas, et je le croyais, je ne m'étonnais pas de la voir l'embrasser, lui, ou caresser longtemps les cheveux de Suzon qui brillaient comme du houx. Quand elle me regardait, elle était triste ou méchante et je me mettais à pleurer en silence. J'aurais voulu lui faire plaisir, ne plus pleurer, lui apporter des châtaignes réchauffées dans mes mains et des champignons, et ne plus hurler dans le puits : Médée me prenait alors la main, la pressait et me disait :

— Arrête-toi, sinon elle va pleurer elle aussi, et il lui mettra la tête dans le puits... »

Et il baissait la tête devant Médée qui était presque un homme, déjà, et qui savait tout. Il l'admirait, à l'école, il ne regardait, n'entendait que lui, surtout de l'autre côté de la travée centrale, dans la rangée des grands. Médée ne se retournait jamais, et Jean contemplait ce cou maigre, cette nuque rase sur laquelle le père passait très souvent la tondeuse, ces oreilles rouges et décollées, si différentes des siennes qui étaient petites et bien faites, ce nez légèrement busqué comme celui du père, ces mains grandes et rouges, elles aussi, ces bras entre lesquels il mourait d'envie de se serrer « parce que j'étais seul, que j'ai toujours été seul et que je voyais que nous n'étions pas pareils, lui et moi, qu'il était beau et intelligent et que j'avais soudain pitié de moi et en même temps envie de rire, que lui seul savait se tenir, surtout quand Papa le battait avec le bout de harnais qu'il accrochait près de la cheminée et que Médée, culotte baissée, les mains appuyées au rebord de la table, recevait les coups sans rien dire, la figure tournée vers nous, Maman qui tenait Suzon tout contre elle, et moi, à l'entrée du couloir, qu'il regardait en souriant et qui avais tant pitié de lui que je souriais en pleurant et que j'étais très fier aussi de lui comme à l'école quand il se levait pour répondre au maître d'une voix très calme, très douce, comme il se relevait quand Papa en avait fini et me demandait si j'avais compris, et que je me levais en bredouillant qu'il fallait le demander à Médée qui savait tout... ».

Et il restait là, debout, à côté de son banc, près du gros Lontrade, les bras ballants, souriant au milieu

des rires qui grondaient, oui, souriant, la bouche entrouverte et humide, tourné vers ce frère, à sa gauche,
dans le fond, qui feignait de ne point le voir ni de
l'entendre, le dos courbé sur son cahier de devoirs
mensuels, tandis que le maître, tout rouge, tapait sur
son bureau avec sa règle et demandait à Jean quelle
espèce de crétin il était donc pour sourire en bavant
et n'être pas fichu de répondre à d'aussi simples questions ; mais alors c'était Médée que le maître regardait, Médée qui avait levé vers lui ses yeux tranquilles, le front barré de ce petit pli horizontal qui donnait
à Jean envie de pleurer. Et il se mettait à pleurer en
silence, sans voir son frère se lever, s'approcher de
lui, le prendre non par le bras, comme le faisait Pauline, mais par la main afin qu'il ne criât pas, lui faire
rechausser ses galoches que, comme tous les élèves,
il avait ôtées sous son banc de peur de faire du bruit
et de recevoir une punition. Médée lui essuyait les
lèvres et les yeux avec le mouchoir qu'il avait toujours
sur lui et qui, d'après nous, ne servait qu'à ça ; ensuite il le guidait dans la travée centrale, vers la porte, et
le maître, dépassé, se contentait de répéter sans plus
chercher à faire cesser les rires :

— Des Pythre, des Pythre, ce sont des Pythre !

« D'ailleurs il finissait par rire avec eux. Mes yeux
étaient presque secs, j'y voyais mieux. Nous étions
sous le préau, près du tas de bûches. Les fenêtres de
la classe des filles étaient ouvertes. J'aurais voulu que
Suzon vienne aussi. Médée disait que ce n'était pas
possible, que j'en avais bien assez fait comme ça, et il
me tenait la tête contre son épaule jusqu'à ce que j'aie
vraiment fini de pleurer et que ma bouche soit sèche :
il sentait la sueur, un peu, et le thuya. Oui, il a toujours senti ça, l'odeur de chez nous, là-bas, sur la colline, avant que ça y sente les vieilles flammes, quand

il se mettait torse nu pour abattre des sapins dans le bois... »

Ces bois, ils auraient pu, depuis la cour de l'école, en montant sur le muret qui protégeait, en contrebas, le poulailler de Liselotte Vialle, la secrétaire de mairie, apercevoir ce qu'il en restait, là-bas, sur la colline de Veix : des troncs calcinés, une terre noire sur laquelle poussaient à nouveau les ronces, les genêts, les fougères, le houx, parmi des pans de murs et des roches éboulées.

Mais ils ne regardaient jamais de ce côté-là. En vérité ils ne regardaient nulle part ni personne, et surtout pas en arrière, lorsqu'ils étaient à l'école, par-delà le muret qui séparait la cour de récréation de leur terrain envahi d'orties, de carottes sauvages, de ronces. Le maître envoyait le grand Roche sonner la cloche près de l'auvent couvert d'ardoise, à l'entrée de l'école. Suzon les rejoignait et ils demeuraient là, qu'il fît beau, qu'il fît triste, dans un coin du préau, à l'écart, Suzon assise sur le billot, Médée debout derrière elle, les bras croisés, et Jean tapant avec un buchou sur le pilier extrême du préau. On eût dit que, plus que le maître ou les quolibets, ils redoutaient l'apparition du père qu'on voyait parfois surgir puis se diriger vers les cabinets qu'il avait érigés derrière un côté du préau, et sur le toit desquels, pendant qu'il s'accroupissait, les bougres jetaient des cailloux dans l'espoir, disaient-ils, de le faire caguer de travers. Ils ne rirent pas longtemps ; et ils riaient jaune : ils avaient peur de cet homme que leurs parents et les parents de leurs parents semblaient redouter et dont ils ne parlaient pas mieux que des romanichels qui parfois s'arrêtaient devant l'église. Peut-être aussi avaient-ils peur des trois Pythre qui les regardaient faire, debout sous le préau, le visage blême et clos — peur non pas de chacun pris séparément mais du singulier trio qu'ils formaient, et sans qu'ils sussent, les autres, si ces trois-là n'allaient pas leur bondir dessus d'un seul élan pour leur ouvrir la gorge à coups de dents.

Ils étaient donc des « fils de Pythre », selon l'insulte en vigueur dans tout le canton, n'avaient aucun ami, ne s'aventuraient pas dans les rues, se résignaient à n'être que les enfants du grand Pythre, de cet homme que nous prîmes l'habitude de voir vivre parmi nous, jour après jour, dans ses habits du dimanche, descendre tirer de l'eau à la pompe qu'on venait d'installer devant chez Chabrat et qui, le reste du temps, ne faisait rien, semblait attendre on ne savait quoi, assis dans sa cuisine de l'aube au crépuscule, alors que sa propre épouse trimait toute la sainte journée, comme les nôtres et comme elles faisaient depuis des siècles, et alors que beaucoup d'hommes étaient aux champs, ou au maquis, ou prisonniers en Allemagne ; assis sous la fenêtre et lui tournant le dos, le regard fixe, indifférent, cette guerre ne le concernant pas plus que la précédente, seul avec lui-même, haussant les épaules dès qu'on lui parlait du passé, du présent ou du futur, sans méchanceté d'ailleurs, mais sachant qu'il n'était ni ne serait des nôtres et qu'il n'avait pas plus à attendre de nous que nous de lui ; haussant donc les épaules, par exemple, le jour où les Allemands emmenèrent l'instituteur et deux gars des Égliseaux, de l'autre côté de la montagne, pour les fusiller à l'entrée de Siom, derrière le hangar de Heurtebise, le forgeron, dans la petite carrière où les frères Rivière venaient prendre leur sable. « Quand les Boches sont venus prendre le maître, murmurait Jean, Médée m'a dit de le suivre. Je l'ai suivi. Nous nous sommes cachés dans les fougères trempées. La nuit tombait très vite et Médée me serrait la main de plus en plus fort. On pouvait les voir tous les trois debout, droits, les bras liés derrière le dos et les Boches devant eux avec leurs fusils dressés, leurs capotes et leurs casques qui brillaient sous la petite pluie qui s'était mise à tomber, et le maire et les adjoints qu'ils avaient amenés là pour l'exemple, et les femmes au loin, à l'entrée du petit bois, qu'on entendait prier à voix basse comme le vent dans les branches. Je regardais les yeux du maître, les autres, je ne les connaissais pas, je m'en foutais pas mal ; on aurait dit qu'il me voyait, lui, qu'il me disait quelque chose, ses lèvres tremblaient, je ne comprenais pas, sa blouse était déchirée, ouverte sur sa chemise elle aussi déchirée, ses yeux étaient grands ouverts, et ils se sont agrandis encore dès que les fusils ont pété et que, comme les deux autres gars, il s'est mis à tituber, à vouloir s'accrocher à quelque chose avec la bouche avant de tomber sur le côté, la chemise toute rouge, ses yeux immenses tournés vers moi, étonné, le maître, étonné comme s'il comprenait enfin que j'étais là avec Médée et qu'il allait se fâcher, encore une fois, puisqu'on n'aurait pas dû être là, ni regarder tout ça. Alors Médée m'a plaqué la figure dans la mousse et je me suis mis à la manger, cette mousse humide, la terre aussi, pour ne pas crier pendant que l'officier, il avait l'air mauvais, celui-là, plus mauvaise bête encore que le maître, tirait trois coups de pistolet dans les trois têtes, oui, pour m'empêcher de crier, de pousser ce cri que le maître et les deux autres avaient retenu et que j'ai fait sortir, moi, quand les Boches ont quitté le bois, oui, et que j'ai crié dans la terre, jusqu'au fond de la terre... »

Puis il leva les yeux au ciel, la bouche sale, avec, sur les lèvres, cet air humble et craintif des chiens qu'on regarde fienter, car il avait fait sous lui, avec la même détresse, le même effroi, le même consentement à l'irrémédiable. La fusillade avait fait s'envoler tous les oiseaux du soir dans un grand jaillissement de cris, de piaillements et de gouttelettes qui le firent rire, non pas comme les soldats, quelques instants plus tôt, très fort, en allumant des cigarettes, mais encore plus fort, sans qu'aucun son franchît ses lèvres. Il regardait Médée qui lui caressait la nuque et lui demandait (et son visage à ce moment n'exprimait ni tristesse ni joie, mais le simple souci du corps fraternel qui continuait de se vider) :

— Tu es content ? Il ne sera plus là pour nous traiter de pitres.

Et le cadet souriait en léchant sur ses lèvres la mousse et la terre, et reniflant sa propre puanteur.

Les femmes de Siom viendraient bientôt chercher les trois corps qu'elles veilleraient toute la nuit dans la grange de Berthe-Dieu, près de l'église à côté des vaches qu'on entendait souffler et secouer leurs chaînes, et qui nous rappelaient que Jésus est né dans une étable. Elles n'avaient pas peur, en avaient vu bien d'autres, au deuil dès longtemps habituées, ayant perdu père, mari ou fils à l'autre guerre, la grande, la vraie, pas celle-ci où des soldats fusillaient des civils et où les civils se cachaient dans les bois pour attaquer comme des bêtes ; nées endeuillées, pourrait-on dire, filles ou femmes ou mères d'anonymes héros, ayant porté le noir presque toute leur vie, sauf pendant leurs années d'illusions, ou pour se marier. Elles savaient l'immobilité, les pleurs silencieux, les justes prières, le regard droit sous la pluie qui tombait sur les croix, le lendemain à l'aube, au cimetière.

2

Le grand Pythre ne bougeait plus de chez lui, sauf pour aller s'enfermer, le matin, dans les cabinets de bois, au fond de son pré, et en fin d'après-midi descendre chez la Berthe, comme autrefois, pour boire sa gentiane mêlée de sirop de cassis. Il murmurait — c'était du moins ce qu'on croyait entendre — qu'il attendait la fin de la guerre, que ça ne le concernait pas, qu'il avait donné, qu'il avait des projets. Nous ne nous en sommes pas souciés : à Siom, nous étions hors du temps, avec une partie de nos terres inondées, et, au lieu de l'eau vive de la Vézère, cette étendue d'eau plus morte que la terre vaine et où se reflétaient notre ciel et, de l'autre côté, les étendues calcinées de Veix. La route de Limoges passait au-dessus des prés Saint-Martin, par-delà les hêtres et les genêts, et celle de Tulle plus loin encore, derrière les collines de l'Eburderie et des Freux, et les Allemands ne se seraient jamais souciés de nous si, dans la dernière année de la guerre, des francs-tireurs en repli ne les avaient attirés là, faisant se lever et tomber dans l'air du soir des pauvres gars qui ne comprenaient pas. Nous n'avions pas pour autant le sentiment d'être bien de ce siècle : cela fit quelques noms de plus sur la dernière plaque du monument aux morts, et des haines qui ne cessèrent pas. Les années, les souvenirs innombrables, l'eau qui s'étendait à nos pieds, tout cela nous inclinait au sommeil et nous restions pour beaucoup, comme Pythre, dans nos cantous, sous les acacias, ou au bistrot, désœuvrés et amers, avec la sourde satisfaction de laisser dormir près de nous l'argent de l'expropriation et l'électricité pour éclairer notre ennui, sous le regard de brus et de gendres patients ou incrédules — qui attendaient qu'il arrive quelque chose, que l'argent fonde ou se multiplie tout seul, ou, ce qui revenait au même, que nous mourions, comme si c'était trop beau pour être vrai, comme si on pouvait recevoir du ciel ou de l'Administration pareille manne et se reposer sans qu'il arrive malheur.

C'était dans l'ordre des choses, nous le savions, même si, pour quelques-uns, tel André Pythre, ils avaient été floués et se révoltaient, alors qu'ils auraient dû se dire que toute vie n'est qu'une longue résignation, que nous aurions fait ici-bas plus de mal que de bien et que les innocents eux-mêmes n'étaient pas certains d'être sauvés. Oui, il y avait belle lurette que nous nous savions mauvais, que nous nous demandions si nous n'étions pas nés coupables, condamnés d'avance en un monde qui finissait avec nous, incapables de chercher quelle faute nous avions commise, même si nous commencions d'y songer et, par conséquent, immobiles le plus souvent, comme André Pythre dans sa cuisine qui n'avait pas même de cheminée, le dos contre le petit poêle à bois, les coudes sur la table, tandis que Pauline vaquait non loin, sans bruit, sans un regard pour cet époux devant qui elle n'eût pour rien au monde ouvert la bouche — n'ayant probablement plus rien à dire ni à entendre, et personne (vieille mère ou sœur ou cousine) qui pût la consoler dans la pénombre d'une chambre reculée aux volets entrouverts sur des collines qui ne lui rappelassent plus les eaux mortes, les arbres noirs, le ciel dur, les femmes qui se taisaient dès qu'elle franchissait la demi-lune de gazon, là-haut, sur la place, anciennement chez Besse.

Non, personne, pas même les enfants, Médée et Suzon, ni ce Jean qu'elle ne parvenait pas à aimer, on le voyait bien, quoique ce fût lui le plus doux, le plus fragile, celui qui avait le plus besoin d'être aimé ; pas plus qu'elle ne s'était résolue à aimer cet autre garçon, ce Michel que le grand Pythre avait ramené de l'Assistance publique pour le seconder (à supposer que quiconque en fût capable, après les Bavarois), alors que Médée allait sur ses quatorze ans et l'orphelin sur ses douze ans. Elle l'avait accepté sans amour ni pitié, et sa présence à Veix fut si discrète que ce n'est qu'au bout de cinq ans, soit au moment où il fut chassé, que nous nous sommes non pas souciés de ce qu'il était (nous n'avons jamais su son nom, si bien que pour nous il fut un autre Pythre) mais de ce qu'il adviendrait de lui, ce grand gars taciturne, au visage étroit, aux yeux sombres, à la chevelure en bataille, que Pythre avait dû rosser d'importance lorsqu'il avait découvert qu'il serrait Suzon de près. L'orphelin était à terre, la lèvre en sang. Il tendait la main sur sa droite, vers une pierre que Pythre éloigna d'un coup de pied, menaçant, s'il ne se calmait point, de lui éloigner de la même façon la tête du corps, lui proposant de l'écouter enfin ; mais l'autre disait en sifflant qu'il savait la vérité, qu'il dirait tout, un jour, très bientôt, que son heure viendrait, qu'il n'était pas seul ; et il balbutiait, le mufle sanglant, les yeux perdus, faisait en se relevant de grands gestes maladroits et regardait tantôt le père, tantôt Jean à qui il finit par dire :

— Toi aussi, mon Jean, tu comprendras...

Paroles qui lui valurent une nouvelle calotte, plus violente que la précédente, qui le fit tituber mais ne l'empêcha pas de pousser une sorte de mugissement qu'on entendit jusqu'à Siom et de montrer, en s'éloignant, le poing au grand Pythre, tandis que Pauline retenait contre elle Suzon et Médée, et que Jean sanglotait en silence, debout à l'entrée du fournil, et regardait s'éloigner ce Michel qui l'aimait presque autant que Médée et lui montrait comment attraper les orties sans se brûler, faire cuire des pommes de terre sous la cendre, tailler un lance-pierre dans une fourche de coudrier, attacher les vaches sans risquer de se faire éborgner, poser des collets, pisser plus loin que les autres — et qui s'en allait pour toujours, la bouche ensanglantée, avec un regard d'aveugle, battant l'air de ses grands bras, un peu ridicule, pitoyable.

— Qu'est-ce qu'il a voulu dire ?

Médée répondit qu'il n'en savait rien, que ça n'avait pas d'importance, qu'il était comme pinté, dans une mauvaise ivresse, et qu'il était sûrement mieux là où il était maintenant.

— Et où il est ?

Alors Suzon soupira qu'on ne pourrait jamais dormir, que non contents de roter et de péter, de puer comme des sangliers, il fallait qu'ils parlassent jusqu'au milieu de la nuit, au risque de réveiller le père et d'aller crier dans le puits. Mais il n'y avait plus de puits. Ils couchaient à présent tous trois dans la même pièce, pas même une chambre : un ancien débarras où le père les avait installés depuis qu'il avait décidé de se servir de ce qui avait été le salon de la mère Besse et qu'il gardait cependant vide, sans raison apparente, refusant qu'on y plaçât le bois ou les seaux d'eau ; de sorte qu'il fallait aller chercher le bois dehors, dans la grange, derrière la maison, et se laver dans la cuisine, sous les yeux de tous, et particulièrement ceux du père qui suivait la toilette avec autant d'intérêt que s'il s'était agi de lui-même, lui qui non seulement ne quittait pas de la semaine son costume du dimanche, mais se parfumait, s'habillait avec recherche, interdisait qu'on prononçât chez lui un seul mot de patois.

Il avait donc une idée derrière la tête ; nous ne la connaîtrions que bien plus tard, lorsque la guerre serait finie et qu'il aurait passé plus d'un an à attendre, assis dans sa cuisine comme un rentier. Alors il disparut, du jour au lendemain, comme ça, sans rien dire, sans que les siens eussent l'air d'y trouver à redire, même au bout d'un mois. « Il disait qu'il était vieux, murmurait Jean, il n'avait pas soixante ans, mais il faisait vieux, il avait toujours fait vieux. Maman n'a pas pleuré : elle a fait comme s'il était allé aux Buiges ou à Treignac, pour la foire, alors qu'elle devait se dire qu'il était allé au bordel, à Limoges ou à Clermont, et qu'il pouvait bien y rester, au moins elle pourrait dormir en paix. Et nous étions, c'était Médée qui le disait, comme les enfants des morts, ceux de l'autre guerre. Nous avons continué à faire comme s'il était là, comme ce matin, après l'incendie de la colline, où il nous avait tous fait venir dans le pré, derrière la grange, à côté de l'école. Il nous a montré une cabane en bois, une espèce de guérite, avec un toit incliné, et posée sur des briques. Près de la porte il y avait un tas de sable très fin. Il en a pris une poignée et il est monté dans la cabane ; nous avons entendu les bruits de son ventre et quelque chose qui tombait dans le creux, sous la cabane. Il n'avait pas fermé la porte et on pouvait le voir, accroupi, le visage tout rouge, les brages autour des chevilles, versant lentement le sable entre ses cuisses. Puis il est sorti et il a dit, en regardant derrière nous, mais là où il était placé il ne pouvait voir que le ciel, donc c'était le ciel qu'il regardait, le ciel bleu et vide, ce jour-là, c'était en automne, et c'était bizarre comme ça, il n'y avait pas un oiseau, et pas un seul bruit à Siom, du moins pendant quelques instants, juste au moment où il parlait, où il nous disait qu'il ne voulait pas voir ses enfants fienter n'importe où, mais dans cette cabane, et régulièrement, le matin étant le mieux. »

— Ça aussi, a-t-il dit encore, ça nous sépare des bêtes.

Ils y allèrent chaque matin, qu'ils en eussent ou non besoin, comme s'il allait surgir là, devant la cabane et leur faire couler du sable sur la tête, les trois enfants s'y succédant en silence, ce qui d'abord nous avait fait rire, puis un peu pitié. Ils n'allaient plus à l'école, et n'étaient, disait-on, bons à rien ; si bien qu'il pouvait leur sembler que ce serait de nouveau comme sur la colline, à Veix, quand le père était aux champs avec les types des Buiges qu'il embauchait pour les récoltes, après avoir chassé Michel, et que la maison cessait de s'enfoncer dans l'ombre des sapins pour glisser dans le jour, portes et fenêtres grandes ouvertes. Alors ils sortaient, s'avançaient au soleil, non pas sur la crête, près du tombeau, mais de l'autre côté, dans la petite crique, à quelques pas du pont, à l'abri des regards, et quand elle fut inondée, dans un pré minuscule, non loin de là, entouré de haies, se souriant, osant des gestes que le père eût réprouvés, des frôlements, des serrements de mains, des baisers, des chansons fredonnées d'une voix claire, des rires. « Maman semblait alors se souvenir de moi. Elle ne s'éloignait plus, elle me permettait de rester tout près d'elle, mais pas de lui baiser la joue ni de lui prendre la main. Elle disait que j'étais un grand garçon, avec elle j'ai toujours été un grand garçon, alors que Papa me traitait de pauvre couillon. Elle sentait le savon et toute la pièce, la crique, le pré, sentaient le soleil et le savon et non plus cette odeur de vache, de terre, de feu mouillé que Papa amenait avec lui... » Une odeur de silence et de nuit dont il ne se déferait jamais, malgré les parfums onéreux qu'il se passait sur le corps, et qui leur donnait à tous trois, dès qu'il était là, l'impression d'être enfermés dehors.

Nous ne nous sommes pas demandé où il était passé. Peut-être ne voulions-nous pas le savoir et faisions-nous de cette ignorance volontaire une sorte de vœu ou d'anathème, quasi certains que si nous ne parlions plus de lui, ne pensions plus à lui, il ne reviendrait pas. Nos enfants entrèrent dans notre superstition ; ils cessèrent de demander aux trois Pythre où était leur père ; à quoi, les pauvres bougres, ils n'avaient rien à répondre : Médée serrait les poings, Suzon paraissait ne pas entendre et relevait le menton, et Jean, lui, souriait comme un innocent. Mais n'avions-nous pas songé qu'eux aussi pouvaient avoir fait le même vœu ? Nous avons alors cessé de les plaindre à les voir marcher sur la route de Treignac ou dans nos rues, les deux garçons un peu en arrière de Suzon qui commença, dès ce temps-là, à se croire et à se pavaner, les uns et les autres point désagréables à regarder, ni hostiles, mais lointains, très loin de nous. À telle enseigne que c'est la mère que nous nous sommes mis à plaindre : il fallait quelque chose à notre haine et celle-ci était prompte chez nous à se muer en compassion, du moins en ce que nous pensions être de la compassion et qui n'était sans doute que de la curiosité déguisée en pitié, oui, cette silencieuse Pauline que jamais nous n'avions cherché à connaître et qui nous paraissait aussi douce et belle, maintenant que Pythre n'était plus là, qu'elle l'avait été sous son chapeau à cerises, le jour où l'on inaugurait la route. Mieux : nous la plaignions et l'admirions, avec une sorte d'effroi, de s'être donnée corps et âme au Pythre bancal et sombre. Nous songions souvent à elle qui avait dû subir les assauts du disparu, comme nous l'avons appelé pendant quelque temps, avec son sourire de fille sage, résignée, consciente de son devoir et blessée, « tandis que lui, le père, lui soulevait la jupe ou la chemise dans la cuisine, à peine nous avions tourné le dos, il ne pouvait attendre d'être dans la chambre, il disait qu'il avait eu trop faim, qu'il aurait toujours faim, cette faim lui brûlait le ventre et il la poussait dans la chambre sans refermer la porte, il n'avait pas le temps, il ne l'écoutait pas qui ne voulait pas, qui le suppliait d'attendre, qu'elle avait mal à la tête, mais non, il n'y avait pas de si ni de mais, c'était comme s'il la battait, oui, aussi fort qu'il nous battait ou qu'il avait rossé Michel, et nous entendions Maman gémir comme Suzon quand elle avait mal au ventre, et lui, il soufflait comme un veau dans le bruit des branches sur les murs et sur le toit et le vent qui hurlait dans la cheminée comme si son souffle à lui avait réveillé tous les autres, surtout celui du puits où j'avais peur qu'il emmène Maman si elle continuait à se plaindre, mais elle ne disait plus rien, et lui non plus, il y avait un moment comme ça où on aurait dit que tout s'arrêtait, puis tout se relâchait d'un seul coup, lui et elle criaient ensemble, longtemps, et les arbres, la cheminée, le puits, Maman et nous aussi, et c'était la nuit tout entière, la grande nuit des malheureux qui se mettait à pleurer. Alors je me levais et j'allais rejoindre Médée et Suzon, et dans le lit de Médée nous pleurions ensemble jusqu'à ce que ça soit fini et qu'on entende Maman courir, les pieds nus, sur les dalles de la salle où elle se lavait à grande eau, en reniflant, comme si elle avait mal et que toutes les branches de la forêt l'avaient battue... »

Mais à Siom, dans la nouvelle maison, il n'y avait

plus la forêt, et lui, André Pythre, ne pouvait plus commander aux arbres ni aux bruits de la nuit ; et il y avait Médée qui avait passé vingt ans et Pauline qui ne criait plus comme une petite fille : c'était plus violent, haletant, sauvage et âpre, un animal qu'on force, une noyade. Et il y eut cette nuit où Médée se leva, où il entra dans le couloir glacé, poussa la porte de la cuisine, s'avança jusqu'à la porte de la chambre qui était restée entrouverte pour laisser passer la chaleur du poêle, et demeura sur le seuil, les yeux grands ouverts, la bouche serrée, comme il le resterait, plus tard, incapable de parler, de dire ce qu'il avait vu, cette nuit-là, dans la chambre dont il revint en titubant, poussé par le père à moitié vêtu qui lui arracha sa chemise de nuit, au milieu de la pièce vide, sous l'ampoule nue, et le frappa longuement « avec le morceau de harnais qu'il n'avait pas oublié d'emporter, il en bavait comme moi à l'école, et il ne nous voyait pas, Suzon et moi, qui regardions par la porte entrebâillée de notre réduit, avec Maman que nous n'avions pas entendue venir et qui était soudain là contre nous et qui nous serrait fort contre elle, c'était la première fois qu'elle me serrait, si bien que j'étais presque content qu'il batte Médée et que je souriais en pleurant, et plus je pleurais plus j'avais envie de sourire... »

Médée resta toute la nuit dans la pièce vide. Le père en s'en allant avait dévissé l'ampoule, et l'avait saisie à pleins doigts, sans paraître se brûler, et l'avait mise dans sa poche. Il faisait froid. Médée reniflait.

— Tu pleures, Médée ? demanda Suzon à travers la porte que le père, comme celle du couloir, avait fermée à clé.

Il ne répondit pas. Il ne pleurait pas. Il ne pleurerait plus. Suzon lui glissa leur drap sous la porte. Il s'en enveloppa et demeura ainsi toute la nuit, recroquevillé contre la porte de la chambre contre laquelle Jean s'était lui-même couché, se réchauffant peut-être l'un l'autre à travers le bois, oui, il y a tout lieu de le croire, car il y avait vraiment quelque chose de spécial entre ces deux-là, quelque chose que même la sœur ne pouvait comprendre, à supposer qu'à cette époque elle s'intéressât encore à autre chose qu'elle-même. Ils apprirent à ravaler leurs larmes et leurs cris, à regarder le père avec des yeux secs, à soutenir ses regards sans paraître insolents, à se plonger dans ce feu sombre et humide qui les renvoyait soudain à eux-mêmes comme un coup de pied, de sorte que, si le père cessa de les frapper, son regard leur resta plus redoutable que de vrais coups. Mais ce n'était plus qu'une menace, ils le comprirent ; et Médée leur apprendrait à mentir, au moins par omission, et que bien des choses sont possibles dès lors qu'on n'est pas aimé.

— Maman avait le même visage que le maître quand il est tombé dans la carrière, dirait Médée, bien des années plus tard, d'un ton presque léger, parce qu'il fallait bien leur dire quelque chose et que ce n'était pas là un secret qui pût lui appartenir en propre : il fallait au contraire qu'ils le partageassent, l'ébruitassent, le fissent briller au soleil comme une corne de taureau dans le soleil levant.

3

Mais ils ne sauraient rien : on ne peut rien savoir de ces choses-là, de ce qui unit un homme et une femme et les pousse à se détruire ensemble, l'un l'autre ou l'un après l'autre ; c'était une sorte de loi avec quoi il fallait se débrouiller, les hommes ne se lassant pas de fouiller entre les jambes des femmes ni celles-ci de vouloir épuiser la semence des hommes, hurlant, gémissant, râlant ensemble et faisant semblant de s'aimer, de se vouloir, de s'abîmer l'un dans l'autre alors qu'il n'y avait plus qu'à se sauver, au plus vite, la chose accomplie, la loi respectée. Et ça, Médée le devinait, s'il ne pouvait le dire, étant de ceux qui ouvrent doucement les portes et qui voient, à qui il est donné de voir, qui savent que ce qu'ils voient est une affaire à la fois privée et banale, la vieille litanie, la très ancienne requête, l'éternelle supplique d'un sexe envers l'autre et leur haine réciproque ; et il savait enfin qu'on peut vivre sans le savoir. Or on savait qu'il savait, et, en l'absence du père, il devenait celui qui se taisait. C'était lui qui, à présent, faisait le signe de croix avec la pointe de son couteau sur la tourte de pain bis qu'il coupait ensuite en la prenant contre son cœur, en tranches extraordinairement fines. C'était lui qui, dès l'aube, allait débarricader la porte du couloir et allumait le feu, allait le premier aux cabinets et, une fois par semaine, un peu avant la nuit, avec la pelle et la brouette s'attaquait à la pyramide d'excréments et de sable, semblable à une monstrueuse pièce montée qu'il transportait dans un coin en friche du potager pour l'y enfouir en la couchant soigneusement sur le côté comme un cadavre d'animal. À quoi Suzon et Jean assistaient de loin, silencieux et graves — le cadet, surtout, pour qui les fientaisons matinales étaient devenues l'affaire importante de la journée, sans quoi il devenait sombre, triste, quasi désespéré, demeurant si longtemps dans la cabane qu'il fallait que Médée l'en fît sortir ; ce qu'il était le seul à pouvoir obtenir en lui faisant passer par-dessous la porte un petit morceau de savon qu'il avait taillé en forme d'amande et que l'autre mouillait avec sa salive avant de le glisser dans ses entrailles, ravalant alors ses larmes et attendant la délivrance, tandis que le grand frère patientait au-dehors, comme la sœur, un peu plus loin, comme Pauline, au coin de la maison.

Cet ordre-là, pouvait-elle se dire, Pauline, valait bien le précédent, et après tout il fallait bien un ordre. Peut-être se disait-elle, elle aussi, qu'il ne reviendrait pas ou qu'il n'était pas près de le faire, se fiant aux bruits qu'elle entendait à l'épicerie, au lavoir, à la foire de La Celle où Médée l'emmenait, une fois par mois, par l'autorail qu'ils allaient prendre à la gare pour descendre sept kilomètres plus loin : prison pour incendie, dénonciation de résistants, mauvais traitements infligés à sa femme et à ses enfants, subornation de fille mineure, on ne saurait jamais ; mais ça ne nous empêchait pas de parler et de juger, nous qui aimions si peu être jugés et qui nous retirions peu à peu de la lumière des justes ; ou encore (et c'était là, dès le second mois de son absence, une rumeur grandissante) emprisonné pour le meurtre de ce Michel qu'il avait chassé si méchamment et qu'on avait retrouvé, quelque temps plus tard, noyé dans l'étang de la Voûte. Alors on se rappela ce qu'il pouvait être, ou plutôt ce qu'il ne pouvait qu'être, ce prétendu orphelin : un fils de Pythre, lui aussi, comme les trois autres et, qui sait, d'autres encore. Car si sa jambe était folle, l'autre, la troisième (et nous trouvions spirituel de rire), ne l'était pas du tout, elle œuvrait fort bien, on pouvait lui faire confiance.

Aux gendarmes des Buiges Pythre avait déclaré, croyait-on savoir, ce qu'il avait toujours dit : que Michel Mazaud venait d'un orphelinat de Guéret, qu'il lui avait donné un toit, puis avait dû se défaire de lui parce qu'il importunait sa fille. Mais on n'avait trace de l'orphelin, à Guéret ni ailleurs ; et puis le Michel avait parlé, dans les bistrots, dans les salles des fermes où il s'était embauché ; il avait le vin mauvais : il avait répété qu'il en savait sur les Pythre plus que nous n'en saurions jamais ; mais il semblait craindre d'en dire davantage, le vin lui clouait la langue au palais, il avait peur d'André Pythre. Or, que pouvait-il savoir sinon ce qui se murmurait chez nous depuis des années : qu'il était le fils du grand Pythre et de Blanche Queyroix, du temps que celle-ci se promenait, l'écharpe au vent, le bibi sur la tête, le dos nu, au volant de son automobile que nous avions si souvent vue arrêtée dans le chemin de Veix ? Nous disions que sa mère, n'ayant pu le muer en ange, l'avait fait élever dans une ferme, non loin de Guéret, qu'il en avait, déjà, été chassé, dès l'âge de dix ans, parce que trop violent et propre à rien, malgré les sommes toujours plus importantes qu'elle proposait aux fermiers, et que dès lors il n'y avait eu de place d'où il n'ait été renvoyé, jusqu'à ce que son père le recueille, rendons-lui cette justice, et tente d'apaiser ce grand gars à la folle tignasse et aux yeux durs qui bégayait dès qu'on lui adressait la parole et avait envie de se battre quand il avait bu. Il traînassa quelques semaines encore dans le canton, sans trop s'éloigner de Siom et de celle qu'il pensait être sa mère mais à qui il n'avait jamais adressé la parole et qu'il n'avait sans doute jamais regardée en face. Il vint boire chez Berthe-Dieu jusqu'à ce que Blanche Queyroix ait vendu sa maison et ses terres, et qu'elle se soit retirée, elle qui n'avait jamais fait les choses comme tout le monde, en ville, à Bordeaux, ayant trouvé là-bas, à son âge, on avait peine à le croire, chaussure à son pied. Nous nous sommes alors dit que Michel l'y avait accompagnée (d'aucuns, les pires langues, ceux qui eussent autrefois tout donné pour s'enfouir entre les cuisses de mademoiselle Queyroix, murmuraient que c'était lui l'époux, et que faute de grives on mange des merles), que l'un et l'autre avaient trouvé bon de s'arrêter là, l'une parce qu'elle avait fait payer assez cher à l'orphelin ses moments de délire et l'autre parce qu'il avait fait valoir son droit à un peu d'amour.

Nous ne l'avons pas regrettée ; elle était trop fadarde, tel son pauvre père, elle conduisait comme un homme, s'habillait avec des jupes courtes et dansait seule, sur de la musique de nègre, chez elle, sur la pelouse, comme si elle était prise du haut mal, et triste le reste du temps. Quant à Michel, nous étions loin de penser qu'on le retrouverait dans le même temps, noyé dans l'étang de la Voûte, tout gonflé, presque méconnaissable, puant comme le diable : personne ne pouvait le plaindre. Et puis il avait, lui aussi, effrayé trop de gens ; nous comprenions qu'André Pythre l'eût corrigé puis chassé ; et on ne pouvait pas ne pas songer à ce qu'aurait pu être la vengeance de l'orphelin, quand il avait fallu en venir aux mains, quelques années plus tard, encore qu'on n'ait jamais su ce qui avait provoqué leur rencontre, là-bas, à l'étang de la Voûte, un soir d'automne, oui, comment ne pas imaginer ce qu'avait dû être le combat de Michel et d'André Pythre, du père et de celui qui ne pouvait être que son fils (sinon y aurait-il eu combat ?), même s'il n'avait pas de vrai nom de famille, ni Pythre, ni Queyroix, ni, comme il le prétendait, Terrade, mais peut-être et à peine Mazaud, du nom de la ferme où sa mère, dit-on, fit ses couches, non loin de Guéret ; un combat d'aveugles dans lequel chaque coup faisait plus mal à celui qui le donnait qu'à celui qui le recevait, lui déchirait le cœur, le ramenait, ahanant ou gémissant, au bord de lui-même comme d'un précipice et désirant ce précipice pour en finir, l'un et l'autre souhaitant peut-être, dans la nuit qui tombait, un coup qui fût le dernier, sans idée de victoire, puisque c'était là un combat sans gloire, au bord d'une eau croupie, dans les ajoncs et le brouillard, mais sachant tous deux qu'il faudrait que l'un ou l'autre cédât, s'inclinât, fît semblant de perdre, on était des hommes, n'est-ce pas ? Et ce ne pouvait être le père, bien sûr, le poids des choses et des ans l'exigeait, et aussi les femmes, la race, le sang, la mémoire : pour tout ça Michel devait mourir, tout de même qu'en l'ancien temps les cavaliers Tafales éperonnaient les femmes sur la lande et acceptaient ensuite, comment le dire autrement ? de mourir sous les fourches et les pieux, la tête renversée vers le ciel ou cherchant dans la nuit qui venait l'étoile du berger, et souriaient en se couchant dans les ajoncs, tandis que la brume s'épaississait et que les grenouilles se mettaient à chanter, se vidant de leur sang et s'en réjouissant, ils étaient fatigués, il y avait si longtemps qu'ils désiraient dormir, délivrés avec le sang de ce qui bouillonnait en eux et les poussait à tuer, piller, brûler, forcer les femmes et chevaucher sans fin. Il n'y avait donc qu'à se laisser aller, la gloire était sauve, la race aussi, mêlée faute de mieux à d'autres sangs ; il n'y avait qu'à songer à la douceur du dernier ventre et laisser baller la tête, et pour finir s'arrêter sur l'étoile du berger, comme nous nous disions que Michel avait dû le faire, ayant laissé l'autre prendre l'avantage comme s'il eût voulu être puni, qu'il eût son compte, qu'il se rendît à l'obscure évidence, à l'absence de certitude, se soumettant au seul père qu'il se soit trouvé — et celui-là en valait bien un autre, mieux qu'un autre, après tout, puisqu'il lui ressemblait un peu et qu'il ne respectait que la force, lui, Michel, et qu'il n'avait rien appris d'autre.

On peut imaginer qu'ils ne s'étaient rien dit, pas le moindre mot, que Michel avait chancelé sur la mousse, était tombé, avait heurté de la tête le tronc d'un bouleau et, sur ce tronc, un nœud particulièrement saillant sur lequel les gendarmes trouvèrent du sang et des cheveux. L'autre n'avait alors eu qu'à le prendre dans ses bras et accompagner la chute de celui qui, nous n'en doutions plus, était son fils, ce grand garçon à la joue ensanglantée qui n'aurait été ici-bas et pour si peu de temps qu'un fils impossible et qui aurait bouclé la boucle grâce au seul André Pythre, ce qui, murmurions-nous, n'était pas donné à tout le monde. Il était sans doute mort avant de toucher le sol, étonné, en paix, nous voulions le croire, et l'autre avait sans doute regardé ces yeux chercher les siens au moment où ils s'absentaient, et s'y arrêter enfin comme à l'étoile du berger ; il avait peut-être ouvert la bouche sans que rien en sortît et regardé ces yeux sombres s'assombrir encore et se noyer dans les siens, se figer, s'abandonner, cesser de luire. Alors il s'approcha du bord, entra lentement dans l'étang et fit glisser le corps sur le dos vers le milieu des eaux.

On disait ça du grand Pythre. On disait aussi

211

qu'avec lui tout était possible, même qu'il soit mort. Mais nous ne nous contentions plus de vaines conjectures : nous voulions la vérité vraie. Certains avaient beau répéter qu'ils avaient aperçu André Pythre du côté de Faux-la-Montagne, d'autres vers Chamberet ou Égletons, nul n'y croyait vraiment. Il fallait qu'il fût mort : non pas en prison ou en fuite, mais mort et enterré ; et l'on parla de nouveau de lui comme du diable, menaçant les enfants de ce croque-mitaine qui passait dans les rues de Siom, la nuit, avec sa cohorte de Bavarois féroces qui portaient sur les épaules un grand cercueil dans lequel puait une sorcière. Si bien que lorsqu'il fut de retour à Siom, environ un an après en être parti, beaucoup crurent voir un fantôme qui souriait dans la lumière poudreuse de juillet, près de chez Chadiéras, alors que nous achevions de dîner ou que nous sortions prendre le frais. Il se souriait à lui-même, comme il l'avait toujours fait, ne nous regardait pas, ne nous voyait peut-être pas, tenant à la main, lui qu'on avait entendu jurer, après l'incendie, qu'il ne toucherait plus une bête de sa vie, pas même un chat, les rênes de deux chevaux pie attelés à une carriole que nous ne connaissions pas, chargée de longues caisses qu'on devinait bien arrimées sous une bâche de l'armée américaine. Il avait fait très chaud ; le soleil se couchait là-haut, dans les hêtres et les sapins, à la saignée de la route, derrière la croix des Rameaux, dans la poussière d'or qui retombait lentement autour d'André Pythre. Le commis de Berthe-Dieu, qui ramenait ses vaches du pacage, sur la route de Lestang, fut le premier à l'apercevoir, à lui parler malgré lui, à lui demander en tremblant :

— Ô Pythre, c'est bien vous ?

Et il en oublia ses vaches qui s'égaillèrent pour partie dans la cour de l'école tandis que les autres continuaient vers le sommet de la côte et que le commis s'écartait du grand Pythre qui ne répondit pas, ne l'entendit peut-être pas, en tout cas ne s'arrêta pas, continua de descendre lentement la grand-rue, jusqu'à la place, avant de remonter, de contourner le monument aux morts et d'arrêter la carriole devant la grange où il dételait sur-le-champ puis entreprit de décharger, sans un regard pour les siens qui étaient sortis sur la demi-lune de gazon, ou plus exactement comme s'il était parti de la veille.

Pauline et Suzon s'étaient mises à trembler. Il pesta contre Médée et Jean qui ne bougeaient pas, marmonnant que c'était bien la peine de s'être saigné pour élever deux bougres pas même fichus de lever le petit doigt, et qu'il envoya paître lorsqu'ils se décidèrent, criant qu'il avait fini, qu'il n'avait besoin de personne. Puis il rentra, s'assit à sa place que nul n'avait osé occuper et devant laquelle, matin, midi et soir, on dressait le couvert, par crainte qu'il revînt à l'improviste, comme ce soir-là, même après un an et alors que Pauline eût pu faire constater l'abandon du domicile conjugal, ou qu'elle eût pu se dire, comme nous autres, qu'il était mort. Mais si elle le pensait, c'est-à-dire l'espérait, elle ne le montra jamais, sachant plus sûrement qu'un tel homme ne pouvait pas mourir — du moins pas de la sorte, en cachette, au loin, et en tout cas, devait-elle se dire, pas avant qu'elle fût vieille, qu'elle eût perdu ses meilleures années et même les autres, celles où l'on peut susciter encore un peu de feu dans l'hivernal regard des hommes.

Elle lui servit la soupe et le vin. Ils avaient déjà dîné mais ils se remirent à table, tous, afin que l'ordre des choses fût respecté, même s'ils n'avaient, les autres, presque rien dans l'assiette et qu'ils mastiquassent pour la forme. Médée tendit la main vers la tourte que Pauline avait posée sur la table, après le premier

dîner, pour le repas du lendemain : avant même qu'il
l'eût touchée, il avait la peau de la main, entre le pou-
ce et l'index, clouée à la table par le couteau du père.
Médée était extraordinairement pâle ; il regardait, hébété, avec néanmoins dans les yeux quelque chose de
satisfait qui laissait penser que venait d'avoir lieu ce
à quoi il s'était toujours attendu, qu'il redoutait autant qu'il l'espérait, il regardait sa main clouée et le
peu de sang qui suintait autour de la lame, tandis que
Suzon se levait pour se blottir contre sa mère et que
Jean, lui aussi debout, dans l'entrebâillement de la
porte, s'était mis à brailler comme autrefois à l'école
lorsque le maître se moquait, et si fort que Médée,
arrachant le couteau qu'il jeta sur la table devant son
père, s'approcha de lui, le poussa doucement dans le
couloir, puis sur la place où la nuit finissait de tomber
et où il le laissa pleurer sur son épaule, lui caressant
la tête avec sa main blessée sans s'apercevoir que le
sang coulait sur la figure du cadet qui, lui, en frémissait de bonheur, « parce que, murmurait-il, je respi-
rais comme avant l'odeur de thuya et de sueur et que
ça sentait aussi comme quand Suzon avait son sang,
chaque mois, qu'elle m'avait fait sentir, la première
fois qu'elle l'avait eu, et que j'avais cru qu'elle allait
mourir... »
  Médée l'amena au bas de la place, devant la petite
pompe dont il fallait tourner la roue horizontale, sur
le dessus, pour faire jaillir l'eau ; il nettoya le sang sur
la figure de son frère, puis sa blessure qu'il regardait
en souriant, devinant sans doute ce qui allait s'ensuivre et qui arriva en effet, dès le lendemain, avant que
nous ayons eu le temps de comprendre. Nous avons
vu Médée quitter la maison de son père, au petit jour,
un balluchon sur l'épaule, la cigarette au bec, les yeux
brillants et calmes ; il descendit, sans un regard pour
nous, jusqu'à la terrasse aux acacias, traversa le pont

sans arche qui séparait le lac de l'étang de Berthe-Dieu et prit le chemin de la gare, semblable, nous sommes-nous dit, à ce père avec qui il ne pouvait plus vivre et qu'il avait, lui, et lui seul, rêvé mort, et à qui il souffrait de tant ressembler. Il ne lui restait plus qu'à s'y résigner, mais ailleurs, sous des ciels où il pourrait effacer cette ressemblance en d'autres sangs, sans risque de comparaison, et devenir autre chose que l'héritier du grand Pythre, songeant peut-être, sur le chemin de la gare, qu'il échappait ainsi au destin du pauvre Michel — bien qu'il sût, comme nous, que son père n'était pour rien dans cette mort, du moins qu'il n'y avait pas de preuves contre lui, bien moins en tout cas qu'il n'y en avait contre ce vagabond à demi sourd qu'on avait arrêté quelques jours plus tard, près de Bonnefond, couvert d'ecchymoses et terrifié ; ce qui ne nous empêcha pas de continuer à voir en lui le meurtrier de son fils, puisqu'il pouvait l'être un jour ou l'autre, ce qu'il avait fait à Médée le prouvait assez.

Médée ne l'ignorait pas. Il s'éloignait de cet homme à qui, pas plus que les autres, il n'avait pu donner le nom de père, qu'il n'avait jamais appelé par aucun nom, attendant que ce soit lui qui l'appelle et finissant par deviner quand il allait l'appeler et enseignant cela à son frère et à sa sœur, ayant fini par ne plus avoir peur de cet homme qui, pour cette seule raison, sans doute, l'avait cloué à lui-même plus sûrement qu'à la table — souffrant aussi, et peut-être plus encore, d'abandonner les autres, là-haut, à l'homme morne et sombre, et particulièrement ce cadet qui ne savait pas vivre, qui ne se rendait pas compte que le mal rôde, et que l'homme qui venait de reprendre sa place à table et dans le lit maternel était un souffle du mal, terrible et misérable, pouvait-il se dire, et à côté

215

de quoi les pires gourles du canton de Siom étaient des anges de vertu.

Il faut se représenter maintenant le désarroi du cadet, de ce Jean aux yeux couleur d'ardoise, maigre, assez grand, les pommettes rouges, les lèvres minces souvent ouvertes sur des dents petites quoique régulières, la voix haut perchée et qui, à dix-huit ans, ne savait que faire de ses bras. Il fallait le voir pleurant sur la place déserte, dans le petit matin où se levaient le brouillard et les cris des coqs, où se répondaient les chiens des fermes lointaines, alors que le soleil blanchissait la colline de Philippeaux, de l'autre côté du lac, en face de Veix, et que Jean semblait chercher dans l'air frais de quoi comprendre, en le répétant à voix haute, ce que Suzon venait de lui apprendre, mandatée par l'aîné, dans l'obscurité de la chambre ; oui, balbutiant dans le jour ce qu'elle lui avait dit à voix basse, avec des sanglots, que Médée était parti, qu'il ne pouvait plus vivre là, que l'autre finirait par lui clouer les deux paumes et les pieds, et même le flanc à la table : ce que Jean redirait devant son père, plus tard, non seulement quand celui-ci demanderait où était fourré Médée, ce matin-là, mais bien des années après, lorsque tout ça n'aurait plus vraiment d'importance :

— Médée est parti, Médée est parti...

Et l'autre se mit à crier :

— Et où est-il allé, bougre de couillon ?

À quoi Jean ne répondit qu'en reculant, redoutant plus le sourire las de l'homme qui s'avançait vers lui dans le soleil levant que la main paternelle pourtant armée du couteau que Pythre essuyait sur sa cuisse, repliait et rangeait dans sa poche en marmonnant :

— Qu'il aille au diable !

Alors Jean parut manquer d'air ; sa voix ne passait plus ses lèvres ; il ouvrait la bouche sur des mots qu'il ne savait plus prononcer, qui se dérobaient à lui à mesure qu'il devait songer que Médée s'éloignait avec la nuit, oui, qu'il s'en allait avec la nuit, bien loin, vers ces pays dont il avait vu sous la règle du maître et dans les livres de géographie les couleurs violettes ou les hachures grises et dont il n'avait jamais pu retenir les noms, et répétant alors celui qui résumait pour lui l'univers : le nom de Médée, sans que rien sortît de sa bouche mais que le père devinait si bien qu'il lui cria :

— Pauvre fadar...

Et il interdirait qu'on prononçât son nom, devant lui, et même quand il serait absent, il saurait en sentir la mauvaiseté, la puanteur dans l'air, ça ne tromperait pas, il le reniait, disait-il, le renonçait pour son fils.

— Ça ne vaut même pas la peine de se mettre en colère pour cette bête-là ; pour celle-ci non plus, ajouta-t-il, plus bas, en désignant le cadet debout sur la place entre l'étable de Berthe-Dieu et le chêne dont il s'écartait dès qu'il sentait que son père le regardait comme s'il redoutait, comme l'autre matin, qu'il le clouât lui aussi à l'arbre, debout sur la place dès l'aube, chaque matin, le visage tourné dans la direction d'où l'on pouvait entendre, si le vent était au nord, l'autorail de Limoges qui venait de croiser aux Buiges celui qui montait à Ussel, et dont le mugissement lui avait toujours donné envie de pleurer depuis qu'il se rappelait qu'enfant Médée lui avait dit que c'était avec cet autorail qu'ils se sauveraient, un jour, tous les deux, oui, qu'il ne le laisserait jamais tomber, que la sirène du train était leur signal à eux, les enfants Pythre — « comme si le train avait mal, murmurait-il, comme quand Maman avait mal, la nuit, dans la chambre, et plus que ça, comme je pleurais quand il s'approchait de moi et menaçait de me faire ce qu'il faisait à Maman, la nuit, avant qu'on l'entende courir sur les dalles pour se laver à l'évier, la figure toute rouge, les cheveux défaits, les yeux brillants, méchants, oui, méchants, la chemise ouverte devant, avec ses nichons qui remuaient et ce rire qu'elle avait quand elle me voyait... »

4

Et plus que la douleur et la peur, il y avait à présent la fuite dans le petit matin du frère à la main transpercée, du fils qui avait vu, du renégat sans nom, à propos de qui on ne dirait plus rien, pas même nous lorsque nous verrions, matin après matin et pendant plus d'un an, le pauvre fadar l'attendre, là-haut, près du chêne. Mais la plus à plaindre était sans doute Suzon, à supposer qu'on puisse plaindre un Pythre et que Suzon se soit souciée de notre pitié. Elle avait vingt ans quand Médée s'en alla et c'était assurément la plus belle fille du canton, ce qu'elle savait n'être pas un avantage depuis que les frères Lontrade, des Places, l'avaient attrapée sur la route des Freux où elle se promenait, juste après la guerre (au temps où l'on croyait Pythre devenu inoffensif et où les trois gars, dont le plus vieux n'avait pas dix-huit ans, clamaient haut et fort qu'ils n'avaient peur de rien, ni du grand Pythre qui n'était plus là pour leur couper les frelets, ni des deux frères, encore moins de la mère qui habitait sa disgrâce comme d'autres une demeure sans feu). Ils l'avaient traînée dans un petit bois de bouleaux, en bordure de la lande qui s'étend jusqu'à Lestang, et lui avaient montré ce que c'est que d'être belle, et fière, et silencieuse, la déshabillant après lui avoir enserré les poignets dans ces bracelets de cuir qu'on attache aux cornes des vaches, lorsqu'elles sont au joug, pour empêcher qu'elles se blessent, et dont ils avaient attaché l'extrémité à une haute branche. Alors ils l'avaient regardée tournoyer sur elle-même dans la lumière pâle des bouleaux, le visage enfoui dans ses grands cheveux bruns qu'ils avaient dénoués pour qu'elle fût tout à fait nue et qui tombaient sur ses seins, les fesses frémissantes, les cuisses serrées sur ce nid de bouvreuil qu'elle avait au bas du ventre. Et ça les faisait ricaner, les trois frères Lontrade et le fils Philippeau, qui venait d'arriver et qui riait plus fort que les autres : ils rigolaient comme des niaiseux qu'ils étaient d'avoir enfin une fille à leur merci, et pas n'importe laquelle, la plus belle et la plus nue, Suzanne Pythre qui jamais n'avait levé les yeux sur eux, même quand ils lui adressaient la parole, à l'école, et à présent si belle devant eux et déjà déchue, plus résignée qu'une génisse qui attend le boucher, douce, frissonnante et blanche, et si belle avec cette moue qui pouvait passer pour un reste de morgue qu'ils n'osaient pas la toucher. C'était aussi le premier corps de femme qu'ils contemplaient, avec ses replis délicats, ses rondeurs, ses nacrures, ses seins, qui se soulevaient et retombaient lentement aux pointes fines et dures comme des clous de tapissier, et surtout ce qu'elle avait entre les cuisses, sous la toison qui brillait au soleil, oui, ce nid dont ils faisaient la soie de leurs rêves — misérables petits hommes, à peine dressés sur terre et déjà recourbés vers elle, cherchant dans ce qui se raidissait entre leurs jambes de quoi oublier ce qu'ils étaient et où ils finiraient, obéissant à cela comme l'avaient fait leurs pères et les pères de leurs pères, et pour cela prêts à tout, tels ces quatre braves, dans le bois de bouleaux, en cet après-midi d'avril, les sangs depuis longtemps tournés par celle qu'ils entendaient chanter dans son jardin ou au lavoir, et qui restaient là, autour d'elle, bouche bée, leurs ricanements ravalés, immobiles à l'exception du second des Lontrade qui, la main dans la poche du pantalon, s'était mis à trembler en soufflant, le front moite, comme s'il avait la fièvre — mais chacun seul avec sa propre douleur, avec ce qui lui cuisait, le feu des reins et la brûlure de l'âme, et, peut-être, la peur de crever sans avoir eu au bout de soi cette chair trop blanche et lisse et ferme et tendre qui était, songions-nous, comme le pain blanc, comme l'électricité, comme l'eau courante : un don du Ciel ; car il fallait l'intervention du Ciel pour avoir fait de l'enfant d'un Pythre la plus belle fille du canton et peut-être du département. Ils frissonnaient, eux aussi, songeaient sans doute à ça, se disaient qu'ils en avaient assez vu et qu'elle ne dirait rien, que c'était une affaire entre elle et eux ; et ils n'eurent pas besoin de la menacer lorsqu'ils la détachèrent, ou plutôt lorsque l'aîné des Lontrade coupa les cordelettes de cuir et qu'elle chut dans l'herbe.

Mais qu'avions-nous à faire, nous autres, de cette fille qui passait sans nous voir et de ce grand gars hébété qui serait bien resté toute la sainte journée sur la place, à guetter, le visage tourné en direction de la gare ? En vérité, nous ne nous souciions plus de grand-chose, nous en avions trop vu, nous n'étions plus comme avant. L'abbé Trouche était mort et le maire, un vrai *rouge*, avait fait attribuer le presbytère à Heurtebise qui installa sa forge dans l'ancien fournil. Philippeau ne pouvait plus travailler et louait sa ferme à des Normands qui avaient débarqué un beau matin avec leurs tignasses blondes, leurs yeux délavés, leurs vaches pie et leur folie. Nous mourions les uns après les autres, quasi résignés, avec la petite satisfaction (d'aucuns disaient l'illusion) de n'être pas tout à fait les derniers. Nous avions abandonné la terrasse aux acacias pour celle de Léa Rivière, là-haut, derrière chez les Pythre : elle dominait l'autre vallée qui appartenait maintenant tout entière à Berthe-Dieu, qu'on disait riche comme Crésus. De la terrasse on voyait, entre l'église et la maison d'à côté, le toit de Chabrat, celui de Queyroix, le potager de Heurtebise, la colline noire de Veix et, à notre gauche, là-haut, les hêtres de la grand-route, le bois de Nuzejoux, le cimetière, les sapins de Roche. Nous parlions à voix basse et en patois, de peur d'être entendus des Pythre dont la maison nous tournait le dos et n'avait, à cet endroit, qu'une étroite fenêtre que nous surveillions du coin de l'œil. D'autres, des femmes surtout, allaient s'asseoir un peu plus loin, sur le muret devant l'école, tandis que les plus bavardes, qui ne savaient pas ne rien faire, descendaient parler au lavoir où, disaient-elles, on lavait tout, jusqu'à sa langue et ses péchés.

Nous étions pourtant loin d'être en paix. Nous l'avons compris, le même matin, quand Pythre déposa les volets de la pièce vide, de ce que nous avions toujours pris pour un salon et qui nous apparut pour ce que c'était : une devanture de boutique, derrière laquelle on put bientôt apercevoir un large comptoir de bois très lisse qui luisait dans la pénombre, et, aux murs, sur des étagères, des rouleaux de tissus et des boîtes. Le grand Pythre s'était fait marchand de drap. Il n'installa pourtant jamais d'enseigne (c'était une manière encore de nous cracher à la face), se contentant d'exposer dans la devanture, derrière des rideaux de tulle qu'il relevait à peine, même quand le soleil ne risquait plus de faner les étoffes, quelques échantillons, comme ça, pour la forme, ou, disaient certains, pour plaire à nos femmes, même si nul n'avait encore poussé sa porte, hormis quelques voyageurs de commerce qui arrêtaient devant la demi-lune une voiture aussi puissante que celle que Pythre venait d'acheter au garagiste de Treignac : une Hotchkiss noire qui en jetait dans les fermes, les hameaux et les villages du canton et au-delà, où on ne le connaissait que comme marchand de drap, à l'instar de ces épiciers, boulangers et bouchers qui commençaient à sillonner le plateau tout en ayant boutique à La Celle, Meymac ou aux Buiges, où ils laissaient officier leurs épouses — comme Pythre, qui avait installé en gardienne du temple sa Pauline au visage clos, sévère, lointaine, aux yeux souvent humides, assurait Léa Rivière qui avait fini, avec d'autres, par y entrer, moins pour lui prendre un peu d'étoffe ou de ruban que pour voir enfin de plus près cette Pauline qui avait, disait-on, peur du grand Pythre, de son silence, de ses résolutions, et, plus encore, de la joie qui éclatait sur son visage et qui était tout près de nous faire penser qu'il devenait fou.

Nous devions voir bien plus extraordinaire : Pauline et sa fille, belles et lasses toutes deux — plus belles et lasses et hautaines depuis que Médée s'en était allé et que Pythre écumait le canton —, quittant la maison, ensemble, un après-midi de l'année suivante, en octobre, avec valise et balluchon. Le grand Pythre était parti dès l'aube. Elles attendirent, debout, résignées, inquiètes, au bord de la demi-lune comme si elles s'étaient trouvées sur le sable lie-de-vin de la gare. En fait de train, ce fut le charcutier de Meymac qui les emmena, lors de sa tournée du jeudi (car s'il y avait, à Siom, deux bistrots, deux épiceries, un hôtel, une recette postale, une école et une forge, on n'y trouvait ni boulangerie ni boucherie : ce qui faisait dire à certains que nous n'en avions pas pour longtemps et même que nous étions entrés dans la malédiction, surtout depuis que l'abbé Trouche était mort et que nous nous étions résignés au silence de Dieu).

223

Le charcutier les déposa à l'embranchement de la route de Féniers, après Peyrelevade. Il avait vu lui aussi les valises et l'inquiétude des deux femmes ; lui aussi redoutait le grand Pythre pour avoir eu affaire à lui, enfant, alors qu'il ramassait des champignons dans les bois de Veix d'où il s'était fait chasser comme un romanichel ; peut-être imaginait-il comme nous le marchand de drap rentrant à la nuit dans ses pièces où le feu était mort, aussi désemparé, seul et bientôt ivre de colère qu'étaient déterminées les deux femmes qui, dans le même temps, se hâtaient sur la route de Féniers, un peu ridicules comme sont les trop jolies femmes qui ne peuvent courir, embarrassées, haletan- tes, se tordant les chevilles. On les vit se hâter, on les suivit longuement du regard, ces deux réprouvées qui avançaient sans rien voir sur la route déserte et bour- donnante d'insectes, n'ayant peut-être jamais cessé de regarder en elles-mêmes — nul homme n'ayant su leur faire tourner les yeux vers autre chose, à tout le moins les détourner de ce puits de mélancolie qui béait en elles et sur quoi elles se penchaient trop sou- vent, sans se douter que le renoncement aux rêves est encore un rêve, le plus mauvais, le plus terrible.

Elles se dépêchaient vers la maison du vieux Bor- des, à l'entrée du bourg, qui les accueillit sans rien dire, sans même s'étonner ni froncer les sourcils, si- non, peut-être, de ce qu'elles ne fussent pas venues plus tôt, s'attendant depuis longtemps (depuis, on peut le dire, les noces dans la froide salle de l'hôtel des Voyageurs, vingt ans auparavant) à voir sa fille revenir auprès de lui, et s'en réjouissant secrètement, lui qui, cocu et maintenant à la retraite, ne savait plus que faire de soi — n'étant point de ces tailleurs de pierre qui se prennent à sculpter pour eux seuls dans la débâcle de l'âge, et par ennui, des palais dérisoires ou des figurines dont peupler un jardin et les jardins des autres ; mais, simple ouvrier aux mains énormes et désœuvrées, sacrifiées aux outils et au granit au point de n'avoir plus apparence de mains, devenu le père Bordes et ne supportant plus que ses doigts et ses yeux ne rencontrassent que de l'air, d'autant qu'il tremblait un peu, à présent, et qu'on ne lui confiait même plus l'inscription des patronymes et des formules funéraires sur les pierres tombales, ne taillant donc plus que du vent et la pauvre étoffe des souvenirs, pas même des rêves, la bouche amère sous la moustache recourbée, blanche, à peine jaunie sous les narines par le tabac qui était devenu son seul luxe, avec dans tout le corps la mémoire des coups innombrables qu'il avait donnés dans la pierre et qui était, saccadé, assourdi, inextinguible, l'écho de soixante années de labeur, une seconde respiration, un autre battement de cœur, le vrai, au fond, puisqu'il ne l'avait pas déçu, en avait toujours obtenu ce qu'il en attendait, surtout quand il avait compris qu'on est toujours abandonné des femmes, épouses et filles, et les mères aussi — la sienne, devenue veuve fort jeune, l'ayant placé chez un maçon de Gentioux pour se remarier avec un type de Felletin, alors qu'il n'avait pas douze ans (ni son frère onze, placé, lui, dans une ferme, près de Villemonteix), de sorte que c'est son propre cœur qu'il dut apprendre à tailler en même temps que la pierre. Et il restait assis tout le jour, sur une chaise de paille, au seuil de la petite maison qu'il avait lui-même bâtie, autrefois, dans ses moments de liberté, sans voir personne ni parler, la figure à présent aussi grise et rugueuse que le granit.

Il ne leur demanda rien, leur donna à chacune une chambre, ayant voulu qu'il y en eût quatre dans la maison, par fierté, par goût du beau travail, ou pour braver le sort. Il s'habitua à ces deux femmes qu'il ne connaissait pour ainsi dire pas et à qui le temps finit par délier la langue. Elles emplissaient la maison de parfums, de murmures, de chuchotements, de petits rires qui le réjouissaient tout en lui tirant des larmes ; ce qui faisait dire à Pauline, d'un ton qu'elle voulait doux mais où l'on devinait de l'agacement :

— Voyons, Papa, est-ce que nous pleurons, nous ?

Il ne répondait rien, séchait ses larmes, se mettait à sourire ; et comme sa cigarette s'était éteinte, il en roulait une autre, sans doute satisfait de se dire qu'il n'aurait plus à mourir seul, surtout la nuit, lorsqu'il ne parvenait pas à dormir et qu'il guettait leurs souffles, de l'autre côté de la cloison qu'il n'avait pas construite assez épaisse, songeait-il peut-être, écoutant l'une d'elles ronfler, Pauline probablement, elle avait toujours eu le souffle un peu court et s'enrhumait souvent. Et il se serait bien abandonné, alors, aurait cessé de lutter contre cet autre sommeil qu'il sentait parfois venir le visiter ; mais il ne voulait pas partir tout de suite : non qu'il eût peur, il savait qu'une vie n'est rien de plus qu'un éclat de pierre qui fuse dans l'air du soir, et il songeait au sable, songeait qu'il allait devenir sable et s'écouler lentement puis très vite, d'un seul coup, comme de la paume d'une petite fille, et ce serait fini. Or il lui fallait durer encore, protéger les deux femmes, pas peu fier d'en avoir deux, et lesquelles ! lui qui aurait porté toute sa vie des cornes de grand cerf. Le Pythre ne viendrait pas courir à Féniers, il le savait, tant qu'il serait là, lui, le vieux, avec ses doigts plus gros que des boudins, et qui crut entendre, cet hiver-là, le cœur serré, les cris de bête blessée du mari, là-bas, de l'autre côté du plateau, dans sa maison froide, semblables, ces cris, à ceux qu'il avait poussés, lui, Odilon Bordes, un soir d'avril, au début de ce siècle, quand sa femme était partie avec un rétameur.

5

Nous aussi nous l'avons entendu crier, et dès qu'il fut de retour. Nous n'aurions manqué ça pour rien au monde. Il nous semblait que nous étions vengés, même si nous ne savions plus très bien de quoi. Nous avions oublié Jean. Depuis le départ de Médée, quand il ne guettait pas son frère sur la place, il passait le reste de ses journées à courir les prés et les bois, ou à dormir dans le bosquet de thuyas, derrière le lavoir. Ce soir-là, il rentra après son père ; il le trouva assis dans la cuisine, sous l'ampoule nue, devant le bout de lettre que Pauline lui avait laissé plié sur son assiette et qu'il avait à peine lu, comme s'il savait, qu'il avait toujours su que c'était ça qui arriverait, et qu'il s'étonnât même, lui aussi, que ça ne soit pas arrivé plus tôt. « Et alors il s'est levé, murmurait Jean. Je voyais bien qu'il allait me battre, il fallait bien qu'il fasse quelque chose, mais pas qu'il me battrait comme ça, en hurlant et en pleurant, et très lentement, on aurait dit qu'il ne voyait pas ce qu'il faisait, ça m'a fait de la peine. J'avais les mains qui sentaient le thuya, qui sentaient comme Médée, et j'ai pleuré : alors il m'a battu plus fort, et j'ai pleuré plus fort, sa tête était toute rouge et il criait que c'étaient toutes des salopes, oui, des salopes, et que moi aussi j'en étais une ; et quand mon nez s'est mis à saigner et que la tête m'a tourné, il a ouvert la porte du couloir et m'a poussé, je suis allé heurter du front le porte-manteau, sur la porte d'entrée, et je saignais de plus en plus, et je criais. Alors il a ouvert la porte et m'a poussé dehors. Tous les autres étaient là... »

Oui, nous étions là, dans la nuit qui tombait, près du chêne, en bas de la place, devant chez Berthe-Dieu ou à nos fenêtres. Nous l'avons vu, ce Jean dé-gingandé et hagard, surgir en titubant sur la demi-lune, le visage en sang, pleurant du sang, les yeux perdus, et s'effondrant entre les racines du chêne où il se blottit, les mains sur la tête, sans plus bouger, tandis que l'autre demeurait sur le seuil, les mains dans les poches, tremblant de fureur et de chagrin, respirant profondément pour se calmer, mais sans cesser de nous défier, ainsi qu'il l'avait toujours fait, tendant vers nous sa face glabre depuis qu'il avait rasé sa moustache pour faire le commerçant — ce qui lui donnait quelque chose de faux (ou de plus faux, de plus inquiétant que d'ordinaire), surtout avec ses cheveux qui restaient épais et étrangement bruns.

Il resta longtemps à nous regarder. Nous savions qu'il ne nous dirait rien, ne ferait aucun geste, que nous ne lèverions pas le petit doigt, il était trop tard pour ce genre de chose et tout avait sans doute déjà eu lieu. Il alla jusqu'à Jean, se pencha, lui donna une tape sur l'épaule, en marmonnant :

— Lève-toi, tu me fais honte...

Et comme Jean ne bougeait pas, il lui envoya dans les côtes un coup de pied qui le fit se relever tout seul et marcher jusqu'à la maison. Nous n'avions pas bougé.

Nous l'avons entendu souvent, cet automne-là, et aussi pendant l'hiver, hurlant contre on ne savait quoi ni qui, le sort, la vie, Siom, les femmes, nous autres, et ce fils, le seul qui lui restât, âgé de dix-neuf ans, plus grand que lui, quasi innocent, et dont il ne savait que faire — qui ne savait rien faire et qu'il commit donc à la garde du magasin, moins pour surveiller les marchandises ou servir le client (les deux femmes parties, nul client ne poussa plus la porte) que pour garder à demeure ce grand benêt, le préserver de lui-même et des autres, des gamins qui avaient à présent coutume de lui faire cortège, dans les trois rues de Siom et aux alentours, non par méchanceté mais parce qu'on le savait un brave Pythre, oui, que c'était possible, et que d'ailleurs il était à moitié des nôtres, encore qu'il ne le sût pas et que le lui apprendre eût été, à ce moment, la pire chose. Oui, c'eût été le renvoyer à la défaite du sang, à la misère de l'homme sans mère, à du temps qui n'avait pas coulé, à de vaines ressemblances. Et il était, disions-nous, frêle et solitaire, semblable à ces bouleaux qui poussent isolés au bord de la lande, trop tendres, vite élancés et pliés par le vent ; il avait, c'était ça, une clarté de bouleau avec ses petits yeux gris clair, son visage frémissant (non pas comme sa mère, la petite Jeanne que nous n'avions jamais revue depuis la naissance de Jean, mais comme Aimée Grandchamp, murmuraient ceux qui se souvenaient d'elle et qui ajoutaient, même si c'était tout bonnement impossible, qu'il était le fils de l'innocente) et ses cheveux raides qu'il peignait en arrière et qui lui retombaient sans cesse sur la figure parce que trop longs : ce qui lui donnait l'air d'un artiste, de ce que nous croyions être un artiste ou un poète, c'est-à-dire un rêveur, un mélancolique, un de ces gars qui font dans le monde piètre et pâle figure, un innocent si l'on veut, en tout cas un inutile — et qui, quelques années plus tard, lorsque les rides et un sourire plus amer lui plisseraient la figure et qu'il passerait la plupart de son temps allongé dans la bruyère ou au bord de l'eau, rêvassant plus qu'il ne pêcherait, ressemblerait à un écrivain, et plus exactement à Jean-Jacques Rousseau herborisant dont il y avait, dans le couloir de l'instituteur, au-dessus des salles de classe, un grand portrait sous verre. Mais le plus souvent nous ne le voyions que comme fils du grand Pythre, c'était simple à présent, le père et le fils, le principe et la fin, le diable et l'innocent, celui qui n'attendait plus rien et l'autre qui ne savait pas qu'il n'y a rien à attendre et qui passait ses journées dans le magasin, jusqu'au retour du père, assis derrière le comptoir, dans une ombre qui grandissait à mesure que le soleil tournait et s'abaissait là-bas, derrière la croix des Rameaux, le plus souvent épié par les gamins au regard immobile qui regrettaient de ne plus pouvoir l'accompagner, ne comprenaient pas ce qu'il faisait là, comment il pouvait rester là à ne rien faire, dans cette pénombre froide, et sans bouger, les yeux ouverts comme ceux d'un mort, se disaient-ils. Ils finissaient, les plus hardis, par pousser la porte et venaient jouer à l'acheteur, servis avec complaisance par un jeune Pythre bien plus adroit qu'on ne l'eût cru, jetant d'une main sûre le rouleau de tissu sur le comptoir à l'extrémité duquel était gravé un mètre, et feignant de couper avec une précision qui leur faisait admirer ses mains aussi fines et longues que celles de sa mère dont nous nous rappelions alors qu'avec sa poitrine lourde et la minceur de sa taille, c'était ce qu'elle avait de plus agréable.

Le reste du temps, il attendait ou il songeait, ce qui est presque la même chose, jusqu'à ce que sept heures sonnassent dans la cuisine, à l'horloge apportée en dot par Pauline et qu'elle avait abandonnée sur place, comme si désormais, pour elle comme pour Suzon, le temps dût ne plus passer de la même façon — et qu'il fût l'heure pour Jean de mettre à réchauffer la

soupe perpétuelle, sur le petit poêle à bois. Assis sur
sa chaise, près du buffet, il attendait cet homme qui
ne parlait jamais, qui ne le menaçait plus du puits ni
du harnais ni de rien d'autre, et avec qui il mangerait,
tout à l'heure, sans qu'ils se regardent, au cœur de
cette étroite cuisine aux murs d'un crème sale, sous
l'ampoule nue, le père face à l'horloge qu'il ne voyait
sans doute pas plus que le mur où il avait accroché
une réclame pour les machines à coudre Singer et qui
représentait une femme vêtue de blanc, comme au
début de ce siècle, en haut col de dentelle et cheveux
relevés, assise à sa machine « et souriante, murmurait
Jean, comme Maman ne l'a jamais été, même quand
elle regardait Médée et Suzon qui s'embrassaient
après qu'ils avaient ramené, eux, de bonnes notes de
l'école. Mais je ne regardais jamais l'image en même
temps que lui, elle était à lui, celle-là, même s'il y
avait la même, en plus grand, et en fer, sur le bâtiment de Chadiéras, à l'entrée de Siom, non, je ne la
regardais jamais, elle me donnait envie de pleurer,
elle était trop belle et Papa avait lui aussi l'air de vouloir pleurer, mais il ne le faisait pas, non, il n'avait
pas le droit, il fermait son couteau quand il voyait que
je le regardais, il me regardait à son tour, puis il se
levait, éteignait la lumière et allait se coucher en laissant entrouverte la porte de sa chambre pour profiter
du poêle, tandis que je devais mettre les bols dans
l'évier, ranger dans le buffet le beurre, le pain, les
sardines, nettoyer la nappe et laver tout ça à l'eau
froide dans le noir sans faire de bruit, surtout quand
je ne l'entendais plus ronfler et que la lune était
pleine... »

Mais certains soirs, ils restaient là, assis, pendant
des heures, dans l'étrange paix qui suit les batailles et
les désastres, dans une sorte d'hébétude, de torpeur
dont rien ne pouvait donner idée. Le grand Pythre ne

hurlait plus comme un chien à la lune, et le fils avait cessé de pleurer, tous deux résignés à ce que les autres ne revinssent pas, qu'il n'en allât pas des êtres comme des saisons ou des récoltes, et qu'il fallût donc attendre que le temps passât, qu'il s'épuisât, sans guère d'espoir qu'il les délivrât d'eux-mêmes, et dont ils ne savaient trop que faire, à la fin de la journée, entre ces murs ocre, sous l'ampoule nue qui, plus qu'elle ne la repoussait, établissait le triomphe de la nuit, rejetant les deux hommes dans une ombre qui venait autant d'eux que des ténèbres extérieures, visages fermés et abandonnés, parce que les choses n'avaient pu se faire autrement et qu'il n'était pas besoin qu'on y songeât encore, qu'on en souffrît, qu'on s'en désolât, une vie pouvant fort bien n'être que cela, se poursuivant, se perpétuant dans ce grand fils maladroit, dans cette chair sourde et docile, immobile à la gauche du père, face à la chaise vide de Médée, les yeux perdus dans le reflet de l'ampoule sur les vitres — autant dire dans la nuit puisqu'il n'y avait pas de volets et qu'on n'avait pas songé à remplacer les rideaux que le père avait arrachés, un soir où il avait trouvé que la maison était une porcherie : pas même, avait-il murmuré, un vrai foyer, même du temps qu'ils étaient tous réunis autour de la table et que ça sentait le chou, la rave, la carotte, le poireau, la pomme de terre et tout ce que lui, André Pythre, tirait encore de son potager, où ça sentait autre chose que la sardine à l'huile et la sueur ; non, pas un vrai foyer, avait-il ajouté, puisque cette vieille bête de Besse, l'ancien propriétaire, n'avait pas fait installer de cheminée ni d'eau courante, ni de cave, ni de cabinets, et qu'il fallait deux fois par jour descendre chercher l'eau à la pompe comme des miséreux, devant tout le monde, et autant de fois dans la grange couper du bois en bûchettes pour nourrir ce maudit poêle qui chauffait trop ou pas assez, et, le matin, encore, avant toute chose, s'enfermer dans la cabane grise, au fond du pré, au-dessus de ce trou qu'on n'en finissait pas de remplir et de vider, élevant et couchant cette pyramide d'étrons, de papier et de sable, ce monument à peine plus dérisoire que l'autre, au milieu de la place, sur lequel il n'y aurait bientôt plus aucun nom à inscrire, pas même après les combats d'Indochine et d'Afrique du Nord ; car ce serait au tour de Siom de mourir, de voir se terminer ses siècles, tout doucement, en dehors de ce qu'on appelait, ailleurs, l'Histoire, et qui n'était, chez nous comme en tout autre endroit du haut plateau et même plus loin, que l'accomplissement de l'œuvre du jour et de la nuit. Et nous n'étions pas dupes, avions très vite su que les victoires d'autrefois, la Grande Guerre et l'autre, l'inqualifiable, n'étaient que des défaites déguisées, et qu'il n'y aurait pas (comme disait autrefois l'abbé Trouche) de nouvelle Siom, malgré le barrage, le lac et les quelques rejetons que les éclopés de 14 avaient engendrés pour tenter d'oublier ceux qu'ils avaient vus sourire dans les ténèbres. Il ne restait plus que Jean, les fils Roche, celui de Chabrat, de Chave, de Nuzejoux et quelques autres dans les hameaux et les fermes, et pas assez de filles pour repeupler tout ça, à supposer qu'ils le voulussent, qu'ils ne quittassent pas Siom comme les enfants Rivière, la nièce de Berthe-Dieu, les petits-fils de Chadiéras, pour n'y revenir que le jour des morts, ou pendant les vacances, afin d'être plus près non pas de nous mais des défunts, sur les tombes, devant le monument aux morts ou la petite croix de Lorraine qu'on avait fini par élever dans la carrière des frères Rivière, à l'endroit où étaient tombés l'instituteur et ses deux compagnons.

C'était peut-être ce que se disait André Pythre lorsqu'il s'accroupissait sur le trou, mais à quoi Jean, qui

venait après le père, ne pouvait bien sûr songer, lui
qui restait bien une demi-heure dans la cabane, hiver
comme été, le pantalon aux chevilles, le menton sur
les genoux, les yeux levés vers l'espace entre le toiton
et le haut dentelé de la porte par quoi il apercevait le
faîte des toits de Berthe-Dieu et de Chabrat et, un
peu plus bas, la girouette de chez Queyroix et les sapins que Blanche avait plantés, vingt ans auparavant ;
à moins qu'il ne gardât les yeux attachés au grand
crucifix qui se dressait encore, à l'autre bout du pré,
surplombant la place, et dont Jean ne pouvait voir
que le bois de la croix et un peu du corps rouillé de
Jésus qui paraissait respirer, murmurait-il, dans le soleil levant.

Lorsqu'il se relevait, c'était, dans de grands
éblouissements, pour retourner, les mains chargées
de bûches, dans la cuisine où il allumait le feu et attendait, debout, la bouche entrouverte, les bras ballants, que le café du père passât dans la chaussette de
la haute cafetière couleur terre qui fumait au milieu
de la table et qu'il verserait, dès qu'André Pythre se
montrerait dans l'entrebâillement de la porte, pétant
et se raclant la gorge, et jetant autour de lui des regards soupçonneux, surtout en direction de la fenêtre
qui commençait à se couvrir de buée. Alors le fils
pouvait verser le café dans les grands bols à liséré rouge et or, dans lesquels chacun couperait ses petits
morceaux de pain rassis qu'il ferait tomber dans le
breuvage trop clair auquel on ajouterait du lait en boîte trop sucré qui devait être quasi tourné mais que ni
l'un ni l'autre n'eût songé à jeter, étant donné qu'on
leur avait appris à ne point gaspiller, à tout bien finir,
tout de même qu'il faut savoir finir sa vie et attendre
ça avec patience, c'est-à-dire faire semblant, et croire
qu'en devenant plus vieux que le temps on peut enfin
se réjouir de mourir.

6

Nous avons été aussi ces gamins qui regardaient vivre Jean Pythre. Nous l'observions depuis le chêne, ce grand jeune homme embarrassé, déjà abîmé en lui-même, et qui s'avançait tout près de la devanture où gisaient deux ou trois rouleaux de tissu défraîchi (laissés là pour la forme, « parce que autrement, avait dit le père, on n'y aurait pas cru, on n'aurait plus cru en rien », et qui faisaient dire à Jean que « ça sentait là comme le dimanche et comme le grenier »). Il ouvrait la porte et sortait, clignant des yeux, humant l'air à la manière d'un chat, puis il laissait échapper ce « Ô », long ou bref, par quoi il commençait à présent toutes ses phrases ou qui lui en tenait lieu. Et il nous souriait, nous laissait approcher, entrer dans la boutique s'il faisait mauvais, nous asseoir sur la demi-lune, autour du petit billot qui lui servait de banc, entre la pierre du seuil et la fenêtre de la cuisine. Nous l'écoutions parler, longuement et de façon si embrouillée qu'on ne s'y retrouvait pas. Qu'importe ! La voix du grand jeune homme, très douce, un peu trop haute, nasillarde par moments, avait quelque chose d'impérieux, d'irrésistible, même si ce qu'il disait (la tête penchée vers ses pieds, les coudes sur les genoux, le front plissé, les yeux fixes, les cheveux retombant sur les joues), nous le savions déjà, l'avions entendu mille fois dans de plus vieilles bouches, mais point dans celle d'un Pythre : ce qui nous émerveillait, tout banal que c'était, Veix, le puits, les sapins, la tombe des innocents, l'incendie, le supplice de l'instituteur, Michel, Mlle Queyroix et les autres — espérant chaque fois en savoir davantage, mais n'obtenant rien ou peu, parce qu'il ne répondait pas aux questions, ne les entendait peut-être pas, et que nous ne nous serions jamais aventurés (c'était un Pythre, n'est-ce pas) à lui poser la question qui nous brûlait les lèvres : « Et Jeanne ? », par exemple, qui l'aurait probablement fait se taire, lever des yeux innocents vers le jardin du presbytère, ou plus haut, vers les nuages qui couraient dans le ciel ; il aurait proféré ce « Ô » qui l'eût fait replonger en lui-même et nous, retourner entre les racines du chêne, d'où nous l'aurions vu se mettre à trembler. Mais il secouait bientôt la tête, comme si on lui chatouillait le cou, et nous nous approchions encore. C'était Françoise Chadiéras, la petite-fille de celui qui avait accueilli le grand Pythre parmi nous, qui lui lançait, d'une voix un peu forte :

— Et Médée ?

Il relevait la tête, souriait, cherchait en lui-même, puis parlait de son frère, assurait qu'il allait revenir bientôt, qu'il n'était pas bien loin, oui, qu'il savait bien, lui, où il était, mais qu'il ne voulait pas le dire.

— Et qu'est-ce que tu vas toujours faire dans les thuyas ?

Il n'entendait pas. Il continuait à murmurer que Médée allait revenir, qu'il n'était pas mort, qu'on ne l'avait pas vu mettre en terre, là-haut, derrière lou brau, derrière la butte, ce Médée qui sentait le thuya, qui lui parlait dans les thuyas quand il faisait grand vent, il suffisait de s'allonger et de fermer les yeux et de sourire, Médée qui était grand et souple et fort comme les thuyas, qu'il l'attendait dans le magasin, qu'il fallait bien garder le magasin et attendre aussi le père, à la nuit, si fatigué, le pauvre, qu'il ne pouvait plus parler ni le battre, ni lui mettre la tête dans le puits ; car il n'y avait plus de puits, il avait brûlé sur la colline avec les arbres, et maintenant le père était content de lui, de son fils Jean, et d'ailleurs ce n'était pas son père mais l'ombre et la lumière, la fureur et le silence, la nuit qui marchait à pas de loup : son père, c'était Médée, oui, Médée, parce que lui il savait tout, qu'il ne l'avait jamais battu, qu'il l'aimait comme ne l'aimaient ni Pauline ni Suzon, ni le grand Pythre qu'on croyait alors entendre souffler dans l'air du soir comme le taureau dans l'étable de Berthe-Dieu, oui, qu'il l'aimait, lui, le Jean, non pas Jeannot, Jeansou ou Jeantou, il n'avait jamais été petit, mais Pythre, Jean Pythre comme Foutre, Jean le Pythre, le Pythreux, le Pythron, le Pythré, la Pythie, la Puthrain, l'Épythre aux innocents, le Péthri, le Péthrifié, le Puthréfié, le Péthé sur son Thrépied, comme nous le psalmodions naguère dans la cour de récréation en un chœur que faisait taire un seul regard de Médée — le pythoyable enfin, notre grande pythié, à nous tous qui n'avions pas pitié de grand-chose, à commencer de nous-mêmes ; mais pour celui-là nous laissions aller un peu, parce qu'on ne peut être toujours mauvais ou qu'il est des pauses dans la méchanceté, que nous voulions souffler un peu : nous étions jeunes, alors, n'avions pas peur, refusions encore d'avoir à mourir, bien que nous ne crussions déjà plus en l'amour, si nous y avions jamais cru ou songé qu'il est autre chose qu'une flambée de râles que les hommes et les femmes font jaillir d'eux-mêmes avant de retourner à leur solitude.

Car nous étions seuls, nous aussi. Chadiéras mourut, puis Urbain Heurtebise, Amélie Nuzejoux et

Pierre Philippeau. Devant chez les Pythre, le grand crucifix était tombé ; et nul ne se souciait plus de la gloire de celui qui gisait à présent face contre terre, dans les orties, le Sauveur, le Fils de Dieu, celui qui avait marché sur les eaux, multiplié les pains, ressuscité Lazare et qui pouvait bien, à présent, se relever tout seul, fut-il répondu à ceux qui souhaitaient qu'on « relevât le bon Dieu », chacun songeant en souriant non pas au bon Dieu mais au grand Pythre, ce qu'on venait d'entendre pouvant aussi bien s'appliquer au Fils de Dieu qu'au marchand de drap, d'ailleurs propriétaire du pré où gisait le Crucifié autrefois planté là par cette bigote d'Amélie Besse.

Dieu nous avait abandonnés. Ça n'avait pas réussi à Heurtebise d'aller vivre dans le presbytère et d'y installer sa forge, de transformer la maison du curé en repaire du feu, dans l'axe des Pythre, puisque le presbytère et la boutique se faisaient face, par-delà l'église et la place ; ça n'avait réussi à personne de chercher ici-bas une éternité à notre taille. Nous étions les derniers et ne supportions pas qu'il n'en fût pas de même pour Pythre, encore que nous eussions l'espoir que sa chair s'exténuât dans ses enfants, au moins dans celui qui nous restait, même si, pour la plupart, nous ne lui voulions pas de mal, l'eussions pour ainsi dire aimé, le plaignions presque de ce qu'en lui le sang des Pythre tourmentât le nôtre. Mais nul ne parlait plus de leur faire quitter Siom dans le corbillard dont l'abbé Trouche avait été, dix ans auparavant, l'ultime voyageur, puisqu'il n'y avait plus à Siom de chevaux pour le tirer. Ils s'éteindraient en même temps que nous, comme avait chu le crucifix, comme la forge avait cessé de souffler. On ne saurait bientôt plus rien de ce qui avait eu lieu, ni ce qu'ils avaient été, avaient espéré, avaient tu ; et ceux qui écoutaient Jean Pythre ne le croiraient qu'à moitié avant de ne plus le croire du tout, de penser qu'il avait fini de venir fadar, de sorte qu'il n'y aurait plus, le soir, dans l'air tremblant, que quelques vieilles femmes à demi sourdes ou aveugles pour lire encore en elles-mêmes ce qu'elles savaient de la famille Pythre, sur la terrasse de Léa Rivière, au bord du vide et de la nuit, la vraie nuit, celle du sang qui s'épuise en silence, de siècle en siècle, pour finir dans de très vieilles bouches, à peine plus épais que de la salive et que le frémissement des mots.

7

Il eut vingt ans. Son père le conduisit à la préfectu-
re et le laissa devant un portail immense, seul, dans
le petit jour sombre, avec à la main sa feuille de route
et, sur le flanc, une musette contenant une chopine
de vin coupé d'eau et un poulet que le père avait fait
cuire et enveloppé dans un torchon. Il pleuvait. Peut-
être écouta-t-il décroître le moteur de la Hotchkiss
bientôt mêlé à d'autres, plus sourds, lointains, dans la
vallée profonde. D'autres gars surgissaient de la pluie,
aussi jeunes et seuls, ou bien, se reconnaissant, formaient de petits groupes avec le même air bravache
ou exaspéré, et attendaient que s'ouvrît le grand portail gris dans lequel s'entrebâilla, vers huit heures, une
étroite porte, à gauche, par où sortit un homme en
uniforme vert olive, à petites lunettes cerclées d'écaille, le calot drôlement incliné sur le crâne, et qui se
mit à hurler qu'ils pouvaient entrer, qu'ils ne traînas-
sent plus, qu'ils se tinssent pour dit qu'ils n'étaient
plus tout à fait des civils ni encore des soldats, mais
rien du tout, des pauvres types, des péquenots, et
qu'on allait bien voir ce qu'ils avaient dans le coffre,
tous tant qu'ils étaient, avec leur mine de bétail égaré
sur un champ de foire.

Jean suivit les autres, sourit avec eux, baissa la tête

comme eux, reconnut à quelques pas de lui le fils
Farges qui s'était lié déjà avec deux types de Sainte-
Marie-Lapanouze et faisait mine de ne pas le reconnaître — « oui, nous dirait-il plus tard, pas même de
savoir qui était ce pauvre fadar, ce bougre d'âne, cet
innocent, ce niaiseux qui m'aurait fait honte et qui
n'était plus rien, ici, ni Pythre ni Jean, un matricule,
un rien du tout, le sergent l'avait bien dit, et qui avait
l'air de ne pas comprendre quand il a fallu se mettre
tout nu dans le grand bâtiment qui puait la pharmacie
et les pieds sales ; oui, c'est vrai, il en était encore à
demander pourquoi il fallait se foutre à poil que les
autres rigolaient en claquant des dents et ne cachaient
même plus avec la main ce qui leur pendait entre les
jambes et que lui, Jean, n'avait jamais vu que sur lui-
même. » Il y en avait même qui en tiraient orgueil et
s'employaient à roidir ce bout de chair, vite rappelés
à l'ordre par un sous-officier qui les envoya à la douche, « à la pluie », dirait Jean, avant de se faire peser,
mesurer, questionner, manipuler par des mains
d'hommes en blouse blanche guère plus amènes
qu'autrefois le maître en blouse noire, ou que Pauline, ou que son père aux mains sèches et rudes, lorsqu'il restait bouche bée devant les lettres du livre de
classe, comme il l'était, ce jour-là, mâchant de l'air
devant les lettres noires sur fond blanc et renvoyé
alors à un groupe de types du haut plateau qu'on
avait réunis dans une autre pièce, tous blancs de peau
et maigres, trop petits ou très grands, et qui avaient
même visage halluciné, abruti, apeuré, inquiet et soumis, après avoir révélé qu'ils ne savaient presque pas
lire, ni parler correctement le français, encore moins
écrire et compter, ni pour la plupart comprendre ce
qu'on leur demandait — Jean comme les autres qui
sentait, bien qu'il sût lire et écrire, qu'il devait faire
comme les autres, et surtout pas le malin, et répéter

« pas lire, pas écrire », à mi-voix, les yeux baissés devant l'homme qui, assis derrière un bureau, s'enquérait mais souriant si bien qu'il crut qu'il se moquait et qu'il se mit à hurler : « Nom, prénoms, date et lieu de naissance » ; à quoi Jean répondit, d'une voix plus faible, entre ses dents : « Jean Pythre », où l'on entendit un menaçant et très mesquin « Jean Foutre » qui l'envoya au trou sur-le-champ, parmi les rires et les cris, vêtu malgré le froid de sa seule flanelle et de son pantalon, délesté surtout de sa musette après avoir tenté de la garder et la pleurant pendant deux jours et deux nuits pour la retrouver au matin du troisième jour, avec le poulet qui commençait à sentir et, à la main, sa feuille d'exemption, sous les quolibets des autres, caporaux et conscrits, qui disaient tout haut leur satisfaction d'être débarrassés d'une gourle, d'un crétin de la montagne plus bête que les pierres et puant comme le diable, et si fort que c'était certainement les couilles de son père qu'il transportait dans la musette.

Mais il n'écoutait pas, n'entendait rien, pleurait et souriait, cheminait vers le portail, passait la guérite et prenait à droite parce que le planton, pour rire, lui avait soufflé : « À droite. » Il marcha dans les rues désertes d'un matin de dimanche, mal rhabillé, avec sur les épaules la grande pèlerine du père, bien trop grande pour lui et qui lui donnait l'air d'un chemineau, et ses souliers dont il n'avait pas l'habitude, qui lui blessaient les pieds, et son pantalon dont on ne lui avait pas rendu la ceinture qu'il remplaça aussitôt par un de ces morceaux de ficelle qu'il avait toujours dans ses poches. Il tombait une fine pluie d'octobre qui ne cesserait pas de toute la journée. Il pressa le pas, puis se mit à courir le long des quais de pierre brune, songeant probablement qu'il fallait remonter le courant pour regagner le plateau, où toutes les rivières avaient leur source. Il devait ressembler à un mendigot, à un romanichel qu'on chasse ; et il dut bien y avoir dehors, ce matin-là, quelques bourgeois pour s'effarer de voir galoper dans leur ville cet escogriffe hâve et dépenaillé avec sa barbe de trois jours et sa pèlerine sombre, qui puait comme ce n'était pas permis. Il courut jusqu'à ce qu'à mi-hauteur de la vallée il eût trouvé une pancarte indiquant Égletons. Il aurait pu couper plus court : il n'y songea même pas, n'ayant à ce moment, nous dirait-il, d'autre souci que d'arriver au plus vite, inquiet de sentir si mauvais et de ce qui lui tenaillait le ventre depuis qu'il avait quitté Siom.

Et nous le verrions, le surlendemain matin, après deux nuits passées Dieu sait où, dans les bois probablement, où les branches secouées, les gouttes d'eau, les oiseaux de nuit, les bêtes furtives, le profond remuement des ombres et des souffles l'empêchèrent de fermer l'œil, mais pas de tomber dans une torpeur dont il sortait par sursauts, ayant bu aux fontaines, faute qu'il osât pousser la porte d'un café (où il n'avait d'ailleurs jamais mis les pieds, pas même chez Berthe-Dieu ni chez Chabrat), de surcroît dépourvu du moindre sou et redoutant de rencontrer encore les gendarmes qui, à l'entrée d'Égletons, l'avaient regardé de travers, ayant fini par goûter au poulet dans quoi s'étaient mis les vers mais ne s'en souciant point puisque c'était le père qui l'avait fait cuire et qu'il n'avait jamais mangé que la nourriture du père ; et sans doute vomit-il sur-le-champ, dans l'herbe des talus, par exemple entre Saint-Yrieix et Pradines, et enterra-t-il, on peut le croire, ce qu'il avait rendu avec le reste du poulet. Il se remit à marcher, claquant des dents, l'œil fiévreux, ayant plusieurs fois demandé son chemin mais faisant surtout confiance au fait que ça continuait de monter, que les souffles des bois devenaient plus puissants, retrouvant l'ardoise et le granit, cherchant même dans l'air l'odeur de Siom (ce qu'il croirait sentir toute sa vie : les bois incendiés de Veix, les étables, la forge, le parfum de Suzon, les thuyas, la sueur de Médée), s'égarant du côté de Gourdon, retrouvant la route des Buiges, puis de Siom, pour surgir enfin chez nous, sur la terrasse aux acacias, hébété, barbu, les cheveux mouillés, puant à vingt mètres, méconnaissable, alors que la pluie venait de cesser, dans le soleil pâle qui crevait les nuages, faisait briller le mica de la route et les toits, parmi les longues fumerolles s'élevant des prés, des fontaines, du lac. Nous l'avons vu, le grand gars, remonter vers la place, une main sur la bretelle de sa musette vide, l'autre pesant sur un lourd bâton de marche, la pèlerine déchirée, crottée, ouverte à tout vent, les souliers éculés, souriant aux gamins qui dans la cour de l'école l'avaient aperçu de loin, étaient montés sur le muret et criaient si fort qu'il fallut attendre que Jean Pythre soit arrivé chez son père pour qu'ils se calment. Toutes les portes étaient closes, la Hotchkiss n'était pas garée sur le côté ni dans la grange, les gamins ne l'ignoraient pas ; les plus hardis sautèrent le mur et l'accompagnèrent vers la cabane, piaillant, criant, riant, chantant, non pour se moquer, cette fois, mais pour lui, pour sa seule gloire, peu importait ce qu'il avait fait, là-bas, et pourquoi on ne l'avait pas gardé : à présent il était un homme, disaient-ils, et ça leur suffisait — tout comme à nous, d'ailleurs, qui devenions indulgents. Il était le grand frère ; ils l'entouraient, le félicitaient, ignoraient superbement les exhortations du maître et les punitions à venir : ils regardaient Jean prendre une poignée de sable, à gauche de la cabane, gravir les trois marches de brique, tirer le loquet, poser le sable sur le plancher, près du trou, dénouer la ficelle qui lui tenait lieu de ceinture, laisser tomber ses brages à ses pieds. Ils firent silence. Jean n'avait pas fermé la porte : il fientait devant eux, pour eux, les pieds bien calés de chaque côté de la fosse, et leur souriait, gémissant doucement, les yeux relevés vers le ciel en direction peut-être du Bon Dieu qui avait chu dans le pré, et souriant peu à peu, comme s'il appréciait l'odeur et la qualité de la matière qui sortait lentement de son ventre, qui tomba et alla s'enrouler sur le cône avec une précision si grande que le grand Vialle le supplia de ne point la recouvrir tout de suite ; ils défilèrent derrière la cabane pour admirer l'œuvre de Jean qui finit par se lever en prononçant ces mots dont tous se souviennent encore : « J'ai ramené ma bouse à Siom... »

8

À la nuit, son père le trouva endormi dans le coin
de la porte. Il haussa les épaules, s'étonna à voix haute qu'on pût dormir de la sorte, assis sur la pierre et
par un froid pareil, ajoutant qu'il fallait être bien
abruti et qu'il n'était pas étonnant qu'ils ne l'aient
pas gardé, là-bas, au régiment. Il ne le réveilla pas.
Quelques-uns, aux Buiges, à Treignac ou à La Celle,
l'entendirent murmurer que c'était mieux ainsi, que
Jean ne serait jamais un homme, qu'il avait cette
chance, ajoutait-il en repliant ses lés de tissu sur les
tables des cuisines de fermes et en portant à ses lèvres
un verre de vin ou de gnôle, puisque la vie ne vaut
pas grand-chose, n'est-ce pas, à peine un peu de chair
humide dressée contre le ciel et qu'il fallait se résoudre à voir souffrir infiniment, hein, ça n'en valait pas
la peine.

Il ne s'expliquait pas davantage, parlant parce qu'il
devait le faire, ça faisait partie du métier, comme de
boire ce qu'on lui proposait et qui n'était jamais de la
gentiane, afin qu'on eût confiance, qu'on l'écoutât et
même davantage, racontait-on : qu'on se laissât
culbuter au fond des salles et des granges, fermières
sur le retour, veuves, jeunes bergères, les vieilles aussi, tout ce qui portait jupe et cheveux longs, si bien

qu'il vendait son tissu non pas à la sueur de son front, disaient les mauvaises langues, mais grâce à une tout autre sueur. Pures fables sans doute, ou bien exagérations, puisqu'on vit bientôt son fils l'accompagner dans ses tournées. Il lui montrait le métier et comment conduire la Hotchkiss, parlant peu et d'une voix qu'il tâchait de rendre douce, parce qu'il valait mieux laisser parler les étoffes et les femmes jusqu'au moment où il attaquait, changeait de ton, devenait impérieux, s'emparait du tissu qu'il déployait davantage et dont il entourait soudain le corps féminin en s'écriant :

— Ça n'irait pas mieux à la reine des Belges !

Parole invariable qu'il n'expliquait pas plus qu'il ne présentait Jean que tous prirent pour un commis peu dégourdi, un orphelin dont André Pythre était bien brave de s'occuper. D'ailleurs, ils étaient moins ressemblants que jamais : le père glabre, empâté, les cheveux épais et bouclés et qui ne blanchissaient toujours pas, les yeux encore très sombres, durs, inquiétants, et le fils, maigre, doux, rêveur, lent, avec aux lèvres ce sempiternel sourire qui faisait pitié mais donnait confiance : ça faisait plus sérieux d'entrer le premier, d'ôter chapeau et gants de peau et de se présenter avant de claquer des doigts pour faire surgir avec Jean les pièces d'étoffe, les déballer sur la toile cirée que le commis venait d'un geste large et sûr de débarrasser des miettes, épluchures de fruits, gouttes d'eau et de vin, tout ce qui restait d'un repas au moment où les maris étaient déjà retournés aux champs, ou bien, l'hiver, quand l'engourdissement et la chaleur du cantou appelaient le café, la goutte, la parole, la curiosité. On faisait asseoir le grand Pythre mais pas l'autre, le commis à l'air calme qui restait debout non loin de la table, dans l'ombre, toujours plus près de la porte que de l'âtre ou de la cuisinière ou de la vieille chaise sur laquelle sommeillait une aïeule ou un vieux chien, les deux ensemble, souvent, et qui le considéraient avec bienveillance, comprenant, le chien et l'aïeule, que celui-là n'était pas méchant, qu'il était de la même race, non pas un coureur de bois ou de chiennes mais un qui savait demeurer sur la chaise, dans la cuisine, à attendre on ne savait quoi, comme le chien ou la vieille, en tout cas pas comme l'autre, le bien vêtu, celui qui boitillait de la jambe mais point de la langue et se démenait dans la lumière de la fenêtre ou sur le seuil où il amenait les femmes avec ses grands ciseaux argentés, son mètre à bouts dorés, ses étoffes qui sentaient bon le neuf, son carnet à souche et sa façon de découper le tissu, d'un geste vif et adroit, les yeux mi-clos, brillants, dirigés non pas sur l'étoffe mais sur la femme qui avait dit oui.

Mais même à ce moment elles n'avaient pas le sentiment d'avoir été roulées puisqu'il savait, ce claudiquant au visage grave et au beau langage, les regarder comme elles devaient l'être, toutes ces femmes, ou comme elles avaient toujours souhaité l'être, avec une froide audace par laquelle il les jaugeait au premier coup d'œil, les déshabillait, cherchant en chacune d'elles, sous les sarraus, les tabliers, les mauvaises robes, les chairs flétries, ce qu'elles avaient de désirable, et le trouvant : regard dont fort peu d'hommes étaient capables, les femmes le savaient, l'attendaient sans trop le montrer, sans parfois se l'avouer, mais toutes prêtes à l'honorer, à le rétribuer en achetant du tissu ou, murmurait-on, de tout autre façon, à cause de ce coup d'œil sûr et désespéré, au fond de quoi luisait un désir qui, pour cette sorte d'homme, était un lit de braises. Elles sentaient en lui un de ces hommes qui passent et à qui on se donne sans réfléchir ; pas même un amant : un ardent, quelqu'un qui sera toujours seul, séparé de ce qu'il aime, et avant tout de

248

l'amour comme de lui-même, mais qu'on peut quand on est femme accueillir avec reconnaissance, dût-on brûler longtemps d'un feu que nul mari n'apaiserait. Et elles le jaugeaient elles aussi du premier coup d'œil, de la façon dont elles tâtaient les étoffes, et regardaient parfois le grand jeune homme maigre, derrière lui, qui ne lui ressemblait pas assez pour être autre chose qu'un commis — car on n'imaginait pas qu'un tel homme se nourrît d'illusions, surtout celles du mariage, de l'engendrement, de la perpétuation — même si ç'avait été la quête de sa vie tout entière, la seule, la vraie, la plus désespérée et la plus belle.

Très vite on retournait au silence, à l'atonie des regards, à l'humilité, au demi-jour des salles de ferme qui sentent l'aigre, au crépuscule, à la couche où rêver, oublier, mourir, tandis que le père et le fils regagnaient Siom. C'était Jean qui conduisait, qui donnait aux tournants et aux carrefours de fréquents coups de corne, menant adroitement le bref esquif vespéral, frôlant sur les routes étroites les branches de genêt, les fougères, le houx, n'ayant pas son pareil pour éviter les nids-de-poule, les ornières, les bêtes bondissantes, conduisant en silence jusqu'à la maison où le petit poêle s'était depuis longtemps éteint et ne recommençait à donner de la chaleur qu'après qu'ils s'étaient couchés : de quoi seul le père profitait par sa porte entrouverte sur la cuisine, alors que le fils se glissait entre des draps glacés et malpropres, à peine dévêtu, ayant avalé la soupe mêlée de vin et de pain rassis et quelques-unes de ces sardines à l'huile dont le père, avec l'âge, devenait si friand qu'elles constituèrent bientôt l'essentiel de leurs repas avec des pommes de terre bouillies ou sautées dans du saindoux : les boîtes s'entassaient entre le buffet et le mur, face à la fenêtre, de toutes marques et tailles, et nous savions que Jean aimait, le dimanche, les regarder une à une, les manier pour le plaisir de rebâtir les piles et d'entendre le petit bruit mat qu'elles faisaient en s'entrechoquant.

Mais la plupart du temps leur cuisine restait éclairée fort tard et, mieux qu'au temps de la mère Besse, nous nous fiions à cette lumière, dans la nuit de Siom, pour vérifier avant de nous coucher que tout allait bien. Non que les Pythre fussent devenus, par un singulier renversement de situation, nos divinités tutélaires ; si nous étions si tranquilles, c'était une faveur du sort, et ça ne pouvait bien sûr durer : on avait toujours, disaient les plus vieux, quelque chose à attendre, à redouter des Pythre, et ces vagabondages muets du père et du fils, sur toutes les routes du plateau, avaient on ne sait quoi d'extraordinaire ; et le fils conduisant le père fatigué, c'était bien sûr de trompeuses apparences : non pas la chance d'être autre chose que le gardien d'une maison vide (à cela il n'avait jamais cru, ayant su dès les premières années que l'innocence serait son linge sempiternel), mais l'espoir que le monde (c'est-à-dire tout ce qui n'était pas Siom) déchirerait un peu cette âme simple, ferait de lui autre chose qu'un fils, oui, murmurait le père, que quelque chose enfin détournerait ce regard de la pénombre.

9

Ce fut un visage, le premier que sans doute il regarda, ou le premier qui le contempla, lui, Jean Pythre, sans qu'il lorgnât du côté du père ou baissât les yeux devant elle : car c'était une femme, habile à attraper les regards et à les faire ployer, en bonne institutrice à qui on ne la fait pas, quoique fort jeune et depuis peu nommée là, au hameau de la Nocaudie, entre les Buiges et Bonnefond, dans l'école isolée au sommet d'une haute colline couverte de bruyère et de fougères, parmi les vents qui montaient des vallées et ceux qui traversaient le plateau et remuaient sans cesse les grands sapins qui entouraient l'école en faisant plus de bruit que les neuf élèves, garçons et filles de tous âges à qui il fallait inculquer une langue qui se distinguât du bruit des animaux, du vent dans les branches des hêtres et des genêts, des cris d'oiseaux sur la lande, des râles des amoureux et des mourants.

Elle était arrivée là au début de l'hiver, pour remplacer l'instituteur parti pour le sanatorium, grande fille aux cheveux châtains et frisés, aux yeux clairs, à la bouche rieuse, souvent inquiète mais qui avait l'air de ne pas s'en laisser conter. Elle parlait, et le grand Pythre la laissait faire, soit par calcul, soit que lui aussi fût las de bonimenter et qu'il y eût toujours un temps, disait-il, où il faut s'arrêter pour écouter une femme. Elle parlait d'un fiancé appelé sous les drapeaux, de l'autre côté de la mer ; non, pas en Indochine, comme croyait le grand Pythre : en Algérie, oui, et qui se battait là-bas comme elle faisait la classe, du mieux qu'il pouvait, avec le souci de bien servir la République. Les Pythre l'écoutaient, debout côte à côte dans la salle de classe où elle était restée assise, sur l'estrade, derrière son bureau, après le départ des élèves, et où ça sentait l'encre, la craie, la transpiration, le feu de bois, le gosse mal débarbouillé et la femme qui a vécu en ville. Ils n'étaient pas à leur avantage, les deux Pythre, le premier songeant peut-être à l'école de Saint-Sulpice-les-Bois, au vieux maître, à la dame en blanc, à la combe, à sa mère, à ce qu'il espérait et à ce qui l'attendait ; et l'autre, c'est probable, à rien ni personne puisque ce jour-là la voix, celle de l'institutrice, était un visage, et que les beaux visages vous empêchent d'exister, vous relèguent dans votre obscurité, c'était comme s'il était invisible, lui, Jean, il aimait à le dire, à le croire, à raconter, à ressasser que les Boches ne l'avaient pas vu quand ils avaient fusillé le maître, qu'il était entré dans Ussel à la barbe des mêmes pour aller acheter de la ficelle et des clous, qu'il avait vu, pendant son régiment, la fille du capitaine prendre une douche devant lui, qu'elle avait fini par sourire, voulait se marier avec lui, le capitaine le voulait aussi, et même lui donner ses galons, mais que lui, Jean, n'avait pas voulu.

— Et pourquoi ?

— J'ai pas voulu.

On n'en pouvait tirer rien d'autre. Son visage se fermait sur un mince sourire et il nous regardait comme s'il n'eût pas, en effet, été là ou que nous n'eussions pas existé, tout à ce qu'il venait de dire et souriant à mesure qu'il s'en émerveillait. C'est ainsi qu'il leva ce jour-là la tête vers l'institutrice, le regard clair, les lèvres closes, tandis que son père, lui, se renfrognait, se demandait sans doute comment entreprendre la jeune femme sur le chapitre des étoffes, souffrant de sa jambe au point de chanceler légèrement et demander la permission de s'asseoir. Il allongea la mauvaise jambe dans la travée, à la façon d'un cancre, se moquant tout d'un coup que la jeune femme le découvrît infirme, puisqu'elle n'avait soudain d'yeux, c'était extravagant, que pour l'autre, le Jean, le fadar, le couillon, qu'il aurait volontiers renvoyé à la voiture s'il n'eût craint de déplaire, quoiqu'il devinât la vente compromise, mais ne désespérant pas de revenir à la charge, une autre fois, supputant qu'il pourrait même se servir de Jean et se mettant enfin à parler, à révéler de sa voix monocorde et lasse qu'il savait ce que c'était, qu'il avait combattu, oui, la Grande Guerre, et qu'à soixante-quatre ans il aurait pu encore en remontrer, n'était sa jambe folle, que son fils aîné, Amédée, était soldat, lui aussi, engagé comme ça, sur un coup de tête, on ne comprendrait jamais ces jeunes gens, dans la Coloniale, avait servi en Afrique équatoriale, puis en Indochine où il devait être mort, à moins qu'il ne fût prisonnier des Viets dans un de leurs sales camps de redressement, n'est-ce pas ? Et il baissait la voix, regrettait peut-être d'avoir parlé, ou bien s'en étonnait, car le fils, devant lui, s'était mis à trembler puis à geindre, debout, les bras ballants, la bouche ouverte, comme autrefois à l'école et dans les mois qui suivirent le départ de Médée, quand rien d'autre ne pouvait sortir de sa bouche que le nom de Médée et qu'ils le regardaient méchamment, le maître, le père, Pauline, les autres. Mais l'institutrice le considérait autrement, presque avec bonté, non pas comme la bouchère des Buiges et ces femmes qui avaient dans les yeux il ne savait quoi d'humide et de dur ; elle avait, au contraire, un regard clair et frais, des yeux qui souriaient et qui se plissèrent un peu quand elle se tourna vers le père qui, lui, haussa le col pour échapper à la lumière de midi :

— C'est donc là votre fils ?

Il ne répondit pas, semblait n'avoir pas entendu ; le fils non plus, d'ailleurs, qui s'était apaisé et regardait l'institutrice, songeait peut-être que les autres étaient assez peu différents des nuages, par exemple : ils étaient là, il les voyait du coin de l'œil ou face à lui, puis ils n'étaient plus là, et puis ils revenaient, et tout ça n'avait plus d'importance depuis que Médée n'était plus là ; et Jean lui-même n'avait pas d'importance, disait à présent le père :

— Oui, il n'est rien, il est là parce qu'on ne peut pas le tuer, mais il aurait mieux valu pour lui, pour nous, qu'il n'y soit pas...

— Comment pouvez-vous...

— Regardez-le, il ne sait même pas qu'il existe !

Et le grand Pythre riait. On sentait qu'il eût aussi bien pu se mettre à pleurer. Jean n'entendait pas. Il regardait la jeune femme qui rougissait et devait se demander si le père n'avait pas raison, ou si elle n'était pas comme les nuages, ou comme la neige qui était tombée, cette nuit-là, et sur laquelle brillait un soleil pâle. Il faisait dans la salle une grande clarté qui baignait leurs trois visages et donnait à celui de la jeune femme ce lisse, ce nacré, ce rose quasi transparent que prenait le visage de Suzon quand, avec Médée, le soir, après l'école, ils marchaient sur la route des Freux pour aller voir l'eau tomber des vannes du barrage dont le grondement s'entendait parfois jusqu'à Siom ; il y avait dans les sapins profonds un tournant après lequel il se mettait à trembler et à geindre ; Médée et Suzon devaient alors lui prendre

254

chacun une main ; les garçons s'approchaient de l'immense voûte dressée à la verticale du ciel, se débarrassaient de leurs pèlerines, de leurs bérets, de leurs culottes, de leurs galoches ; ils descendaient dans le ravin par une sente de terre et de cailloux et s'approchaient en se tenant par la main des chutes qui faisaient se lever dans l'air tiède de fugitifs arcs-en-ciel, et ils descendaient dans l'eau qui était à cet endroit peu profonde, mais bouillonnante, pleine d'écume, s'approchaient le plus qu'ils pouvaient du tonnerre puis reculaient en riant de plus belle, la tête renversée vers le bleu du ciel, jusqu'au moment où, perdant l'équilibre, ils se laissaient tomber dans l'eau.

— Il n'est pas mauvaise bête, d'ailleurs, dit le père avec un petit rire, mais ce n'est pas un guerrier, ajouta-t-il, sans qu'on sût d'abord de qui il parlait, de Jean ou de Médée à propos de qui il avait pu lire, dans le journal (à moins qu'on le lui ait dit ou qu'il ait consenti pour une fois à ne point mettre au feu sans les lire ces cartes postales postées à Fort-Archambault, Tananarive ou Saïgon, sans autre écriture que l'adresse, le seul nom de Pythre et, pour illustration, une indigène aux seins nus ou une scène de genre : marché villageois, buffles, danse sacrée, train de brousse, porteuses d'eau, ou un transatlantique à l'ancre), qu'on l'avait décoré avant qu'il eût été porté disparu à Diên Biên Phu ; de quoi le père disait se soucier comme d'une guigne, heureux du moins de le savoir très loin, ayant assez de l'autre, du cadet qu'il avait eu tant de peine à dresser ; et l'on sentait alors combien il avait lui-même de peine à s'exprimer, à cacher combien il était las de tout et qu'il faisait semblant d'y croire, sauf quand il accrochait le regard d'une femme et que ça le reprenait, le brûlait pendant quelques minutes ; ou bien il parlait trop, comme ce jour-là, comme s'il n'était là que pour parler devant cette jeune et fraîche femme aux cheveux frisés qui l'écoutait poliment et souriait au benêt, se demandant peut-être quel était le plus innocent des deux, le père ou le fils qui la contemplait comme s'il n'avait jamais vu de femme, jusqu'à ce qu'enfin le père se levât, remerciât l'institutrice, et, sans même lui avoir présenté sa marchandise ni que l'un ou l'autre trouvât incongrus cette visite et ce qui s'était dit dans la salle de classe où commençaient à pénétrer des odeurs de cuisine, il salua et sortit, songeant sans doute que s'il ne pouvait rien espérer lui vendre, aujourd'hui ni un autre jour, son fils, lui, vu la façon dont elle l'avait regardé, y pourrait quelque chose ; et il n'attendit pas d'avoir claqué la portière de la voiture pour lui dire :

— Tu iras toi-même vendre à cette garce. Je commence à me faire vieux.

10

Et il le lâcha sur les routes, une fois par semaine, le samedi, alors qu'il n'avait toujours pas son permis de conduire, et non plus dans la Hotchkiss, qui avait fini par rendre l'âme, mais dans une 203 grise achetée d'occasion, croyait-on savoir, à un bourgeois d'Uzerche. Mais Jean conduisait bien ; rien ni personne n'eût pu dans ces moments le distraire de ce qu'il faisait, les yeux rivés à la route, légèrement plissés, la bouche fermée, la mine hautaine : il eût franchi de la sorte le dernier cercle de l'enfer.

Il retrouva sans peine le chemin de la Nocaudie, où il n'osa s'arrêter : il fit demi-tour devant le petit calvaire et dut dire à son père que la fille n'était pas là ou qu'il y avait trop de neige pour finir d'arriver là-haut. La seconde fois, il alla jusqu'à la rangée d'épicéas qui marquait le pourtour de l'école et se gara devant la grille close. Il ne descendit pas. Autour de lui, les collines étaient blanches ; les pas des gamins n'avaient guère souillé la neige de la cour et des chemins ; des pies piétinaient près de l'entrée ; de la cheminée s'élevait une fumée d'un bleu plus pur que celui du ciel. Peut-être remarqua-t-il tout ça ; il est plus probable qu'il n'y songea pas, qu'il resta dans la voiture sans bouger, sans plus savoir ce qu'il était venu faire là, chez la femme au visage souriant et frais qu'il vit soulever le rideau, à l'étage, le tenir longtemps écarté avant de le laisser retomber puis d'apparaître à la porte d'entrée, de s'y tenir en frissonnant et regardant le ciel qui commençait à blanchir à l'horizon, du côté des Monédières. Elle rajusta son châle sur ses épaules. Elle chaussa ses sabots, près de la porte, et s'avança dans l'allée. Il ne tourna pas la tête lorsqu'elle toqua à la vitre. Elle fit mine de s'en aller, se ravisa, ouvrit la portière : alors il la regarda, lui sourit, mais ne bougea pas ; peut-être cherchait-il à reconnaître dans ce visage à présent trop proche un visage tout autre, plus dur, moins transparent, moins féminin. Elle se pencha afin d'y mieux voir, car la portière s'était refermée et il y avait maintenant de la buée sur la vitre. Il avait pu sentir son odeur : du bois de feu mêlé à du gardénia. Il rougit et murmura :

— Ça sent quasi comme Médée.

Il regardait devant lui. Elle hocha la tête, lui demanda s'il comptait rester là, à la faire geler, et s'il ne préférait pas entrer pour boire un peu du café qu'elle avait sur le feu.

— Apportez aussi votre tissu, puisque c'est pour ça que vous êtes venu, ajouta-t-elle en riant.

Il leva les yeux vers elle, le front soudain plissé, la bouche entrouverte. Elle fut sur le point de lui demander ce qui n'allait pas, se retint, fit quelques pas et, parvenue au milieu de l'allée, lui cria, à demi retournée, comme elle l'eût fait à l'un de ses gosses :

— Allons, ne tardez pas !

Peut-être l'entendit-elle dire : « Ô ! », puis le vit-elle sourire un peu, descendre, ouvrir la porte arrière de la voiture et en tirer trois rouleaux. Le plus haut perché lui échappa, tomba dans la neige. Et il restait planté là, serrant contre lui les deux autres, respirant par la bouche avec un tel bruit de gorge qu'elle dut penser qu'il allait pleurer. Elle revint sur ses pas, s'accroupit, ramassa le rouleau qui avait commencé de se défaire et faisait dans la neige une large tache jaune clair avec des reflets rouges et noirs. Elle brossa le tissu et murmura, d'une voix extraordinairement douce, que c'était beau, oui, très beau, vraiment, exactement ce qu'il lui fallait pour une jupe de printemps. L'autre n'avait pas bougé. Alors elle prit sous le bras le rouleau et marcha jusqu'à la maison où il se décida à la rejoindre mais ne voulut pas s'asseoir et attendit pour boire son café qu'elle l'eût menacé de ne point l'écouter. Ce n'était pas là le breuvage clair et tiédasse qu'il avait coutume d'avaler avec son père, au petit jour, et qui avait un âcre goût de nuit, d'eau sale, de mauvais sommeil ; celui-là, dans cette cuisine claire et propre qui sentait la pomme cuite, le pain grillé, le lait, le gardénia, lui donna envie de pleurer et de rire tout à la fois, comme lorsque Médée et lui roulaient ensemble dans le grand pré en pente de Berthe-Dieu, sous la route d'Eymoutiers, enroulant avec eux l'odeur du trèfle, de la carotte sauvage, de leurs haleines, et qu'il lui donnait à boire, alors que la tête lui tournait encore, l'eau de la fontaine Saint-Martin dans ses mains réunies en conque et qu'il avalait, parce que ça venait de Médée, jusqu'aux petits insectes et aux brindilles qui y flottaient.

— C'est comme Médée, murmura-t-il en se balançant d'une jambe sur l'autre, les mains dans les poches, avec sur les lèvres un sourire parfaitement idiot.

— Qu'est-ce qui est comme Médée ? demanda-t-elle, le plus doucement qu'elle put, assise sur un coin de la table.

Il la regardait sans paraître comprendre, songeant peut-être qu'il n'avait jamais vu de femme ainsi vêtue, avec un pantalon corsaire, un gros chandail clair, un châle noir jeté sur ses épaules et les pieds nus dans

des sandales blanches, ni se tenir de la sorte, encore
moins parler aussi doucement.

— Dites-moi, qui est Médée ?

C'était encore plus doux. Il se mit à rire ; du moins
pouvait-elle supposer que c'était là un rire : on eût
aussi bien pu croire qu'il sanglotait comme un petit
garçon exténué, ou perdu. La cuiller tremblait dans
le bol. Il murmura qu'il ne fallait pas rire, que ce
n'était pas bien, qu'on a toujours l'air méchant quand
on rit, et que Médée n'était plus là. Il s'était mis à
frissonner. Elle lui ôta le bol des mains et le guida
jusqu'au banc, près de la table, où elle le fit asseoir,
penchée sur lui pour essuyer ses larmes et la sueur
qui coulait à son front, ses joues, ses tempes, lui laissant voir sans qu'elle s'en rendît compte, par le col
de son chandail, une peau plus blanche que ces tissus
que le père remuait avec plus de soin que les autres
et qu'il lui avait longtemps interdit de toucher. Elle
surprit son regard, se redressa, ramassa sur son buste
le châle qui glissait ; puis elle lui dit, toute rose, parce
qu'il fallait parler et qu'il s'était mis à pleurer :

— Moi aussi je pleure, parfois.

L'entendait-il ? La voyait-il ? Était-elle pour lui, à
ce moment, autre chose qu'une voix, la peau trop
douce d'une voix quasi blanche qui sentait le gardénia
et lui faisait penser à Médée, oui, qui sentait comme
lui ? Et (il le murmurerait plus tard, nous entendrions
cette confidence, ce conte à dormir debout) ça le chatouillait entre les jambes, comme le jour exactement
où il avait entendu du bruit, dans l'étable, à Veix,
alors que tous étaient aux champs et qu'il gardait la
maison dans l'étouffante après-midi d'août : des
bruits bizarres et drôles, de petits cris, comme quelqu'un qui se retient de rire ou de pleurer, ou les deux
en même temps, si rapides et légers que ça faisait plaisir à écouter « et que je suis sorti de l'ombre des sapins

260

pour entrer dans la grande lumière d'août puis dans l'ombre de l'étable, sans bruit, le temps de m'habituer à l'ombre encore, faisant attention à ce que les poules ne crient pas tandis que je m'avançais vers là d'où venaient les bruits et où était attaché un petit veau qu'on amenait à la mère trois fois par jour. Mais c'était pas la mère qu'il tétait, vrai, c'était Médée, non, pas Médée ; ça sentait pas comme lui, et on n'y voyait guère avec tous ces insectes et ce foin qui dansaient dans des épées de lumière qui avaient l'air de se battre toutes seules, non, c'était Michel, vous savez bien, le gars qui ne voulait pas qu'on l'appelle Mazaud et qui s'est assommé dans l'étang de la Voûte, oui, le Michel tout près du veau qui tétait ce que Michel avait entre les jambes et qu'il m'avait montré souvent, dans les genêts, oui, qui se dressait, tout rouge, et avait l'air de lui faire mal, car il le caressait quelquefois, et rappelez-vous qu'il faisait beau quand ça sortait, comme du pus, et qu'on aurait dit qu'il allait mourir... ».

Et il regardait Michel qui le regardait sans doute sans le voir, la figure brûlante, avec la sueur qui coulait sur son torse nu et constellé de la poussière de foin qui brillait dans la colonne de lumière où il se tordait, se renversait, se débattait sous les coups de tête du veau qui lui tirait des gémissements et des cris aussi forts que son souffle et les ferraillements de la chaîne d'attache, tandis que Jean se mettait lui aussi à souffler et à gémir, les bras le long du corps, les mains ouvertes, la bouche palpitant dans l'ombre tiède, les yeux rivés au museau de la bête, à ses yeux ronds et hallucinés, aux coups qu'elle portait au ventre de Michel et aux grands coups de reins que celui-ci rendait, à genoux dans le fumier, les mains sur les oreilles du veau à qui il tordait un peu le cou tout en cherchant à éloigner de lui ces babines qui laissaient pendre des fils de bave à quoi se mêlait, disait Jean, quelque chose qui coulait comme le sang de Michel et qui les fit pleurer tous les deux, les deux bâtards, les réprouvés, le violent et l'innocent, celui qui saignait à blanc et celui qui ne savait pas ; et tous deux inclinaient la tête dans une frange de lumière où la poussière commençait à retomber et où Michel tourna vers son demi-frère un visage très doux, apaisé, délivré comme, plus tard, le sien quand il fientait dans la cabane et laissait, avec une lenteur de sablier, tomber sur la matière une poignée de temps, comme disait Médée.

Michel s'était relevé, avait essuyé ses genoux et ses cuisses avec du foin, avait renoué sa ceinture. Il murmura :

— On est des Pythre...

À quoi l'autre répondit, en baissant la tête :

— Oui, Michel.

— Quelle femme nous voudra ? murmura-t-il en s'éloignant vers la porte pour allumer une cigarette dont il souffla dans les rais de lumière la fumée qui se répandit là comme du lait dans l'eau.

— Oui, Michel.

— On est pourtant pas plus moches que les autres.

— Oui, Michel, oui.

Et il riait, non pas de ce que disait son frère, mais parce qu'il comprenait que l'autre n'avait plus mal entre les jambes, que la plaie était refermée et qu'il pouvait enfin poser la fourche dont il s'apprêtait à piquer le veau.

— Médée, dit-il à la jeune femme, ce n'est pas comme Michel.

Elle attendait, faisait mine de comprendre, soucieuse maintenant de se débarrasser du jeune gars qui ajoutait :

— Vous aussi, vous sentez comme les arbres.

Il la regarda avec un sourire triomphal avant de
s'écrier, d'une voix étonnamment claire, presque insolente, la main sur l'étoffe jaune :

— Ça vous irait si bien au teint.

Phrase qu'il avait dû entendre cent fois dans la
bouche du père et qui lui donnait soudain l'air méchant et fit dire à l'institutrice :

— Alors donnez-m'en deux mètres...

Et sans attendre, elle débarrassa la table de ses bols,
de ses pots de confiture, de ses couverts et de ses
serviettes, essuya la toile cirée d'un grand geste impatient, puis déposa elle-même sur la table le rouleau
encore humide. Elle le regarda couper le tissu qui ne
lui plaisait peut-être qu'à moitié, ou pas du tout, mais
qu'elle paya sans avoir le sentiment qu'il en sût vraiment le prix, donna ce qu'elle estimait lui devoir, et
très vite, afin qu'il ne lui vînt pas à l'idée de le lui
offrir, et dit qu'elle était fatiguée, que les gosses
étaient épuisants, qu'il lui fallait se reposer. Mais il
ne partait pas. Il n'avait pourtant pas l'air d'un pique-
assiette, ni de ces paysans qui ne décarrent pas qu'ils
n'aient avalé deux ou trois canons et tenté un compli-
ment ridicule. Elle fut sur le point de le prier de s'en
aller, de prendre l'air sévère avec lequel elle gouver-
nait la classe, elle qu'on appelait la rézentâ, la régente,
la maîtresse : elle se résigna, se rassit, fit comme s'il
n'était plus là. Mais dès qu'elle eut placé deux assiet-
tes creuses, de chaque côté de la table, et fait mine
d'y verser la soupe qu'elle était allée réchauffer sur la
cuisinière à bois, il se leva, bredouilla qu'il ne voulait
pas déranger, et sortit sans parvenir à refermer la porte, tandis qu'elle, sur le seuil, clignait des yeux dans
le soleil du matin, un peu étourdie par le froid. Les
pies s'étaient perchées dans les épicéas où elles jacas-
saient. Un chien aboyait au fond de la vallée. À Siom,
il posa l'argent sur la table et le père poussa devant

lui une assiettée de pommes de terre fumantes, trop cuites. Ils mangèrent en silence, dans une lumière blême. Ils continuèrent à regarder devant eux, le visage entouré d'une écharpe de fumée, le dos courbé, les coudes sur la toile cirée. Enfin le père dit :

— Tu retourneras là-bas samedi prochain, après la foire aux Buiges. Elle n'a pas donné assez...

Il reprit le chemin de la Nocaudie. La neige commençait à fondre. Il expliqua ce que voulait le père, d'un ton sec, comminatoire, comme si c'était là une affaire personnelle. Ses lèvres frémissaient, ses yeux étaient grands ouverts, il regardait la jeune femme avec une joie presque féroce. Puis il se tut, et elle, sur le pas de la porte, l'écouta en souriant, un peu incrédule, mais donna sans attendre les quelques francs qui manquaient, haussa les épaules, rentra, le laissant sur le seuil, près de la porte qu'il ne songeait même pas à refermer, la regardant vaquer aux préparatifs du repas, l'écoutant chantonner, reniflant même pour sentir son parfum qui se mêlait à l'odeur de la soupe qu'elle versa dans une assiette creuse, la regardant manger et s'en allant dès qu'elle tourna la tête vers lui.

Il revint la semaine suivante, et toutes les autres, partant avant que le père fût réveillé, peut-être impatient, soucieux de ne pas tomber en panne ou d'arriver avant l'heure où la jeune femme se mettait à table. Il n'y avait pourtant, de Siom à la Nocaudie, qu'une vingtaine de kilomètres, et nous avons su plus tard que Jean passait ses matinées non pas à vendre du tissu mais à dormir dans la voiture qu'il garait avant l'embranchement de l'école, dans un chemin creux, jusqu'à ce qu'il fût midi ; alors il montait la côte, très lentement, se garait devant la grille, se peignait en s'examinant dans le rétroviseur, descendait en regardant partout sauf en direction de la porte à laquelle il allait cependant heurter, entrait, s'asseyait en face d'elle, buvait en prenant soin de n'aller pas plus vite qu'elle le verre de vin qu'elle lui versait, puis repartait sans qu'ils se soient dit un seul mot.

Elle ne le retenait pas. Jamais il ne la remerciait, ne lui apportait rien, ne lui offrait pas de l'aider. Quand il faisait mine d'ouvrir la bouche ou qu'il la regardait au point d'en oublier de respirer, elle mettait un doigt sur ses lèvres, l'air courroucé, comme elle faisait en classe. Et c'était tout. On aurait eu tort de ne pas croire Jean lorsqu'il dit qu'il n'y eut rien d'autre et que tout s'acheva quand, à la fin du printemps ou au début de l'été, il fut accueilli non par la jeune femme mais par un homme maigre et pâle, d'une trentaine d'années, à qui les bras en tombèrent de le voir entrer comme s'il était chez lui, et qui finit par comprendre, par lui dire qu'il était l'instituteur titulaire, qu'il reprenait son poste, que sa remplaçante était retournée chez elle, là-haut, à Saint-Angel ou à Saint-Pardoux, il ne savait. Et il regardait, amusé, ce grand gars aussi maigre que lui, qui ne disait mot, semblait à peine comprendre, se balançait d'une jambe sur l'autre, à la façon d'un ours, le visage clos puis frémissant, et qui se mit à gémir, à bredouiller un nom qui pouvait être, dirait l'instituteur, Médée, mais à quoi le jeune maître comprit d'abord qu'il demandait de l'aide. Il voulut le faire asseoir. Et comme l'autre braillait de plus en plus fort, il courut chez le plus proche fermier, qu'il ramena avec lui. Ils firent sortir le grand gars qui resta jusqu'au milieu de l'après-midi dans la cour bourdonnante d'insectes, sous les yeux de quelques gamins qui attendaient tranquillement dans les épicéas que le bon ami de Mlle Bonnevialle, l'institutrice, comme ils l'avaient expliqué au maître, se décide à bouger, s'il bougeait, s'il ne prenait pas racine là, en plein soleil, les yeux rouges, n'ayant plus de larmes pour pleurer, balbutiant les mêmes syllabes que les enfants finissaient par psalmodier avec lui, à voix basse d'abord, ensuite plus fort, plus haut que lui, jusqu'à ce qu'il se retournât, les aperçût, leur sourît, haussât les épaules, s'ébrouât, lâchât un « Ô ! » comme s'il s'étonnait lui-même, et remontât dans sa voiture.

11

Le grand Pythre déclinait. Sa jambe le faisait souffrir. Il disait avec de brefs sourires qu'il avait déjà un
pied dans la tombe. Nous n'avions pas envie de rire
ni d'en entendre davantage, soit qu'on ne le crût pas,
soit qu'on redoutât une nouvelle ruse, soit enfin qu'il
dît vrai et qu'on eût peur de le suivre. Nous étions
devenus superstitieux, quasi désespérés ; la vie et
l'après-vie ne nous semblaient que flammes, et nous
n'avions pas su danser dans ces flammes, les laissant
nous dévorer, nous brûler les yeux et le cœur, nous
réduire la langue en cendres. Nous radotions, avions
toujours radoté un peu, et André Pythre demeurait
l'objet de nos rebuseries. Nous ne le connaissions pas
mieux qu'à son arrivée, ne l'avions pas accueilli, ne
lui avions point pardonné son vêtement de péchés,
n'avions nulle miséricorde. Nous ne désarmions pas,
c'était dans notre nature, même si nous comprenions
qu'il était diminué, qu'il était près d'en finir, qu'il
avait sans doute expié. Il n'était, nous le savions
maintenant, certes pas le démon, mais il fallait bien
que nous l'ayons rencontré sur cette terre, ce démon,
au moins une fois, que nous ayons eu notre lot de
frayeur, de dégoût, de souffrance, et quelqu'un à qui
les attribuer, outre le sort, la mauvaise étoile, la terre

ingrate, la politique : ce qui faisait dire à certains que, tout *rouges* que nous étions, nous soupirions encore après les preuves de l'existence de Dieu ; à quoi nous ne rétorquions rien, n'avions plus rien à dire. Il était notre miroir obscur, comme nous peu doué pour le bonheur, avec ceci de plus qu'il semblait s'appliquer à mériter son malheur. Et nous parlions de lui comme s'il n'était déjà plus là — songeant à lui comme à un mort, à tout le moins quelqu'un qui avait toujours été en sursis, n'avait pas vraiment quitté sa combe, ni paysan ni bourgeois, marchand de drap par dépit ou raison, qui achevait ses jours chez nous dans une petite maison sans cheminée ni épouse, ayant tout perdu ou choisi de tout perdre, terre, demeure, femme, enfants, à l'exception de ce cadet qu'il initiait au commerce faute que ce fût à la vie, faisant donc semblant, comme il faisait peut-être semblant de vivre, là encore, de la même façon qu'il avait été propriétaire, époux et père de cette femme et de cette fille qu'il n'avait pas cherché à revoir, incapable de pardon, y compris pour lui-même, et qu'il ne considérait plus comme étant tout à fait de ce monde, reléguées du moins dans une nuit où grimaçaient en silence ceux de Prunde, Aimée Grandchamp, la petite Jeanne, Blanche Queyroix et ses deux autres fils, l'assassiné et l'enfui, comme nous disions, qui avait cessé d'envoyer ses messages de l'outre-mer ou, peut-être, de l'au-delà.

Nuit qu'il avait appris à traverser très tôt, celle de Prunde, celle du plateau et celle de Veix qu'il avait tenté d'éclaircir en incendiant la colline ; notre nuit, à nous aussi, qui étions en fin de compte peu différents de lui. Certains disaient qu'ici, sur le plateau, nous vivions plus près du ciel : proximité qu'il nous fallait payer d'une existence rude, monotone, sans joie, avec dans le cœur et les yeux les flammes des mauvais riches, des égoïstes, des impénitents, rien ne nous détournant de la pensée de la mort, rien ne nous inclinant à plus de compassion envers nos pères, nos fils, nos compagnes et tous ces inconnus en qui nous refusions de voir nos semblables. Nous étions soudain las de nos fardeaux, et de nous-mêmes, en avions assez fait et bien plus que nous n'en pourrions faire. En cela André Pythre était des nôtres : une fierté mêlée d'humilité et de résignation devant la puanteur à venir — à ceci près que lui, il avait toujours pué, qu'il n'était pas arrivé à se défaire de ce qu'il avait autrefois respiré, dans ce hameau où l'on vivait plus bas que terre, comme au temps des Tafales et des Huns, alors que nous, tout aussi pauvres, avions eu église, curé, cimetière, et la haine de tout ça pour nous hausser du col, faute d'avoir pu nous élever l'âme, avec chaque dimanche le souci de bien nous habiller parce que c'était la seule chose qui nous rendait différents de nos bêtes. Ce qui n'empêcha pas André Pythre de quitter un matin la cuisine malodorante où il passait ses dimanches pour surgir, sans qu'on sût pourquoi, lubie de Pythre vieillissant, provocation ou bien peur, vêtu comme un romanichel, sous les voûtes sombres de l'église où le curé des Buiges (un jeune prêtre-ouvrier à lunettes et pantalons de coutil bleu, qui gagnait sa vie à la scierie Leclerc, sur la route de Tarnac) venait dire la messe, de surgir, donc, le dernier, l'inattendu, et de se tenir debout, au fond, près du bénitier de pierre, comme s'il ne devait pas rester, appuyé sur une canne, seul homme de l'assemblée qui n'avait d'ailleurs compté de mâles que le vieux M. Queyroix et le mari d'Eugénie Chaype si jaloux qu'il ne lâchait pas sa femme d'une semelle, même à la messe. Il contemplait on ne savait quoi, le vitrail du fond (saint Martin déchirant son manteau d'un coup de glaive devant un misérable émerveillé) dont plusieurs carreaux avaient presque tous été déquillés par nos garnements, les femmes murmurant, le jeune prêtre qui avait l'air, lui aussi, d'un pauvre type, d'un *rouge*, d'un argumentateur plutôt que d'un apôtre ou d'un serviteur de l'Église. Il était là, donc, sans qu'on sût pourquoi, par quelle folie, disaient les femmes, et resta jusqu'au bout derrière nous qui n'avons cessé, tout ce temps-là, de sentir à notre cou son souffle comme une écharpe d'ombre.

Il continuait ses tournées, seul ou en compagnie de son fils. Peut-être songeait-il qu'il ne voulait pas finir comme ça, dans sa cuisine qui sentait la graisse recuite, qu'il fallait jusqu'au bout faire semblant, s'agiter, donner le change à ce qui venait. Peut-être songeait-il aussi à sa mère, morte en silence, seule, une nuit d'hiver, dans une nuit plus longue que toutes les nuits du monde. Dès lors il s'habilla avec goût, chaque jour de la semaine, sembla vouloir s'aveugler, s'étourdir, ou être prêt au pire, voire quitter sa condition, comme si on pouvait y échapper. Même Émile Dieu, venu avec le siècle on ne sait d'où, peu avant lui, avec pour tout bagage une valise en peau de porc et une licence pour exploiter un débit de boisson, et qui avec le temps et son mariage avec la Berthe était devenu le grand Berthe-Dieu, ainsi que nous avons fini par l'appeler, même lui ne nous impressionnait pas comme le fit André Pythre déclinant qui traînait son âme noire et sa guibolle raide dans les mauvais chemins, les foires et les fermes où il vendait pour trois sous de calicot. Nous avions conscience de la vanité de tout ça, gardions en mémoire le tonnerre de Verdun, l'odeur de boue humaine, les visages qui avaient vu ce qu'il ne fallait pas voir, les femmes murées dans un chagrin qui fut la seule éternité à quoi elles croiraient désormais, puisqu'il faut bien croire à quelque chose, comme nous, comme Pythre. Il voulait vivre, lui, même si les jeux étaient faits. Nous l'avons vu laisser son commerce à son fils, les jours de la semaine, sauf le samedi où il prenait, lui, la 203 puis, lorsqu'elle les lâcha, la 403 blanche, flambant neuve, trop belle pour ce qu'ils en faisaient, du moins pour que, lui, André Pythre, allât boire dans certaines fermes du canton, et plus volontiers chez les Raulx, à Sireygeol, au sud de Siom, tous célibataires, farouches, rusés, intelligents, qui n'avaient pas oublié, l'aîné surtout et la sœur, les noms de Voltaire, Jean-Jacques Rousseau et Victor Hugo, entendus à l'école et depuis lors prononcés à tout bout de champ comme des viatiques et opposant cette trinité à l'autre, rejoignant dans le vin les mystères du Christ, et la sœur aussi bien que les frères, jusqu'à ce que chacun eût roulé en lui-même, avant que ce fût sous la table, ou encore, disait-on, sur la sœur, à tour de rôle, sans vergogne. Pas mauvais bougres, au demeurant, ces Raulx, lorsque les liqueurs n'avaient pas allumé en eux ces feux qui les assombrissaient tout en les faisant parler plus fort que la tempête et appeler sur le monde, et particulièrement sur Siom, les sept plaies d'Égypte. Imprécations dont André Pythre était exclu parce que de la même espèce que ces petits fermiers, ces floués, ces gourles magnifiques qui se seraient regardés mourir toute leur vie, dans la solitude et dans l'opprobre.

Nous avons vu, un matin d'octobre, très tôt, trois des Raulx descendre la côte des Rameaux, Albert conduisant, le béret vissé sur ses cheveux trop longs ; Étienne juché sur le côté, contre le garde-boue ; et dans la remorque Marcelle, la sœur, dont on voyait les bottes de caoutchouc dépasser du côté gauche. Ils s'arrêtèrent devant le lavoir ; Albert monta à la mairie pour réveiller Liselotte Vialle qui entrouvrit ses volets, les envoya promener et raconterait plus tard qu'elle n'avait pas vu ce qu'il y avait dans la remorque, qu'elle les avait crus soûls. Ils ne l'étaient pas ou ne l'étaient plus. Étienne haussa les épaules, jura, remit en route le tracteur qu'il amena jusque chez Berthe-Dieu qui était levé, les fit entrer dans la cuisine, leur servit à boire. Ils parlaient tous les trois en même temps, trop fort, comme tous ceux qui ont fréquenté plus de bêtes que d'humains. On finit par comprendre que le grand Pythre gisait dans la remorque, entre les ridelles, parmi des morceaux d'écorce, de la mousse, des éclats du bois qu'on avait rentré l'avant-veille. Ceux qui descendaient chez Berthe-Dieu ne s'arrêtaient pas au tracteur. On ne se soucia de lui que lorsqu'on eut appris, au bout d'une heure, ce qui s'était passé et qui fit crier (sans doute le mari d'Eugénie Chaype, le jaloux, le piteux, le bravache, dont on regretta sur-le-champ que Pythre ne lui ait pas fait pousser au front une forêt d'andouillers) que ça débarrassait bien.

— Il le mérite, braillait l'aîné des Raulx qui n'avait pas compris ou qui poursuivait son idée, parce que avec la ruade qu'il a reçue, quand il est allé pisser dans l'étable, trop pinté pour se rendre compte, ça lui a fait remonter les couilles à la gorge...

Ça l'avait même rendu tout violet, si bien qu'il avait fallu l'allonger dans la cuisine, près du feu, dans le lit d'Albert et d'Étienne, et qu'on avait songé à aller chercher le médecin des Buiges. Mais il pleuvait à seaux, il était déjà nuit, et pas un des Raulx ne savait conduire la 403 dont on ne trouvait d'ailleurs pas la clé. On avait attendu le lendemain matin, que le facteur passât (et encore n'était-on pas certain qu'il passerait et qu'il ne faudrait pas aller à Siom), pour que le médecin soit alerté, à la fin de la matinée, lorsque la tournée fut achevée — c'est-à-dire vers midi, lorsqu'il y eut deux des Raulx endormis dans la voiture de Pythre, Albert et Louis effondrés sur la table de la cuisine, et la sœur allongée sur le lit, à côté du blessé qui geignait et râlait doucement, les yeux clos, déjà inconscient, avec, au bas du lit, la brouette dans laquelle on l'avait ramené de l'étable et d'où on avait failli ne pas pouvoir le remuer. Le médecin (non pas celui-là même qui avait accouché Aimée Grand-champ : un autre qui avait depuis longtemps jeté ses illusions et ses scrupules aux orties) l'examina, murmura qu'il n'était pas possible qu'on eût attendu si longtemps pour venir le chercher, qu'on n'aurait jamais fait ça à un animal. Mais c'était aussi bien contre lui-même qu'il pestait, ayant déjà avalé, à plusieurs reprises, le rhum que lui servait Albert Raulx ; puis il alla s'asseoir avec eux et trinqua jusqu'à ce qu'il se rappelât et leur dît sans baisser la voix qu'il n'y avait rien à faire — ce qu'il leur prouva sur-le-champ en établissant un certificat de décès.

— Mais il n'est pas encore mort ! murmura la sœur.

— Il est foutu. Alors, un peu avant ou après...

Et il sortit en titubant, assurant à la sœur que Pythre ne sentait plus rien, que lui au moins avait cette chance, qu'il ne se serait pas vu crever, que Dieu ne pouvait pas faire de bien à tout le monde. La sœur haussa les épaules. Elle tendit un billet à l'homme de l'art, qui n'en voulut pas et se dépêcha de remonter dans sa voiture. Elle rentra dans la salle en disant qu'il y avait encore des hommes dignes. Puis elle se remit à boire avec les autres, tout près du moribond qu'on entendait à peine respirer et qui sans doute ne les entendait pas ou, s'il les entendait, ne s'en souciait probablement plus, s'entretenant déjà avec les anges, il faut le croire, puisqu'il avait déjà aux lèvres ce sourire extraordinairement doux que nous lui verrions tous, le lendemain, lorsque les Raulx dessoûlés, réveillés, remis d'aplomb, eurent constaté qu'il était froid.

12

Les Raulx avaient donc vu mourir André Pythre.
Ils buvaient, attablés chez Berthe-Dieu, comme ils
n'avaient jamais bu de leur vie, sachant qu'ils ne pouvaient repartir comme ça, sans avoir raconté plusieurs
fois l'affaire, avec l'arrogance sombre des grands buveurs, des détenteurs de vérités. Et nous les écoutions, respirions cette odeur lourde de vin, de tabac,
de vache, de feu humide, de sous-bois, de linge malpropre, nous nous étions mis à boire, sinon pour fêter
ça, du moins nous en pénétrer, laisser s'accomplir à
grand bruit la légende selon les voix mêlées d'Albert
et d'Étienne Raulx, tandis que Marcelle, la sœur, opi-
nait du chef avec cet air sinistre et triomphal qui nous
faisait dire qu'elle vivait le démon sur l'épaule. On
écouta cela jusqu'au milieu de la journée, et ça continuait de batailler ferme chez Berthe-Dieu, comme en
un jour de foire (mais il n'y avait plus de foire chez
nous — à peine une fête qu'on disait locale, le 2 juillet, au cours de laquelle nous célébrions la nuit qui
venait, éternelle, à grands pas) ; et les hommes sortaient à chaque instant pour pisser, derrière le hangar
à bois ou le mur du jardin, près du tracteur, sans un
coup d'œil au mort (sauf le fils Philippeau, déjà soûl,
qui pissa contre la roue de la remorque et contempla,

riant et tanguant, le grand Pythre qui souriait et qui, dirait-il en rentrant, avait enfin l'air tranquille) ; sans qu'on songeât, non plus, à aller chercher le fils, là-haut, qui avait passé la nuit dans la cuisine, sous l'ampoule nue, mangeant sa soupe froide et, au petit matin, celle, plus froide encore, du père qu'il imaginait peut-être en compagnie d'un chiffon, d'une fillasse, d'un muet tendron — à moins qu'il ne se dît que le père aussi avait fait comme Médée, et Pauline et Suzon : qu'il était parti — et ne s'en émouvant pas davantage, ne se demandant point, lorsqu'il alla s'enfermer dans la cabane grise, au fond du pré, ce qu'ils avaient tous à brailler, chez Berthe-Dieu, ne pouvant voir, d'où il était, à cause du surplomb et du muret, le tracteur ni la remorque, et se disant peut-être que nous étions devenus fous. Puis il ôta les grands volets de bois de la boutique, s'assit derrière le comptoir, dans un rayon de soleil, et attendit.

Bientôt nous fûmes tous là, ceux de Siom, bien sûr, puis ceux des hameaux et des fermes où le bruit de sa mort venait de se répandre on ne savait comment, comme la légende que nous raclions, d'abord dans la cuisine de la Berthe, ensuite, et bien que ce ne fût pas dimanche, dans la salle de restaurant, puis sur la petite terrasse et sur la place où l'on voyait même arriver ceux qui ne sortaient jamais de leur trou et avaient perdu leur nom et en illustraient un autre, plus beau, sonore, digne, eux aussi entrés dans la lente geste de Siom et dans la fin des temps, Célestin de la Voûte, Guy de la Chapelle, le petit Roger, Antoine de la Moratille, Adrien de la Vialloche, Pierre de Condeau, André de la Regaudie, Jean de l'Éburderie, Rigadin de la Croix, Léon de la Buffatière, Isidore des Égliseaux, Désiré le bachelier, arrivés les uns après les autres, sans qu'on leur ait rien dit ni qu'ils sachent pourquoi, n'ayant suivi nulle autre étoile que ce désir obscur d'aller jusqu'à Siom, comme pour une victoire ou une fête, entendre une vérité heureuse au son des cloches que les gamins, sans attendre l'ordre, faisaient sonner à toute volée, les yeux brillants, les lèvres retroussées par la joie furieuse des grands jours, soulevés, eux aussi, par cette parole qui prenait source chez Berthe-Dieu, innombrable, en patois ou en français, le plus souvent dans les deux en même temps et surtout dans ce bruit qui rôde au fond des langues et qui est, au-delà des mots et de ce qu'ils disent, le vrai bruit de gloire — celle d'André Pythre et des siens, eût-elle, cette gloire, pour seul éclat sa noirceur et notre liesse. Que leur sang fût maudit n'établissait pas pour autant notre triomphe, en tout cas ne nous mettait pas, comme eux, au-dessus des lois humaines ; c'est ce que nous avons dit aux gendarmes, à qui il avait fallu téléphoner. Le brigadier nous écoutait d'un air agacé, le deuxième se tenait près de la remorque, le troisième était monté chercher le fils.

Nous l'avons vu, ce Pythre-là, le dernier, l'innocent, celui en qui les sangs s'étaient mal mélangés, descendre la place aux côtés du gendarme qui le tenait par le coude comme s'il était coupable ou qu'il ne comprît pas ce qu'on lui avait annoncé, oui, franchir la foule qui s'écarta lentement, se laissant frôler, humer, sourire, ne sachant pas qu'il aurait désormais à répondre des Pythre et, plus précisément, de ce vers quoi le gendarme le conduisit, devant la remorque où marmonnaient, chapelet aux doigts, les femmes de Siom. Nous nous attendions à le voir geindre, ou crier, ou pleurer, se balancer d'un pied sur l'autre et appeler, psalmodier le nom de Médée ; il n'en fut rien : il était là, à regarder son père, les yeux secs, le visage tranquille, avec sur les lèvres un sourire que nous ne savions comment comprendre et que, pour cette raison, nous prîmes pour délivrance, restitution, victoire en lui de notre sang, de la vraie innocence. Nous pouvions exulter en silence devant cette dépouille dont nul ne semblait savoir que faire (même après que l'adjoint de Farges, le maire, eut révélé que le défunt avait acheté, bien des années auparavant, au moment où la vallée avait été inondée, une concession perpétuelle au nouveau cimetière). Le brigadier entendait verbaliser Étienne Raulx pour avoir transporté illégalement un cadavre et l'avoir exposé à la vindicte publique ; à quoi le grand Étienne ne comprenait rien, se mettant en colère, tentant de démontrer que ce n'était pas un cadavre mais André Pythre, et qu'André Pythre ne pouvait être mort, même s'il n'était plus en vie ; et on en fût venu aux mains si les vieilles de Siom qui formaient une haie noire autour de la remorque (et parmi elles priaient celles qui avaient eu pour le défunt la dent la plus dure) ne s'étaient alors mises à chanter cette prière des morts qui leur venait de l'enfance et qui était sans doute tout ce qui leur en restait avec quelques sourires de jeunes hommes et la lumière d'étés trop courts. On se tut. On les laissa faire. Le maire monta ensuite sur le marchepied du tracteur, une main accrochée au volant, l'autre s'agitant devant lui, la face rouge, les yeux écarquillés, la bouche mauvaise, presque aussi soûl que les Raulx. Il nous exhorta à rentrer chez nous. Nous n'avons pas bougé ; nous attendions ce moment depuis tant d'années, n'attendions que ça, même si beaucoup d'entre nous étaient trop jeunes pour être entrés dans cette attente et partager la patience de nos aînés et de nos morts.

Nous nous sommes un peu reculés pour laisser le tracteur (au volant duquel s'était installé un Farges dessoûlé par le sentiment de son importance) décrire une courbe magnifique autour du monument aux morts avant de s'arrêter devant la demi-lune où attendait la noire haie des femmes. Nous sommes restés groupés au bas de la place et sur les côtés, sur les trottoirs de Berthe-Dieu et de Chabrat, à hauteur du grand chêne, sur le mur de Heurtebise, sur celui de Pythre, même. Les gendarmes portèrent le corps à l'intérieur, sur un lit aux draps malpropres, et le laissèrent là, dans la pénombre, comme s'ils avaient hâte de s'en débarrasser, de quitter cette chambre où ça puait autant que dans la cuisine, comme si la maison s'était mise à puer davantage, non pas depuis qu'on y avait porté André Pythre, mais (on n'aurait su l'expliquer) depuis le moment où il était mort, et peut-être depuis qu'il était venu y vivre et qu'il avait compris qu'il ne s'en sortirait pas, qu'on n'y échappait pas, qu'il suerait toujours cette peur qui l'étreignait, là-bas, à Prunde, et qui, enfant, lui faisait se demander pourquoi il fallait mourir et pourquoi on n'enterrait pas les morts au ciel, dans les nuages.

Puis on s'en désintéressa ; on laissa le fils se débrouiller avec le corps du père. Nous avions la légende, le reste était l'affaire des femmes, de qui nous apprîmes plus tard comment le grand Pythre fut veillé, cette nuit-là, par les plus vieilles qui veillèrent d'ailleurs autant l'innocent que le mort, sous l'ampoule crue, tandis qu'on pouvait entendre Chabrat qui, dans son atelier, toute la nuit, travailla au cercueil. Mais dès le matin, il y eut ceci d'extraordinaire que les vieilles rentrèrent chez elles sans dire mot, que Chabrat laissa le cercueil inachevé et alla couvrir le toit des Miquelon, aux Places, et qu'on cessa, d'un coup, de battre la légende, dès lors enfouie au plus profond de nous qui retournions à nos travaux d'automne, à nos songes, à nos amours, à l'ennui, au tremblement, au sommeil, d'où nous tira, le troisième jour, on ne sait quoi, un aboiement de chien ou le rire en nous du temps, ou rien du tout. Nous avons levé les yeux vers la maison des Pythre. Nous y sommes allés, avons toqué à la porte, puis aux volets, sommes entrés dans le magasin, avons ouvert la porte du couloir, reçu en pleine face un air plus froid que les nuits de gel, et, par-delà la cuisine, aperçu le grand Pythre sur son lit, dans son costume du dimanche, avec à son chevet l'innocent qui sommeillait sur une chaise et qui, lorsque nous lui avons touché l'épaule, nous regarda comme s'il ne nous voyait pas, de sorte que nous nous sommes demandé si ce n'était pas lui qui était mort ; d'autant que, chose encore plus extraordinaire (et nous fûmes tout près de voir là un signe du Ciel), le grand Pythre ne puait pas, sentait à peine le rance, quelque chose de supportable, l'odeur d'une pièce mal aérée. C'était le visage qui faisait peine à voir : il avait viré au noir et paraissait tout fripé, tout séché comme le dessus du corps tout entier, alors qu'on voyait bien que le dessous se liquéfiait — et tout ça sans que son beau sourire l'ait quitté.

Nous ne savions plus que penser. Chabrat alla ouvrir la fenêtre puis s'adressa à Jean qui le regardait sans comprendre et se laissa prendre par le bras et amener dans la cuisine où il lui fut représenté qu'il fallait que ça cesse, que c'en était fini, que c'était à la terre de faire son œuvre et à nous d'emporter ce corps sans odeur mais plus noir que le démon et dont nous avions si peur encore que nous l'avons enveloppé dans ses draps et dans sa couverture pour le glisser dans le cercueil que le commis de Chabrat avait fini par apporter et dont nous avons cloué sur-le-champ le couvercle, sans nous soucier de l'innocent qui était resté debout dans la cuisine et souriait dans la lumière du matin, la bouche calme, les yeux plissés, exactement comme il se tiendrait un peu plus tard, là-haut, sous les hêtres du cimetière, devant la fosse que Chave venait de creuser, plus profonde qu'aucune autre, et autour de laquelle nous nous plaçâmes sans attendre que le curé fût arrivé des Buiges : nous frémissions, écoutions d'une oreille sourde Farges prononcer des banalités, cela même que nous pourrions entendre à notre sujet, quand nous serions là où se trouvait le grand Pythre, oui, à nous entendre dire aussi — ce qu'ajouta l'abbé Guerle, enfin là, avec sa veste achetée aux surplus de l'armée, l'étole au cou, le missel clos à la main — que nous, nous n'aurions rien été, surtout pas une légende, à peine quelques syllabes ébruitées par un enfant ignorant, moins que le bruit du vent dans les orties, nous, ses semblables, les frères de ce grand idiot, au bord de la fosse, qui semblait enfin comprendre, faisait des signes de croix maladroits et qui se mit à regarder le ciel, un ciel très bleu dans lequel ne passait ce jour-là aucun nuage.

QUATRIÈME PARTIE

Jean

1

Nous l'avons raccompagné. Nous avons aidé les femmes à brûler dans l'arrière-cour la paillasse et les vêtements du mort, tandis que le fils enfouissait dans un coin du jardin leurs derniers étrons mêlés et que nous autres, peu craintifs mécréants, achevions d'enterrer en nous-mêmes ces fagots d'espoir allumés, tant d'années auparavant, aux incendies de la grande Russie, par quoi nous avions cru le paradis probable sur cette terre, et alors que nous étions depuis toujours résignés au pire, à notre misère, à notre froide terre, à notre fiel ; incapables, donc, de nous trouver de la pitié pour le disparu (heureux, qui plus est, d'avoir pu voir cela : Pythre emporté non pas d'un coup de fusil ou de couteau, encore moins par la maladie mais, tel un valet ivre, par une ruade de vache), non plus que pour celui qui restait et qui continuait de vivre comme du temps du père, sauf qu'il avait condamné la chambre du défunt, parlant plus bas que d'ordinaire lorsqu'il se trouvait dans la cuisine, afin de ne pas faire de bruit « pour le pauvre papa », disait-il, étant bien le seul, sur cette terre, à plaindre le grand Pythre, avec une ferveur tranquille, quasi détachée, comme s'il s'agissait de quelqu'un qui ne fût ni mort ni vivant mais qui se tînt dans l'entre-deux des songes, et veillant sur ce clair-obscur d'hypogée, depuis la fientaison matinale jusqu'au milieu de la nuit, sous l'ampoule nue, avec de longues stations au fond du magasin et, le samedi, une tournée en voiture entre les Buiges, La Celle et Treignac, dans ce triangle dont Siom n'était pas même le centre mais un simple point d'effacement, d'oubli, ou de résignation.

Il ne cherchait pas à convaincre, parlait peu, se rappelait qu'il était là pour vendre, arrivé comme naguère dès la fin du repas ou aux heures lentes de l'après-midi dans l'odeur de graillon, de feu, de lait, d'étable, de femme lasse. On le laissait s'habituer à la pénombre, à ces regards qui luisaient, tournés vers lui, patients, curieux, amusés, jamais hostiles, simplement ouverts, le plus souvent, sur ce grand type qu'on reconnaissait tant comme il était fluet, avec ses cheveux trop longs qui lui retombaient derrière les oreilles, comme un poète, disaient les femmes, de part et d'autre d'une figure étroite et pâle, au front déjà plissé, qui souriait d'un air inquiet et attendait, ses rouleaux sous le bras, qu'on lui dise de déballer ses affaires — ce qui faisait pouffer les femmes qui savaient qu'elles ne lui achèteraient rien, et qui avaient peut-être pitié de l'innocent flottant dans ses trop larges habits de ville, avec sa montre de gousset détraquée qui marquait un temps aussi excentrique que lui et aussi vain que ce tissu qu'on leur proposait depuis plus de quatre ans et que toutes reconnaissaient, un peu irritées qu'on ne leur montrât rien de nouveau mais finissant par s'en faire donner un mètre pour rien, ou en échange d'un verre de café ou de gnôle, quand ce n'était pas d'un sourire.

On le voyait surgir partout, dans les cuisines, les cours de fermes, les foires, avec son tissu démodé et défraîchi, et son sourire de pauvre fadar, ayant lassé les fournisseurs tout de même qu'il épuisait ceux qui s'approchaient et qui voyaient qu'il n'avait rien à vendre, pas même de quoi faire un sarrau, un torchon, un linceul — pas même lui, murmuraient les femmes, non, pas même lui, songea sans doute le notaire de Meymac de qui Jean garda pendant plus d'une semaine la lettre dans sa poche. C'était le fils de ce maître Laperge avec qui André Pythre avait fait affaire, ou plutôt, se dit peut-être le successeur, devant qui le père s'était entendu notifier les conditions auxquelles il pourrait changer de vie, au temps où il avait encore ces illusions-là.

Il monta à Meymac, un vendredi, gara la 403 sur une petite place en pente, en face d'une vasque circulaire dont on avait coupé l'eau, sonna à la grille d'une maison ancienne au toit pointu, aux murs entièrement recouverts de vigne vierge. On l'introduisit dans la pièce profonde où les meubles luisaient, où l'on pouvait respirer des odeurs de viandes cuisinées mêlées à des parfums plus lourds, où les rangées de livres semblaient soutenir les plafonds. La pluie de novembre battait les carreaux des deux fenêtres, couvrant par instants le ronronnement du poêle et aussi celui du notaire qui exposait à Jean la situation financière de la famille Pythre, depuis la combe de Prunde jusqu'à la mort du père, à Siom. C'était l'envers de la légende, le grand récit de la loi, ce avec quoi on ne triche ni ne joue, et qu'il écoutait sans broncher, et, on peut le croire, sans rien comprendre ni même entendre, ses yeux ne quittant pas les trois femmes qu'il avait trouvées dans l'étude, assises en arc de cercle sur la droite, et qui n'avaient pas tourné les yeux vers lui quand il était entré avec son odeur de pluie, de brillantine bon marché, de vieux garçon, en noir toutes les trois, le visage dur et hautain, sans que cette hauteur cachât leur nervosité ou qu'elle parût messeoir à la plus jeune, qui semblait n'être pas tout à

285

fait là, très belle, avec quelque chose d'étrangement soumis, résigné, ou désespéré, et en qui il reconnut peut-être Suzanne Pythre, comme dit le notaire après avoir prononcé les noms de Pauline Pythre, née Bordes, d'Amédée Pythre et d'Aline Broussas, née Bogros, fille d'Octavie Bogros, elle-même née Grandchamp et fille d'Élise et de Jules Grandchamp. Mais sans doute Jean ne pouvait-il comprendre que ces noms familiers se rapportassent aux froids profils qu'il avait sous les yeux, à ces trois femmes suspendues aux lèvres du notaire qui était en train de leur faire savoir que deux d'entre elles perdaient tout : la colline autrefois incendiée et depuis lors à l'abandon, qui revenait à l'héritière Grandchamp, et la maison sise à Siom, qu'elles avaient volontairement quittée, dix ans auparavant, alors qu'elles étaient l'une mariée, l'autre mineure, et qui revenait au fils cadet, selon la volonté du défunt, puisqu'en outre l'aîné avait lui aussi volontairement quitté les lieux et pouvait être considéré sinon comme décédé, du moins comme disparu.

C'était tout. On se leva, se regarda brièvement, échangea de brefs saluts de la tête, étouffa quelques reniflements, passa dans le couloir, Jean ayant ouvert la marche puis s'effaçant pour laisser passer l'héritière Grandchamp, mais tendant les lèvres vers la joue de Pauline à l'instant où celle-ci franchissait le seuil et d'elle recevant une gifle et ces mots : « Que le diable... », ramené sur-le-champ, c'est probable, à ces moments où il ne voulait pas voir que Maman riait au bord du puits. Suzon prit sa mère par le coude, regarda Jean et murmura, sans qu'on pût savoir si c'était au frère ou à la mère :

— Finissons-en.

Et elle poussa sa mère dans l'allée, vers la grille qu'entrouvrait déjà l'autre femme, la plus vieille, l'in-

connue à la figure osseuse. Mais Jean souriait à Suzon ; il ne quittait pas des yeux ce visage mince et
pur, extraordinairement blanc, dont les vêtements de
deuil rehaussaient l'éclat sous la lourde chevelure
brune ramassée en un haut chignon sur le devant duquel était inclinée une toque munie d'une voilette qui
ombrait des yeux déjà fort noirs qu'elle jouait peut-
être à dissimuler dans l'ombre du parapluie sous lequel elle s'abritait tandis que le frère, sous la pluie,
se demandait sans doute, comme tant d'autres,
comment on pouvait être d'une pareille beauté et
n'appartenir à personne, il l'avait entendu dans maintes bouches mais ignorait tout le reste, la gloire de sa
sœur et sa sourde légende qui disait que l'air de Féniers ne lui réussissait pas, qu'elle se cachait, qu'elle
occupait ses journées à épier ce que le temps faisait
de son visage et qu'elle avait le nez sur ses miroirs
comme d'autres sur leur conscience et que le regard
des hommes n'y était que buée.

Elle était à cette époque la plus belle femme du
plateau et on se le disait avec une sorte d'effroi, non
pas belle femme ou belle fille, c'est-à-dire bien en
chair et solide, mais belle, comme ça, comme est belle
la nuit ou comme on peut avoir une belle mort, ou
encore, disions-nous en nous rappelant de qui elle
était la fille, aussi belle que son père avait eu l'âme
noire. Quelques-uns, des Buiges, de Tarnac, de Siom
ou de plus loin, étaient pourtant montés à Féniers. Ils
se garaient près de l'église, allaient s'asseoir à la terrasse du café Thézillat ou, s'il faisait mauvais, derrière
la fenêtre. Ils avaient la même mine, tous, las, un peu
gênés, presque tristes, savaient qu'ils faisaient fausse
route, qu'ils n'avaient nullement l'apparence de simples buveurs, que Féniers n'était pas un de ces endroits où l'on s'arrête pour boire mais un lieu où
mourir, tout de même qu'ils venaient, semblait-il,

respirer quelque chose comme la mort dans leurs habits du dimanche dont ils n'osaient desserrer le col et qui étaient sur eux, en semaine, aussi incongrus que la lune en plein midi : trop jeunes hommes ou messieurs sur le retour en costumes de noces qui n'auraient, ils le savaient, jamais lieu et qui presque tous repartaient, un peu ivres des liqueurs qui avaient blanchi dans les hauts verres évasés, sans avoir aperçu la beauté qui les rendait si tristes, ayant écouté, pitoyables et rouges, Thézillat le bistrot leur parler d'elle à mi-voix ; il attendait pour cela que le prétendant en fût à son troisième Pernod, qu'il eût enfin desserré sa cravate et posé les coudes sur la table ; alors il s'approchait et disait, en regardant le ciel :

— C'est ma tournée.

Puis il essuyait à petits coups de torchon quelques gouttes d'eau sur la table et s'asseyait à côté du prétendant, tout près de la porte dont on avait accroché à chaque montant les lanières multicolores du rideau. Sans doute avait-il, lui aussi, connu la même détresse, les uns et les autres soudain semblables à des enfants déçus et tristes, mais tenus à un devoir dont ils ne comprenaient pas qu'il avait à voir avec la gloire, la perpétuation de l'espèce, et la solitude dans quoi nous plonge la beauté des femmes. Et il finissait par soutenir, le Thézillat, devinant que ce n'était rien d'autre qui leur étreignait le cœur, qu'on ne pouvait rien dire contre ça, que c'était ainsi, une femme qui allait sur ses quarante ans et qui restait seule, belle comme le jour et la nuit, oui, que c'était à pleurer, mais qu'on n'y pouvait rien. Il est vrai, ajoutait-il plus bas, qu'elle n'avait jamais rien fait de ses dix doigts, sauf l'année où elle avait tenu le secrétariat de la mairie : tâche bientôt abandonnée sans qu'on ait su pourquoi (le père Bordes à sa mort ne leur ayant, à elle et à sa mère, laissé que la petite maison), sans doute,

murmurait-on, à cause du second adjoint qui la serrait de trop près, autant que de ses fautes d'orthogra-
phe et de son indifférence à tout ce qui concernait
Féniers, la République, les gens. Elle vivait repliée sur
cette beauté dont on pouvait à présent penser qu'elle
était son tombeau, sa joie et son tourment, sa raison
de vivre et ce qui la tuait, comme nous tous, n'est-ce
pas, mais plus que nous maudite, oui, avec ça en plus,
ce qui n'est pas rien, même si on se demandait pourquoi et que quelques-uns croyaient savoir, un type de
là-bas, de Siom où elle avait vécu autrefois, où elle
était née, même, qui était venu comme les autres, un
jour, et avait parlé, avait dit qu'on l'avait attrapée,
autrefois, quand elle était encore toute jeune, et attachée à des branches de bouleaux, en pleins bois : ils
savaient, le type de Siom se rappelait précisément,
tout ivre qu'il était, de quelle douceur était cette
peau, et il avait suffi qu'ils voient ça, une seule fois,
dans la clarté tendre des bouleaux, un jour de printemps, pour qu'ils en aient été à jamais brûlés, certains qu'ils ne reverraient ça de leur vie, jamais, pas
même dans les bordels de Limoges ou de Clermont,
haïssant dès lors la femme qui avait ouvert en eux
cette plaie et à travers elle toutes les femmes, y
compris celles qu'ils épouseraient, voire leur propre
mère, oui, de leur avoir permis de connaître pareille
brûlure à côté de quoi les flammes de l'enfer étaient
un bain de rosée. Car, ils le savaient depuis longtemps, eux, les types de Siom qui lui avaient fait ça,
qu'il n'est pas d'union qui vaille, qu'on ne s'approche
des femmes que pour s'y déchirer et suppurer à leur
flanc ; que ce qu'on nomme amour n'est que chute,
éloignement, mauvais vertige : pas de chant, pas de
transfiguration ni de rédemption, mais la peur et la
résignation, et l'illusion de vivre pour quelque chose
qui en vaut la peine.

Eux, au moins, les types de Siom, auraient connu en ce monde leur châtiment. Ils auront peut-être attaché d'autres corps aux mêmes branches, les auront dénudés, reniflés, palpés, ouverts dans la même lumière, ils n'auront pas retrouvé, flottant dans l'air du printemps, ce pavillon de chair nacrée qui leur mettait au ventre une faim dont leurs pères ne leur avaient pas montré comment se débrouiller et dans laquelle ils auraient pu entendre non seulement la rumeur des grandes famines d'autrefois, des bouches occupées à mâcher la châtaigne, l'herbe ou le vent ou encore les souvenirs, mais aussi le bruit du temps plus ancien où des guerriers aux yeux en amande, sentant le beurre rance, la sueur des chevaux et la poudre des déserts s'étaient lassés de courir, de se perdre dans les forêts, les hurlements et les flammes, et avaient ouvert dans le ventre des femmes des plaies qui leur firent croire que c'était enfin fini et que la traversée des fleuves, des villes, des plaines et des grands bois ne se confondrait plus avec la traversée du temps. Ils savaient aussi, ceux qui avaient attaché Suzon, comme ceux qui venaient faire le beau à Féniers, qu'il leur faudrait se contenter de gémir entre les cuisses de leurs épouses, d'y redevenir les gosses qu'ils n'avaient pas cessé d'être, même quand ils auraient engendré à leur tour et qu'ils s'approcheraient de la porte sombre. Et ils regardaient, les larmes aux yeux, le Thézillat qui semblait n'être là que pour taire et décevoir, et relancer le mystère — gardien bonasse et matois d'un temple très austère, de quoi il n'était rétribué pourtant d'aucun espoir, ni regard, ni sourire, Suzon n'ayant peut-être jamais su qu'il existait, tout de même qu'elle ignorait son propre mythe, passant dans la rue sans sentir sur elle, on peut l'imaginer, le regard innombrable des hommes attablés chez Thézillat ou ailleurs, et qui ne comprenaient pas sur-le-champ que cette femme élégante et austère qui osait en un pareil patelin porter voilette et hauts talons, cette flamme noire qui paraissait danser dans la bruine ou le soleil, les mains gantées et le visage caché sous l'ombrelle ou le parapluie, que cette femme, donc, était Suzon. Et ce n'était que lorsqu'ils roulaient vers l'autre bord du plateau et commençaient à redescendre dans les vallées qu'ils songeaient à ce qu'elle pouvait être. Ils se sentaient alors soulagés et déçus tout à la fois, heureux en tout cas de rentrer chez eux, de se dépouiller bientôt de leur costume et de tout vêtement, avec la certitude que cette femme et tout ça, le grand amour, la beauté, la gloire d'une telle possession, non seulement n'était pas pour eux mais qu'elle n'était pour personne ; et ils se retournaient dans leur lit et se mettaient à labourer épouse, draps, et souvenirs jusqu'à ce qu'ils eussent réduit en larmes l'éternelle, la pitoyable fureur masculine.

2

Ce qu'ils ne savaient pas, c'est qu'elle vivait seule avec sa mère, à près de quarante ans, que celle-ci n'avait jamais pu se séparer de sa fille et que, plus extraordinaire encore, il ne s'était jamais présenté de prétendant pour l'arracher, au moins elle, à la vie où elles ne subsistaient que grâce à la revente de champignons qu'elles achetaient aux fermiers ou aux ramasseurs solitaires, les nettoyant, les pesant, les calibrant, les plaçant dans des cageots qu'elles négociaient ensuite avec un grossiste de Peyrat-le-Château. Ils ne pouvaient non plus savoir ce qu'ignoraient les gens de Féniers eux-mêmes, et que nous tenions de notre cantonnier, lequel connaissait ses collègues du plateau mieux que ses propres enfants, nous moquions-nous, bavardant avec eux à la limite de leurs territoires, tels des propriétaires terriens qui ont le temps, nonchalamment appuyés sur leurs faux, la pipe ou la clope au bec, et battant alors cette légende-là de la façon qu'ils battaient leur faux. Oui, c'est donc par Chave que nous avons su comment Pauline éloigna de Suzon tout ce qui avait mine de galant, de blondin, de damoiseau, à l'exception d'un grossiste qu'on appelait l'Espagnol, parce que fils d'un exilé galicien qui avait taillé la pierre, lui aussi, et qui s'était

292

fixé à Peyrat-le-Château puis avait passé de la pierre au négoce en tout genre, ce qui était, pour lui, déchoir, mais de quoi le fils s'accommodait d'autant mieux que, marié et père de deux fillettes, il ne se souciait plus de rien sinon, racontait Chave, d'honorer Suzon une fois par semaine (et davantage à la saison des champignons) après avoir comblé la mère et même les comblant toutes les deux puisqu'il avait pris l'habitude, croyait-on savoir, de dormir chez elles, l'automne, quand le brouillard le surprenait, le soir, et qu'elles n'avaient pas fini de trier et peser cèpes et girolles.

Il avait bien parlé de divorce, l'Espagnol, et d'épousailles nouvelles ; mais nul ne paraissait s'en soucier vraiment, à commencer par Suzon : elle se contentait de cet étalon à la figure fine et joviale, qui avait su trouver le chemin de son ventre et la faire ployer sur son épaule dure, les dents plantées dans la chair, les yeux grands ouverts, attendant que s'apaise le tumulte du sang. Mais il ne trouvait pas le chemin de son cœur et pouvait s'effrayer, le brave, du regard que les deux femmes posaient parfois sur lui, après dîner, quand ils avaient quitté la table de la cuisine où ils avaient partagé un bien piètre repas, et qu'il trinquait en silence avec la mère, levant son verre aussi en direction de Suzon qui ne buvait rien, pas même un dé à coudre de cassis ou de porto pour les accompagner. Ils s'installaient tous trois dans un semblant de salon (en vérité une chambre de derrière où l'on avait fait abattre la cloison d'un cagibi qui avait servi de cabinet de toilette au père Bordes), mal éclairé par trois mauvaises et prétentieuses appliques en forme de bougeoirs dont la lumière était appauvrie par des abat-jour en peau de porc. On peut imaginer que l'Espagnol continuait à boire dans cette pénombre qui sentait la femme sans homme, tout en écoutant les récriminations de la mère contre les fermiers qui tentaient de la rouler, contre les gens de Féniers, contre les hommes en général et contre l'existence que décidément rien, ni la patience, ni l'amour, ni la débauche, ni la résignation, ne parvenait à transmuter en or. Et elle se mettait à soupirer, à dodeliner de la tête, à rire tristement, à s'alanguir sur l'épaule de l'Espagnol, tandis que Suzon était à son ouvrage — sans doute cette chasse au cerf au fond d'un bois assez sombre où surgissaient des personnages élégants dont on ne pouvait dire s'ils couraient vers le cerf au bord d'une eau tranquille ou bien vers les feux lointains du couchant qui se reflétaient sur l'onde où ils mettaient quelque chose de même ordre que ce qui brûlait en Suzon : un or dont la combustion ne la laissait pas en paix et lui faisait attendre, le cœur battant, le moment où l'Espagnol allongerait la mère endormie sur le divan, la recouvrirait de son châle, remettrait une bûche dans le feu (à moins que tout cela ne fût que simagrées, que la mère et lui ne fussent d'accord et qu'on tînt à respecter les convenances). Alors Suzon reposerait sur la table basse les élégants cavaliers, les chiens et le cerf aux abois, repliant l'or du soir pour entendre battre à ses tempes celui qui fondait en elle, tournerait la tête vers l'Espagnol qui la regarderait avec ce sourire un peu bête qu'ont les hommes quand ils sont sûrs de leur fait, mais également résigné, comme s'il avait compris qu'il comptait bien peu dans tout ça et que les femmes sont les grands vainqueurs de l'affaire, devait-il se dire, puisqu'on ne sait jamais si elles aiment ça ou si elles ne font pas semblant : il suffit, n'est-ce pas, d'écarter les cuisses et de couiner un peu, et d'ailleurs qu'importait si ça revenait au même pour lui, pourvu qu'il trouvât à s'enfouir dans la chair profonde et rare, qu'au moins il était le seul à avoir eue, on avait sa fierté, non ? songeait-il probablement en montant derrière elle jusqu'à la chambre du toit, comme elles disaient — une soupente, en vérité, autrefois aménagée pour que le père y remisât les outils qu'il ne pouvait plus manier ou dont il n'avait plus l'usage, avec ceux, aussi, d'un compagnon tombé en 17, à Douaumont, et dont l'épouse, tôt remariée, lui avait fait présent.

L'Espagnol ne pénétrait jamais en même temps que Suzon dans cette pièce où l'on ne pouvait se tenir debout qu'en son centre, sous le faîte, et qui prenait jour par un étroit chien-assis devant lequel on avait accroché un rideau de velours marron. Il était un peu soûl lorsqu'il s'asseyait au bord du lit, dans la semi-obscurité où il regardait luire aux murs les marteaux, les ciseaux, les équerres, les plombs et les mètres que Suzon avait à cœur (répondant en cela à une promesse accordée au vieillard mourant) d'astiquer une fois par mois et qu'il contemplait à la lueur du réverbère qui brûlait de l'autre côté de la rue jusqu'à minuit, songeant peut-être qu'il avait vu les mêmes outils chez son propre père et qu'il n'en avait jamais eu le goût, qu'il n'aurait pu se résoudre, lui, le négociant à la fine moustache, comme on l'appelait du côté de Féniers, à voir ses mains devenir pareilles à celles de son père ou des carriers de Pérols : boudinées, énormes, sans formes, rugueuses, impropres à autre chose qu'à manier des outils de cette sorte, et surtout à caresser les corps dont il était, lui, le fils, si friand — celui de l'épouse, à Peyrat-le-Château, et de tant d'autres, partout où il allait, entre Gentioux et Meymac, et le corps de Suzon, bien entendu, laquelle ne s'approchait de la porte qu'après que le réverbère s'était éteint : elle grattait au bois, entrait, se tenait debout entre la porte et le lit, s'habituant à l'obscurité — non pas celle de la chambre (ça faisait plus d'une heure qu'elle rêvassait toute seule, au-dessous, dans sa petite chambre, attendant que sa mère se soit endormie), mais cette nuit dans laquelle elle vivait depuis toujours, plus belle qu'intelligente, voire aussi belle qu'elle était peu intelligente, tout juste bonne, disait-on, à être, après sa mère, la maîtresse d'un Espagnol, ne se posant d'ailleurs nulle question — au moins depuis qu'ils l'avaient attachée au bouleau, à Siom, toute nue, et touchée du bout de leurs bâtons en la faisant tournoyer sur elle-même, lourde de ces cheveux qui pendaient autour d'elle, c'était presque agréable avec ce petit vent frais qui lui caressait la peau, oui, agréable de s'abandonner comme ça, les yeux fermés, d'oublier un instant que jamais les hommes ne l'avaient regardée gentiment mais comme ils regardaient son père, avec quelque chose de furieux dans les yeux, oui, comme quand ils avaient glissé un bâton par-derrière, entre ses cuisses, et qu'ils l'avaient fourragée jusqu'à lui tirer des gémissements et cette sorte de râle qui lui faisait plus honte que tout le reste, en même temps que du sang lui coulait à l'intérieur des cuisses et qu'ils contemplaient ça, ce sang, cette blancheur, ce visage aux yeux ouverts et qui ne pouvaient plus les voir, ayant éprouvé là, dans l'abjection et la pureté, la pleine mesure de sa gloire — de la même façon qu'elle faisait à présent l'épreuve inverse de sa gloire dans le râle que l'Espagnol tirerait bientôt d'elle après qu'elle aurait murmuré : « Vous êtes là ? » et qu'il aurait répondu qu'il était là, oui, qu'il l'attendait, la voulait, que ça lui brûlait dans le ventre. Alors il s'approchait d'elle et la regardait lui tourner le dos pour ôter ses vêtements qu'elle posait avec soin sur le dossier de la chaise, devant la table de nuit dont on voyait luire le marbre à l'égal des outils, sur les murs, et du corps nu de Suzon penchée sur la cuvette où elle versait l'eau d'un broc de porcelaine, il ne savait pourquoi, puisqu'elle ne s'en servait pas ; mais elle ne s'approchait ni ne le laissait jamais approcher qu'elle n'eût versé cette eau et vérifié que la serviette pendait bien, propre et parfumée, sur un côté de la table. Elle se tournait vers lui, une main devant ses seins, l'autre sur le pubis, et le regardait d'un air calme se dévêtir puis ouvrir les draps, tandis qu'elle dénouait enfin ses cheveux qu'il croyait entendre choir et recouvrir ses épaules comme un vêtement de nuit qu'elle lui laissait à peine le temps d'entrouvrir pour goûter la rondeur fraîche de l'épaule. Elle se glissait entre les draps et s'allongeait sous lui, sans un mot, sans le regarder ni sourire, la tête tournée vers la fenêtre maintenant presque obscure mais d'où elle semblait s'obstiner à espérer une lumière qui ne pouvait venir que d'elle-même, se laissant labourer longtemps et mordiller le bout des seins, le cou, les cheveux, mais sans livrer ses lèvres, clouée à l'homme par cet épieu de chair sur quoi elle n'eût jamais daigné poser les yeux au grand jour, jusqu'à ce qu'elle sentît naître en elle une lumière sombre qu'elle accompagnait de geignements et de petits cris, bientôt sans retenue, l'implorant, hurlant même qu'il ne fallait pas, que ça ne devait pas être, que ça n'était Dieu pas possible, mais qu'elle laissait sourdre comme autrefois, sous les bouleaux, et proférait maintenant avec force alors que l'homme avait fini de remuer en elle, étreignant ensemble l'homme et les mots pour les répudier aussitôt et suer avec eux, toute à l'épreuve de leur lourdeur et de leur peu de poids, de cette mince énigme de leur vanité, de leur misère peu à peu rendue au silence de la nuit où elle pouvait entendre s'apaiser les battements de son cœur, son sang cesser de lui siffler aux oreilles et l'homme ronfler à côté d'elle, tourné sur la gauche, oui, ronflant aussi fort qu'il avait ahané, ayant payé aux femmes l'incompréhensible tribut et se découvrant seul dans le lit, à l'aube, pensant peut-être avoir rêvé et que les rêves suffisent à nous délivrer. Ensuite il fallait descendre dans la cuisine encore froide, s'attabler sans rien dire en face de la mère et de la fille, boire un peu de café dans un grand bol où, il le sentait, il le dirait plus tard, il n'aurait pas même eu le loisir de découper quelques morceaux de mauvais pain, puis repartir dans sa camionnette jaune, chargée de cageots, et rouler dans cette odeur de sous-bois, de douce moisissure, de terre fraîche qui le changeait de l'odeur puissante de la femme dont il ne pouvait se débarrasser que dans les bras d'une autre femme, la sienne, ou la première venue, qu'importe, il lui fallait des eaux plus vives, plus chaudes, moins profondes, où il n'eût plus l'impression de se noyer.

Il y revenait, pourtant, et même hors saison. On dit qu'il n'était pas le seul, qu'il y eut aussi ce jeune Parisien, petit-cousin de la mère, qui revenait pour les vacances d'été ou d'automne à Féniers où il était né et où il n'avait pas remis les pieds depuis des lustres. Il ne reconnaissait personne. Pauline l'aborda un soir de fête, sous les lampions d'un manège, parmi les rires des filles chatouillées. Elle l'invita chez elle, lui offrit à boire dans le petit salon avec des manières de bourgeoise, parla, en faisant des cuirs, des mérites de Suzon qui dormait, disait-elle, à l'étage, ayant deviné qui il était, lui, le jeune homme, l'éternel étudiant, ce cœur enfariné, semblable à tous les autres, tourmenté par ce qu'il avait entre les jambes. Lui non plus ne résista pas, dit-on, et quitta la maison quelques heures plus tard, au milieu de la nuit, ivre de vieux marc et plus encore de Suzon que la mère avait fini par lui montrer, en effet endormie dans un lit de jeune fille ou bien faisant semblant, la mère ayant d'emblée jugé, disaient certains, que le cousin serait pour Suzon et non pour elle, et lui avait murmuré à l'oreille :

298

— Vous n'avez jamais vu une femme sourire comme ça, n'est-ce pas ?

Elle lui montrait le sourire de Suzon qu'il fut sans doute le seul homme à avoir contemplé et qu'il aurait tant voulu revoir, essayant tout, allant jusqu'à guetter Suzon, nuit après nuit, debout près du réverbère, à la limite de la lumière, puis retournant à Paris plus seul, plus hébété et plus las qu'Antoine, le muet de chez Orluc, à qui on pouvait faire après un coup de rouge danser la bourrée sur la place, riant et salivant et chantant aussi faux qu'une assemblée d'oiseaux ivres.

3

À Siom, nous savions tout ça, ou croyions le savoir et haussions les épaules ; et les frères Lontrade et tous ceux qui, à présent bons pères de famille, étaient dans le secret du bois de bouleaux, n'étaient pas les derniers à lui jeter la pierre. Mais nous n'en parlions plus guère. Les Pythre nous intéressaient moins. Nous les aurions peut-être oubliés, s'il ne nous était resté Jean. Il changeait. Le père lui avait laissé de quoi survivre entre les murs de la petite bicoque. Il abandonna le commerce du drap. Le magasin ne lui servit plus qu'à remiser sa voiture, une 4 CV grise qu'il alla acheter au garagiste des Buiges, sapé comme un prince, remontant la grand-rue à pied sans entendre ni voir personne, jusqu'au garage Renault où il paya la voiture argent comptant sans l'avoir essayée ni discuté le prix, s'installant au volant pour faire quatre ou cinq fois le tour de la place, devant le café de Paris avant de s'en retourner à Siom, plus raide et sérieux que jamais avec ses trois stylos à bille qui dépassaient de la pochette de sa veste et dont aucun, à l'instar de la montre qu'il avait au gousset, ne fonctionnait.

Nul n'aurait d'ailleurs pu dire pourquoi il avait acheté cette voiture neuve alors que la 403 du père marchait à merveille et qu'il se déplaçait le plus sou-

vent à vélo, depuis quelque temps : un vrai vélo de
compétition, acquis on ne savait où (et sans doute en
même temps qu'une carabine qui lui servit en tout et
pour tout à tuer deux aspics : le premier devant sa
cabane grise, au fond du jardin, et l'autre au-dessus
de l'abreuvoir de Chadiéras, en descendant au lac) et
qu'il enfourchait chaque jour, même s'il pleuvait, les
cuisses serrées dans un étroit caleçon noir de coureur,
les jambes rasées, huilées, d'une minceur nerveuse,
avec sur le dos une sorte de casaque claire et sur le
crâne une casquette vissée à l'envers, pour s'entraîner
autour de Siom avant de s'inscrire à toutes les courses, dans les fêtes locales, et aux critériums régionaux
où il arrivait invariablement bon dernier quand ce
n'était pas avec plusieurs tours de retard sur l'ultime
concurrent — ce qui lui faisait dire ensuite, chez Berthe-Dieu ou chez la mère Chabrat qui venait elle aussi
d'ouvrir un bistrot, qu'il avait gagné la course mais
qu'on n'avait pas voulu le reconnaître, qu'on avait
mal compté les tours tellement il passait vite, ou que
Poulidor, non pas le champion mais son frère, celui
qui avait des lunettes cerclées de fer et courait avec un
protège-tête en cuir, l'avait coiffé au poteau et qu'on
n'avait eu d'yeux que pour cette bête-là. Il racontait
ça en souriant, les mains dans les poches, les deux
pans de la veste rejetés derrière lui comme les cheveux et, pouvait-on dire, son passé, le ventre creusé,
les épaules voûtées comme s'il était encore sur son
vélo, sans se soucier si on l'écoutait. Puis il s'en allait,
ayant avalé sa bière dont il exigeait qu'elle fût de la
marque Ancre ou, à défaut, Le Pêcheur, refusant de
rien avaler d'autre, sortant comme il était entré : sans
qu'on s'en aperçût, ce qui faisait dire à Berthe-Dieu
que ce Pythre-là était comme un pet silencieux : on
ne l'entendait pas, mais soudain il était là, terrible-
ment présent, puis s'en allait sans qu'on puisse dire

comment. Et nous le regardions alors remonter la place à présent nivelée, goudronnée et pleine de soleil depuis qu'on avait fait abattre le grand chêne dont le débitage avait fait le bonheur de quelques-uns qui en avaient tiré, Chabrat une porte d'entrée, Sivadiaux un escalier et la mère Heurtebise son cercueil, disait-on, qu'elle gardait au grenier, recouvert d'un vieux drap — peut-être même de l'ancien poêle qui avait jusque-là moisi dans la remise où attendait le corbillard que nul cheval ne tirerait plus.

Il était bien des nôtres, ce Pythre ; nous n'avions plus rien à dire là contre, les femmes le savaient depuis longtemps qui murmuraient qu'il était tout ce que nous avions décemment pu faire pour les Pythre. Et hors les courses où il s'épuisait avec une opiniâtreté qui l'avait rendu célèbre sur tout le haut plateau et au-delà, il vivait comme nul de nous n'aurait jamais vécu, même si on lui en eût donné l'occasion : sans rien faire, dans les remugles et les ombres de la cuisine, assis sur sa chaise comme du temps où ils étaient tous ensemble, ou allongé sur son lit, ou encore dehors, sur le petit banc. Il rêvassait. Peut-être ressassait-il ses courses à vélo, qu'il réinventait à mesure et peuplait de figures, non seulement des anonymes et des gloires locales avec qui il courait, mais aussi celles, les vraies, de Bobet, Anquetil, Geminiani, Koblet, Coppi, Darrigade et tant d'autres qu'il avait pu frôler au cours de critériums, improbables, rayonnants et glorieux et néanmoins assez semblables à lui, avec leurs faces harassées, grimaçantes, douloureuses, excessives de penseurs dansants, pour qu'il puisse croire qu'il partageait leur gloire et que son nom à lui, Jean Pythre, était également sur toutes les bouches et surtout dans cette bouche d'ombre qu'était le poste de radio que lui avait vendu l'électricien d'Eymoutiers et grâce à quoi il parlait, disait-il, avec ceux qui n'étaient

302

pas là, morts ou vivants, vivants et morts, c'était pour lui la même chose, oui, tel Médée de qui il se remettait à parler sans qu'on sût si, pour Jean, il était vif ou mort et s'il avait existé autrement que dans l'odeur lourde des thuyas qu'il respirait encore, non plus derrière le lavoir ou le garage de Berthe-Dieu, mais, pendant sa fientaison matinale, parmi les arbres que le grand Pythre avait plantés, avant de mourir, le long du mur de l'école.

Oui, une odeur, Médée, thuyas et transpiration, et avec ça, peut-être, une voix oubliée et ce qui reste des voix qui se sont tues : le sourire, l'extraordinaire douceur du sourire, oui, mais pas celui de ce type, mince et plutôt petit, au visage buriné, recuit, à la nuque rase, au regard triste et dur qui jurait justement avec son sourire trop pâle, ses lèvres frémissantes, cette bouche amère. Il se tenait, le type, devant lui, ce matin-là, à contre-jour, dans le couloir inondé de soleil où Jean venait de pénétrer et d'ouvrir la porte, non parce qu'il avait entendu qu'on y avait heurté (on aurait pu y frapper avec un bélier, il ne se serait pas déplacé, cela ne comptait pas, il fallait pour être admis passer par le garage dont la porte n'était jamais fermée à clé, et toquer légèrement à la porte de la cuisine), mais parce qu'un gamin venait d'ouvrir la porte de la cuisine.

— Pythre, Pythre, quelqu'un veut te voir !

Et il criaillait comme une vieille piaillant ce « Pite, Pite » qui est sans doute une déformation de « Petit, Petit », et qui sert, chez nous, à appeler les poules qu'on va nourrir.

Comprenait-il ce que le type lui disait d'une voix lente, dans le vif soleil de mai : qu'il était Médée, son frère, et qu'il rentrait enfin au pays, puisque la guerre était finie, de l'autre côté de la mer, et qu'il en avait assez comme ça, qu'il avait la tripe malade et le corps fatigué, qu'il désirait autre chose qu'une guitoune ou une chambre de sous-officier, car, disait-il, il était sous-lieutenant, c'était bien, mais il ne croyait pas qu'il y aurait d'autre guerre, non, il n'y croyait plus, d'ailleurs il ne croyait plus à grand-chose, ils avaient été trahis, vendus, humiliés, alors autant souffler un peu. Le cadet le regardait de travers, la bouche ouverte, le front plissé, ne reconnaissait sans doute pas son frère dans cet homme au visage de cuivre qui semblait fondre dans le soleil, et qui le repoussait doucement vers la porte de la cuisine sans qu'il s'en défendît, sans qu'il cherchât à l'empêcher d'y entrer avec lui et de s'asseoir à la table, à ce qui avait été la place là même où, bien des années plus tôt, le père lui avait cloué la main. Il souleva la nappe de toile cirée et constata que l'encoche était bien là, dans le vieux bois, hocha la tête, murmura en se tournant à demi vers son frère :

— J'ai appris pour le père.

L'autre n'écoutait pas ; et comme s'il se rendait à l'évidence, il se mit à balbutier, sur un ton las, presque éteint, avec des inflexions enfantines :

— Ô Médée, t'es pas mort...

Médée lui souriait, nous rapporta le gamin qui avait servi de messager et que nul ne songeait à déloger de l'embrasure obscure ; on aurait dit que ni l'un ni l'autre ne se souciait vraiment de ce qu'ils disaient.

— T'es pas mort, répétait Jean.

— Pas ! répondait Médée, qui aurait aussi bien pu ne rien dire.

À peine si le cadet levait les yeux vers Médée, vers celui qui devait être Médée mais qui ne sentait pas le thuya ni la sueur et qui avait dans les yeux et le visage et sa manière de relever la tête, la nuque bien raide, le regard droit, quelque chose du père jeune. À peine s'il le vit se remettre debout, ouvrir la porte du buffet, y prendre deux verres et une bouteille de rouge ordinaire à moitié pleine dont il fit d'un ongle précis sauter la capsule avant de verser le vin et lever son verre très haut, plus haut que leurs têtes, dans le soleil. Jean continuait à sourire, d'un air doux, encore méfiant, écoutant le soldat lui parler de brumes vertes, de voltigeurs, de filles muettes au corps très lisse, d'une cuvette infernale, de traîtres, de salopards, de cancrelats, de cages de bambou, de pluies tièdes, d'une autre guerre, moins glorieuse, d'une victoire dont nul n'avait voulu, d'ennemis sans honneur, de soldats nus, perdus, oubliés, de morts sans sépulture, d'étendards piétinés dans la poussière des djebels...

— Des quoi ? demanda Jean en relevant la tête.

— Les djebels, les montagnes...

Jean ne comprenait pas. Médée vida son verre et s'approcha, lui prit la main, la serra, passa dans le couloir, sortit sans refermer la porte et descendit vers la voiture qu'il avait laissée devant chez Berthe-Dieu et dans laquelle attendait une femme très jeune, blonde, à l'air patient, qui regardait devant elle, les yeux abrités derrière le pare-soleil, la rue déserte où dansait la poussière du matin et peut-être, en bas, par-delà la terrasse aux acacias où il ne venait plus personne, l'extrémité grise du lac et, au-dessus, les champs en pente d'Arbiouloux et de Philippeau envahis de genêts, de fougères, de petits chênes.

Ils revinrent dès le lendemain. Les trois frères Rivière les accompagnaient. Ils montèrent dans le pré qui surplombait la place, face au jardin en terrasse de l'ancien presbytère, et que le grand Pythre avait laissé à l'abandon. Médée retrouva dans l'herbe haute le crucifix dont le bois était si pourri qu'il en détacha sans peine le corps rouillé : nous l'avons vu l'élever en plein soleil, en le tenant par les aisselles, avec sa couronne de ronces et d'orties qui frémissait, puis le lâcher, le laisser tomber loin de lui, peut-être même le jeter dans l'herbe avec une espèce de rire étouffé qui nous fit dire qu'il était bien un Pythre, cet oublié, ce revenant, et aussi fada que son frère. Nous l'avons vu ensuite parler avec les trois Rivière qui prenaient des mesures, plantaient des piquets, inscrivaient des choses dans un carnet noir, tandis que la jeune femme rêvassait à l'entrée du pré, assise sur une vieille souche, fumant cigarette sur cigarette, frissonnant un peu dans sa gabardine claire et lançant ses mégots, comme si elle jetait un sort, à l'endroit exact où, quelques mois plus tard, s'éleva une maison sans grâce mais solide, la plus haute de Siom où on n'avait pas bâti depuis plus de vingt ans. De quoi nous nous serions réjouis si nous n'avions pensé que ce Pythre-là, avec sa demeure à pignon central, crépi gris et persiennes vertes, son pré semé de gazon, ses sapins et ses massifs de buis, avait voulu donner de lui, comme l'avait fait son père de l'autre côté du lac, l'idée d'un invaincu, alors qu'il n'était, nous le savions mainte-nant, qu'un soldat perdu, un demi-solde, un pauvre bougre qui ne ferait que péter, lui aussi, plus haut que son cul, et que nous ne souhaitions plus qu'une cho-se : qu'on nous laissât finir nos jours en paix et que le temps achevât de nous oublier alors même que nous nous oubliions nous-mêmes, après avoir incul-qué à nos descendants cette faculté d'oubli qui nous avait permis de traverser le siècle en faisant mine de vivre, ce qui était encore une façon d'y croire, d'être probes et durs à la tâche, et renonçant peu à peu à tout, jusqu'à entendre s'éteindre en nous la voix grêle des cavaliers aux yeux taillés en amande, aux visages plats, sans barbe, en forme de poings fermés et sales, vêtus de tuniques colorées et de peaux de rat musqué ou de chèvre, oui, jusqu'à ce que cette voix ait cessé de crier dans notre sang avec celle des Sarrasins et des Anglais, parmi les vents qui labouraient le haut plateau et dispersaient les voix de tous nos morts, emportant avec eux, enfin, ce même hiver, celle de Pauline Bordes, qui fut l'épouse du grand Pythre et qui, elle non plus, n'avait pas été des nôtres.

Ce qui n'empêcha pas quelques-uns d'entre nous de monter à Féniers, un jeudi de février, pour l'accompagner au cimetière où elle repose près de son père dans un étroit caveau dont il avait lui-même taillé la dalle et la croix. Nous étions plus nombreux que ceux de Féniers, mais moins que ces hommes seuls qui suivaient le cortège, dit-on, à seule fin de contempler Suzon en sa sombre gloire, son visage pour une fois offert à tous, quasi souriante sous la voilette que le froid collait par instants à ses lèvres, mais plus lointaine que jamais avec son regard bleu sombre qui ne se posait sur vous — sur votre épaule, plus exactement — que pour s'envoler d'emblée vers on ne savait quel horizon, peut-être nulle part, ou bien partout où il n'y avait plus le grand soleil d'hiver. Elle avançait, entourée de ses deux frères, l'aîné, que l'on avait cru mort et à qui elle donnait le bras, et l'autre, le cadet, blême et dégingandé, qui flottait dans son costume trop large, un peu en retrait des deux autres, ce Jean Pythre qu'on se souvint plus tard d'avoir vu à Féniers, une casquette de coureur sur le crâne, les cuisses serrées dans un caleçon noir, arborant sur le torse et sur le dos un numéro qui ne lui portait jamais chance, le pauvre type, l'éternel vaincu qui pédalait comme on rêve, le seul qui, ce jour-là, eût les larmes aux yeux alors qu'il ne comprenait pas pourquoi, là-bas, dans la petite maison, on l'avait une fois encore empêché d'embrasser Maman.

Médée était venu le réveiller, le matin, avant qu'il ait pu s'enfermer dans la cabane grise, au fond du pré, et l'avait sans mot dire conduit jusqu'à Féniers, devant la petite maison au linteau sculpté d'emblèmes de maçon. Les pièces du bas étaient désertes ; seules deux vieilles femmes murmuraient au fond de ce qui avait été la chambre maternelle, veillaient Pauline qui gisait sur son lit avec son mince sourire, à présent entourée des trois enfants qui se regardaient à la dérobée, debout, gênés, incapables de rien dire, songeant peut-être qu'ils étaient en fin de compte étrangers les uns aux autres, malgré le sang ou à cause de lui, étrangers à eux-mêmes aussi et inaptes au bonheur, chacun ayant depuis longtemps mis au rebut ce qu'il avait d'innocence, ou ne sachant qu'en faire ; avec ça qu'il leur avait fallu remâcher le malheur d'être Pythre et faire comme si de rien n'était avant d'aller découvrir le monde dans le fracas des armes et le silence des langues, de s'ensevelir dans une beauté inutile, ou de courir pour perdre sur un frêle vélo, plus seuls que jamais et se reconnaissant à peine, et se disant peut-être, en suivant sur la route gelée la fourgonnette noire qui trimballait le corps de Pauline, que ça n'avait guère d'importance — que, pour Jean, ça n'en avait plus du tout puisque les noms ne pouvaient plus rien héler, encore moins susciter le thuya pour Médée, pour Suzon les parfums de la chambre de Veix, et que Maman était au ciel.

Ils étaient des Pythre, ils avaient ça en commun, ils le savaient, Suzon surtout qui aurait pu troquer son patronyme pour un autre, banal ou magnifique, et qui restait résignée devant cette fatalité, tout de même que Médée acceptait d'être avec le temps le portrait craché du grand Pythre et que Jean, qui n'entendait rien à tout ça, lui aussi s'y pliait et se retrouvait, après l'enterrement, avec son frère et sa sœur, dans la cuisine de la morte où Suzon les servit, leur donna de la charcuterie, du vin, de ce pot-au-feu dont l'odeur se mêlait depuis le milieu de la matinée à celle du papier d'Arménie qu'on avait fait brûler dans la chambre de Pauline, du fromage et de la tarte qu'elle avait commandée au pâtissier de Peyrelevade. Ils mangèrent et burent beaucoup, ne dirent rien, se regardèrent comme on écoute la pluie tomber ou crouler les bûches dans le feu, Suzon abîmée dans le silence de sa beauté, Médée dans les bruits de guerres qui ne s'étaient pas tout à fait éteints en lui, et Jean qui n'avait plus souci que de ses entrailles et s'agitait sur sa chaise en regardant son frère avec un air de chien battu jusqu'à ce qu'il se fût entendu dire que c'était au fond du couloir.

Il marcha vers une porte aux vitres dépolies, s'enferma sous l'escalier, tourna un commutateur qui éclaira un trône d'une extraordinaire blancheur, si propre et froid qu'il fut longtemps avant de s'y asseoir et d'oser y pousser une fiente mince et dure, parce que trop longtemps retenue. On dit que c'était la première fois qu'il fientait ailleurs que chez lui, que d'ailleurs il fienta dans le creux de sa main, et qu'après avoir contemplé longuement l'étron il ne se résolut point à le jeter dans la cuvette et à tirer la chasse : il l'enveloppa de papier rose puis de son mouchoir, ensuite il le glissa dans la poche de sa veste. Quand il revint à table, le café et le digestif avaient été avalés depuis belle lurette. Médée se leva, baisa Suzon sur les deux joues, prit son frère par le bras, le poussa dans le couloir, avant qu'il ait pu ouvrir la bouche pour autre chose qu'un geignement sourd, vers la porte d'entrée qu'ils franchirent sans se retourner, vers la voiture enfin où ils montèrent sans s'être une seule fois retournés du côté de la fenêtre par laquelle leur sœur les regardait s'éloigner en direction de Meymac.

À Millevaches ils prirent à droite, vers Saint-Merd qu'ils traversèrent vers deux heures avant de s'arrêter, un peu après la lande de Fournol, à l'endroit où on retrouvait la Vézère qui coulait là sous la glace, parmi de hauts sapins. Médée avait roulé lentement, les mâchoires serrées, plissant les yeux derrière les lunettes de soleil qu'il avait chaussées dès qu'ils avaient eu le soleil face à eux, ignorant comme Jean que, soixante ans plus tôt, le grand Pythre avait parcouru cette même route à pied devant une charrette attelée de deux vaches rousses et traînant avec lui la grande fille brune qui perdait les eaux.

— C'est toi qui sens comme ça ?

Médée parlait d'une voix presque éteinte. Jean ne répondit pas, n'avait sans doute pas entendu, était certainement tout à l'odeur qu'il avait tenté d'enfermer dans sa poche et qui, à cause du chauffage, montait dans la voiture, douce et mesquine et bientôt si exaspérante que Médée avait dû s'arrêter, ranger la Dauphine sur le bas-côté, et descendre, passer de l'autre côté, ouvrir la portière et tirer son frère dehors, l'exhortant à cesser de puer comme un Viet ou un fellouze, siffla-t-il ; à quoi il aurait pu ajouter, s'il avait tout su des Pythre, qu'ils avaient moins que les autres le droit de puer, eux, les fils, oui, qu'ils devaient se tenir le plus loin de tout ce qui pouvait rappeler la fiente, le berceau et la tombe. Jean ne comprenait pas. Il était là, debout dans le grand vent glacé qui traversait la lande pour s'enfourner au creux de la rivière. La nuit ne tarderait pas. On entendait des corneilles se chamailler derrière un groupe de bouleaux et, venus de bien plus loin, de derrière les collines de l'est, quelques coups de fusil. Médée contemplait son frère qui souriait craintivement, sans le regarder, les vêtements si bien plaqués contre le corps qu'on eût dit qu'il avait doublé de volume, la veste alourdie à droite par ce qui n'aurait jamais dû s'y trouver, et dont Médée attendait qu'il se débarrassât, bien qu'il sût qu'il n'en ferait rien, même s'il le battait, et qu'il faudrait supporter ça jusqu'à Siom sans rien dire, de peur qu'il ne se mît à brailler. Il fallut donc remonter en voiture puis se dépêcher jusqu'aux Buiges et à Siom ; alors il le regarderait se diriger lentement vers le fond du pré, ce frère souriant qui prélèverait avant de monter dans la cabane grise une poignée de sable et, après avoir délivré l'étron, le contemplerait une dernière fois, puis le déposerait sur la pyramide, dans le trou, et laisserait couler dessus une poussière d'or.

4

Médée, ou la femme de Médée, ou plutôt Médée
dépêché par sa femme, lui enjoignit au printemps de
supprimer l'édicule : avec les premières chaleurs,
l'odeur en était insupportable et la vue offensante. On
venait de construire, contre le lavoir, en face de la
mairie, des cabinets publics dans lesquels l'eau chas-
sait à grand bruit, toutes les sept minutes, ce que désormais nous ne voudrions plus voir dans nos rues et
qu'il nous fallait tolérer encore des bêtes de Berthe-
Dieu, des héritiers Chadiéras et de Billy, le Normand
rouge et blond, venu quelques années auparavant,
louer la ferme de Philippeau avec son grand troupeau
de vaches blanches et noires, sa femme, ses fils et ses
filles, aussi blondes et rouges que lui mais qui ne disaient pas grand-chose à personne et sur qui nul
n'osait lever les yeux, surtout quand les deux fils Billy
les accompagnaient fiers et bagarreurs, des têtes brû-
lées, eux aussi, car il fallait bien être fou pour venir
s'installer parmi nous, sur cette terre noire, et prétendre y faire souche par ces deux gars toujours ivres
d'on ne savait quoi, colère ou eau-de-vie, et ces filles
trop grandes pour nous et qui eussent fait peur aux
plus affamés, hautaines et silencieuses derrière leurs
trente vaches qu'elles ramenaient des prés matin et

soir pour les traire et qui laissaient sur la chaussée, dans la descente vers le lac, jusque devant les acacias, des bousades qui nous déshonoraient.

Ça faisait en tout cas honte à la femme de Médée, à cette jeune Denise aux yeux noirs et aux cheveux blonds, presque cendrés, petite femme propre et sèche, fille d'un clerc de notaire de Bourganeuf, dans la Creuse, où Médée s'était rendu après sa démobilisation. Il venait d'errer pendant deux jours et deux nuits dans Limoges, fiévreux, hébété, les mains vides, avec au fond de la gorge cette envie de pleurer que donne le sentiment de l'inutile, celui également d'avoir été floué, refusant que la guerre, de l'autre côté de la mer, eût été, on le disait, et gagnée et perdue ; refusant dès lors que tout fût perdu et songeant à ne point rester seul, songeant au milieu d'une nuit sale à cette jeune fille rencontrée au même endroit, quelques mois plus tôt, retour d'Indochine, à la sortie d'un cinéma où l'on donnait un film déjà ancien, *Aventures en Birmanie*, qu'il était allé voir parce qu'il se sentait perdu dans la grande cité pluvieuse, oui, qu'il avait encore besoin d'y croire, à la gloire des armes et de la France. Elle riait à tout bout de champ, au bras d'une rouquine aussi hilare qu'elle dans la lumière pâle du néon, trop fort mais pas de façon désagréable. Il était en colère, sur le point de leur dire de se taire, qu'il n'y avait rien de drôle, que les Japs et les Viets étaient les mêmes rats jaunes, et qu'il avait bien failli, lui, laisser sa peau là-bas. Mais il les regarda rire, feignit de croire qu'elles se moquaient gentiment de lui qui était maigre comme un clou et la nuque déjà raide, mais sûr de ses yeux profonds et doux qui avaient fait, assurait-il, tourner la tête à plus d'une femme ; riant donc avec elles, puisqu'il n'était pas Errol Flynn mais un pauvre soldat tout juste libéré des geôles de bambou pour être expédié dans les djebels, devinant qu'il ne déplaisait pas à la petite blonde mais se méfiant encore, ou se rappelant sans doute à cet instant ce que disait l'aumônier de la Légion, que les mots sont comme Dieu ou comme les femmes : ils se dérobent dès lors qu'on les cherche et surgissent dans toute leur gloire après qu'on y a renoncé.

Elles se laissèrent offrir une limonade au buffet de la gare, où elles reprirent le train de Bourganeuf. Il la revit plusieurs fois, toujours accompagnée de la rousse et rieuse camarade, mais elle, Denise, plus grave et le regardant comme si elle eût jeté déjà sur lui son dévolu et pressenti que, l'autre guerre achevée, l'homme serait à elle. Elle lui permit de lui écrire, reçut des lettres aussi pauvres et maladroites que les mots qu'il prononçait au buffet de la gare, lorsqu'elle venait faire des courses à Limoges, et où ils attendaient ensemble le train de 17 h 11. Il tentait de lui dire ce qu'il espérait d'une femme alors qu'elle le savait, qu'elle ne savait même que ça pour avoir vingt ans et pendant vingt ans avoir contemplé sa mère et son père, dans leur minuscule maison à la sortie de Bourganeuf, et qu'elle ne songeait sans doute qu'à l'entendre parler de ses travaux guerriers tout en faisant mine de trouver la guerre affreuse, guettant au fond de ses yeux les cris, le sang, le sable, le soleil qui se couchait dans le désert ; car c'était de la sorte qu'elle l'imaginait, la guerre, malgré les actualités cinématographiques : des combattants en képis clairs, escadrons blancs ou banderas, lancés contre les indigènes aussi cruels que fourbes, des mécréants, et mourant, les uns et les autres, dans la gloire anonyme du soir, sous le clair regard d'un aumônier qui avait la barbe de Charles de Foucauld dont elle pouvait avoir lu la vie dans ces revues d'histoire à bon marché que recevait sa mère ; si bien qu'elle ne savait pas

314

vraiment qui était celui dont elle attendait les missives, brèves, nombreuses, assez maladroites, et qui revenait à Limoges de loin en loin, pour de brèves heures, descendant dans le même hôtel minable, non loin de la gare, où il ne pouvait trouver le sommeil, ayant déjà dormi tout son soûl pendant la traversée et les interminables heures de train, depuis Marseille, ne sachant plus parler qu'à des hommes, dans l'urgence ou l'ivresse, et se taisant devant Denise qui avait quinze ans de moins que lui et qu'il ne voulait point décevoir par de sinistres récits de traques, d'escarmouches et d'interrogatoires dans Alger.

Héroïque il l'était, mais point de la façon qu'elle rêvait ; c'était un héroïsme quotidien, inexorable soumission à la règle et opiniâtreté, avec des flambées de haine et de dégoût, de renoncement aussi ; de silence et de bonté, enfin ; et on pouvait sentir derrière tout ça l'espèce de peur avec laquelle il était né, qu'il lui avait toujours fallu cacher, devant son père comme devant les Viets et les fellaghas et qui lui avait fait tenir les armes avec une rage extraordinaire. Mais il savait qu'il est d'autres règles, des lois plus hautes, de nécessaires entorses à la vérité. Aussi lui parlait-il des déserts, des palmiers, des dromadaires, des hommes bleus, des femmes aux yeux de braise, de la diane dans l'aube blanche d'un fortin ; et quand il la voyait rêveuse, il lui demandait pourquoi tout ça l'intéressait tant ; elle répondait en souriant, ses sombres yeux levés vers lui, la voix tremblante, un peu niaise :

— À Bourganeuf il n'y a pas de palmiers.

Bourganeuf où, démobilisé, il se rendit, quelques mois plus tard, lorsque tout fut fini, là-bas, sans vainqueurs ni vaincus, donc, mais dans la honte et l'absence de pardon. Il descendit dans le meilleur hôtel, téléphona sans se cacher de la patronne, comme pour rendre public ce qui n'était même pas une liaison, ni même des fiançailles secrètes, et donner à cela une autre étoffe que celle des songes et des résignations. Il la revit, en compagnie de la mère, cette fois. Elle avait changé, portait des cheveux plus courts, coiffés au carré avec deux boucles terminées en pointe sur les pommettes, un pantalon à rayures noires, très serré aux mollets, un chandail jaune canari. Elle avait grossi. Elle l'écouta parler avec la patience de celles qui se savent plus fraîches que jolies, ou pas assez jolies pour s'enflammer plus que de raison. Il parla d'ordre, de tâches partagées, de repos mérité, d'oubli, puis, voyant que la mère tirait un peu le nez, d'espérances vraies. Denise l'écoutait, on peut l'imaginer, les yeux baissés ou relevés vers les tilleuls de l'avenue, ou encore vers les sapins, là-haut, sur la route de Guéret, en fumant une cigarette qu'elle regretta sans doute d'avoir allumée puisqu'elle l'éteignit sur-le-champ, attendant, le cœur battant, mais elle aussi sachant qu'elle trichait déjà, les mots qu'elle espérait depuis si longtemps, quoique d'une plus glorieuse bouche, et qu'elle écouta néanmoins avec reconnaissance : à quoi elle répondit, après un petit silence, après un coup d'œil à sa mère qui souriait, elle aussi, qu'il devrait venir dîner chez les Blanzat, le lendemain ; et lorsque ce fut fait, que le père, qui était à peine plus vieux que lui, eut pris à part le soldat pour lui demander ses intentions et que le soldat lui eut répondu qu'ils avaient assez attendu, depuis bientôt un an, qu'ils méritaient bien, lui à près de quarante ans et elle à vingt-quatre, de ne plus être seuls (et bien qu'il ait alors entendu le clerc murmurer, d'ailleurs sans méchanceté, qu'on était toujours seul), il put épouser Denise Blanzat, à Tarnac, où Mme Blanzat avait ses morts.

Personne, chez nous, n'en avait rien su ; peut-être, aussi bien, ne voulions-nous rien savoir. Tarnac n'est pas si loin de Siom que le bruit de ces épousailles n'eût atteint notre rivage ; à moins qu'il ne faille les imaginer quasi secrètes, ces noces discrètes à coup sûr, avec le père et la mère de Denise, un cousin de la mère, une vieille amie, deux mornes fillettes, et Médée qui avait préféré se dire seul au monde plutôt que d'aller quérir cette sœur et ce frère desquels il ne savait alors plus rien et ne voulait encore rien savoir. On le crut : et si monsieur Blanzat, qui avait des relations avec le premier clerc du notaire de Meymac, savait la vérité, il avait trouvé qu'elle en valait bien d'autres. Il faut imaginer une sortie d'église — une humble église de granit gris, semblable à celle de Siom, à ceci près que le porche s'y ouvre sur le côté nord ; un peu de monde rassemblé sur la place et à peine curieux de cette mariée sans traîne et de cet époux qui faisait vieux, tandis que la pluie qui tombait depuis l'aube cessait, à ce moment précis, et qu'un soleil de printemps éclairait le bref cortège qui chemina par les rues désertes sur l'asphalte brillant, vers la maison de famille rouverte depuis la veille, le temps d'une photo quasi heureuse sur le perron pour fixer des regards confiants dans l'avenir et les signes, parmi lesquels le soleil qui avait éclairé le cortège n'était pas le moindre, chacun se disant que ni Denise ni Médée n'aurait pu rêver meilleure union — eût-elle pour seule gloire les prétendus faits d'armes du sous-lieutenant Pythre qui n'en avoua, ce jour-là, pendant le repas, qu'un seul : comment il avait arraché la baïonnette d'un Viet qui lui avait cloué la main à un arbre et eût fait pareil pour l'autre si... Mais on ne l'écoutait plus ; on regardait la cicatrice mince en forme d'œil presque clos, et on frissonnait, s'écriait qu'il fallait revenir à des choses plus gaies, que le temps était avec eux, sans qu'on sût si on parlait de la météo ou de ce qui dévore les cœurs, mais les uns

et les autres d'un commun accord joyeux dans la petite salle trop chauffée de l'hôtel des Voyageurs : Denise et Médée se souriant donc aussi tendrement qu'il
était nécessaire, se pressant les doigts sur la nappe ou
se frôlant du genou, se faisant un devoir d'être heureux parce qu'ils ne pouvaient faire autrement, oui,
mettant à cela leur énergie secrète qui était presque
celle du désespoir et les rendait émouvants : le sous-
lieutenant et la fille du clerc, lui raide et timide, la
nuque rase, le verbe rare, et ces yeux à la fois durs et
pleins de ténèbre qui émouvaient tant ; et elle avec
cet air modeste et vaillant de jeune Limousine, ce visage lisse, ce petit rire qui la rendait, ce jour-là, presque jolie, parce que le désir d'être heureux donne aux
plus pauvres visages un aplomb passager, une royauté
fragile, mangeant et buvant comme elle ne l'avait jamais fait — ce qui l'étonnait, lui faisait battre le cœur
plus vite, l'alanguissait, la rendait certainement curieuse de cette autre chair à quoi elle goûterait bientôt, dans le silence de la maison de famille où on les
laissa seuls assez tôt dans la soirée, un peu gênés,
continuant de se sourire et de se serrer les doigts, Médée n'osant commencer à défaire les boutons du petit
tailleur gris, pour la première fois devant une femme
qui n'était point facile ni à vendre, le cœur battant,
on peut le croire, comme s'il était enfin jeune et goût-
tant cela en manière d'innocence ; à telle enseigne
que c'est Denise qui dut lui faire voir qu'elle avait
froid et guider, les yeux fermés, la tête un peu penchée en arrière, ses doigts vers les boutons de la veste
et l'aider (imaginons-la en cet instant décidée, tremblante, toute à sa volonté d'être enfin femme) à ôter
jupe, chemisier et dessous, le délivrer ensuite de ses
habits à lui pour l'attirer vers le lit dans lequel, toutes
lumières éteintes et persiennes repliées, elle apprit ce
mince et brûlant corps d'homme cousu de cicatrices

qui s'emparait d'elle, renversée sur le dos, et la faisait saigner puis geindre avant même qu'elle ait eu le temps d'y voir plus clair, devinant peut-être, elle, qu'il ne fallait pas y voir clair ou alors (comme le lui avait chuchoté l'amie rieuse qui s'était mariée l'année précédente), que c'était une tout autre lumière, une autre façon de respirer, oui, de chercher son souffle et de ne point le trouver et de croire qu'on va en mourir, tandis que lui, probablement, ahanait trop vite en cette chair neuve, qui sentait le propre et se couvrait d'une sueur un peu fade auprès de ce que sentaient les congaïs, négresses, moukères et veuves étranges entre les bras de qui il trouvait de quoi oublier un peu cette mort qui le prendrait, il le pensait, à peu près de la même façon, avec ces éblouissements dans le ventre et dans la tête qui le déposséderaient de lui-même pour le laisser face contre terre, yeux ouverts, souffle coupé.

C'était ainsi qu'il gisait à présent, contre Denise qui dormait ou faisait semblant de sommeiller, et qu'il pouvait pleurer en silence, il ne savait pourquoi, et songer, c'est probable, à celui qui était resté, non loin de là, seul, lui avait-on dit, depuis la mort du père, et qu'il ne se décidait pas à aller revoir : crainte peut-être de renverser la faveur des signes que le soldat, plus que le Pythre, lisait trop volontiers, le dernier étant les seins de la jeune épouse, fort beaux et assez lourds pour une femme aussi mince, et, le lendemain matin, le soleil entrant à flots par les persiennes rabattues dans cette chambre d'enfance où elle chantonnait ; le sentiment, enfin, qu'il méritait bien ça, cette femme qu'il pourrait regarder vivre, se laver le visage, les aisselles, l'entrejambes, user de crèmes, de savons parfumés, de fards, d'eaux de toilette pour se composer une figure non pas coquette, mais austère, comme si elle avait deviné que l'austérité (et non la tristesse ou la douleur) était la manière d'être des Pythre — la sienne également, celle des petites blondes au corps fluet en d'éternels tailleurs sombres qu'il fallut bientôt abandonner pour des vêtements plus amples, lorsqu'elle fut pleine d'espérances, comme le répétait Médée, dans Bourganeuf, dans Tarnac où les beaux-parents leur avaient laissé l'usage de la maison de famille, et dans Siom, où il faisait construire, donc engloutissait ses économies, et parlait de sa Denise et de leur enfant à venir avec un air si niais que nous pouvions douter que celui-là fût encore au bout de ses malheurs.

5

Il sut, avait sans doute toujours su que son père l'avait à peu près déshérité et que, propriétaire fauché et père d'une petite fille née le jour des Rameaux et prénommée Pascale, il lui faudrait accepter cet emplois dans les assurances dont lui parlait monsieur Blanzat — ce qui nous fit murmurer qu'il aurait bien du mal à échapper à son destin de Pythre, encore qu'on ne sût pas très bien de quoi il était fait, ce destin, et surtout en quoi il différait du nôtre. En vérité nous ne lui voulions pas de mal : il était, de tous les Pythre, le plus courtois, le plus fin, le plus équilibré, celui qui pouvait le mieux espérer échapper à la maudissure. Mais nous ne pouvions imaginer que le bonheur abritât longtemps de son aile ces trois êtres, ni qu'ils pussent prétendre à rien d'autre qu'être frôlés d'une aile de corbeau ; et il y avait quelque chose d'indécent à les imaginer heureux, à admettre que Médée, celui qui avait supporté sans broncher de voir sa main clouée à la table du père, celui qui avait eu le courage de tout quitter pour devenir un guerrier opiniâtre, fût devenu ce petit démarcheur qui, chaque matin, prenait sa voiture pour aller à Chamberet, chez l'agent de la compagnie d'assurances, avant de parcourir le plateau, les vallées et les plaines reculées

— bientôt aussi connu que l'avait été son père, à qui il ressemblait tant et bien obligé d'accepter d'être le fils du grand Pythre, de parler du père et du frère avant d'en arriver aux questions d'assurances, ayant vite compris que les assurances sont une histoire de famille et que c'était son destin que d'être le fils d'André Pythre, et de n'être que ça, en fin de compte, malgré la main clouée, les batailles, les blessures, la femme et l'enfant, les yeux calmes et cet air vieux qui avait toujours été le sien.

Mais enfin, au lieu d'habiter Bourganeuf, de devenir un improbable Bourganiaud, il avait bâti chez nous. Notre temps était derrière nous, jeunes et vieux, hommes et femmes, et c'était cette certitude qui nous faisait penser qu'Amédée Pythre accomplissait son destin ; et ceux qui avaient vu dans sa volonté de construire et de procréer un affront aux Siomois se trompaient. Il n'était pas comme cette demoiselle Lauradour qui avait fait construire à soixante ans, après avoir mis sa vieille mère à l'hospice des Buiges, une maisonnette avec, chose extraordinaire chez nous, un toit de tuiles et le chauffage central, et qui ne tint pas trois ans entre ses murs où elle périssait d'ennui et de bien-être : elle retourna vivre aux Buiges, où elle ne tarda pas à mourir. Médée fut plus long à comprendre. Il croyait, répétons-le, au bonheur, comme nous avions tous aimé y croire, à vingt ans, et pensait y avoir droit plus que les autres. Or il en avait plus de quarante, et, surtout, n'avait jamais eu vingt ans (mais quel Pythre les avait eus ?) ; et il voyait le monde avec les yeux de son épouse, c'est-à-dire comme quelque chose où il fallait mettre de l'ordre, avec la sourde certitude que l'ordre est la splendeur du vrai, et, s'ils y avaient cru, de Dieu, à tout le moins de la beauté — de ce dont nous sommes éternellement séparés et qui est au-delà des corps et des paysages, des musiques et des œuvres, des rires et des langues. C'est dire s'il se résignait, renonçait, se défilait, incapable de songer à sa gloire et à ses plaisirs, de chanter dans les supplices, d'attendre la vraie délivrance. Il voulait être comme nous, malin, bavard et frivole, nous qui avions toujours été là, dans les encoches de cette table de pierre rabotée par les vents, les rivières et les hivers, et qui acceptions de n'y être plus, rendus au bout du temps, d'un monde, d'une manière d'éternité, avec des filles et des fils en allés à la ville, devenus fonctionnaires et mariés à des étrangères, ayant oublié le patois, les manières et le langage de la terre pour celui d'une civilisation qui ne voulait plus de nous.

Nous étions les derniers, Médée aussi, mais il ne voulait pas le voir, il espérait se sauver parce qu'il avait vu mourir et qu'il était amoureux d'un petit bout de femme blonde à qui il était heureux d'obéir, cherchant la soumission, l'abnégation et le devoir jusque dans l'amour conjugal. Elle savait le prendre, Denise, et commandait sans abuser du privilège — sauf en ce qui concernait ce frère qui vivait près d'eux et qu'elle n'aimait pas. C'est elle, donc, qui obtint que Jean ôtât du pré ce qui était sous ses fenêtres, à elle, la cabane aux parois rongées par le temps, qu'il comblât enfin le trou, ce qui ne l'empêcha pas de revenir là chaque matin jusqu'à ce que Médée lui eût fait comprendre qu'il fallait aller fienter ailleurs. Il refusa d'aller aux cabinets de la mairie, à côté du lavoir ; il resta une semaine sans se délivrer ni rien faire d'autre que de songer au meilleur endroit, disait-il, où poser sa bousade, et finissant par élire le flanc nord de l'église, où il ne venait jamais personne, non loin du fumier de Berthe-Dieu, entre deux contreforts, près d'un tombereau qui achevait de pourrir et d'où il avait vue sur la vallée, sur la fontaine Saint-Martin, le cimetière, là-haut, l'extrémité du lac et la route de Limoges.

Il avait emporté sa faux, tailla dans les orties et les jeunes coudriers, s'aménagea un carré parfait à l'intérieur duquel, tous les matins, par n'importe quel temps, il allait poser le pantalon, comme il disait, ayant gagné au change puisqu'il pouvait contrôler mieux la chute de l'étron et en examiner la consistance avant que de laisser couler dessus un lent filet de sable, le cœur battant plus vite lorsque la matière était ferme de belle dimension et de couleurs diverses, en quoi il pouvait reconnaître, transmué, ce qu'il avait mangé, un peu triste s'il ne parvenait pas à se tirer mieux qu'une crotte semblable à celle d'un chien ou que ce fût trop liquide. Les fientes s'allongeaient dans le carré, selon un ordre simple qui pouvait faire songer à des tombes de pauvres qu'il venait contempler plusieurs fois par jour. Nous nous sommes émus, tout mécréants que nous étions, comme si ce n'était pas assez que Berthe-Dieu eût autrefois élevé son étable au coin même du porche. Nous sommes allés trouver non pas Jean qui était, comme nous tous, une vraie tête de bourrique, mais son frère Médée pour lui représenter que ces fientaisons quotidiennes n'étaient pas sans danger, que le mur nord de l'église se boursouflait, que des pierres s'en détachaient parfois et roulaient au fond de la vallée, et que ce serait trop bête, vraiment, de mourir ainsi, le pantalon baissé, avec de la merde au cul, oui, que c'était même là le plus sûr chemin de l'enfer. Médée nous regardait, écoutait, répondit qu'il parlerait à Jean ; puis il leva son verre. Ce fut la seule fois que nous bûmes à la table d'un Pythre. Nous trinquâmes en silence, étonnés de voir l'aîné des enfants Pythre croire à ce point au bonheur, et avec tant de simplicité. Sa femme se tenait près de lui, debout, souriante et fraîche, la petite Pascale contre son sein, dans la pénombre du salon qui avait, à la fin de cette journée d'octobre, quelque chose d'inhabituel pour nous qui passions directement de nos cuisines à nos chambres à coucher, quand nous ne dormions pas, comme Orluc, Sivadiaux, ou Nuzejoux, dans la cuisine, près de la cheminée, en des alcôves plus profondes que des tombeaux. La pièce sentait l'ordre et le calme, la cire tiède, le bois clair, le lait, les poires cuites et ce tabac blond dont Médée avait pris l'habitude outre-mer. Denise aussi avait foi dans son bonheur, et c'était à cela que nous trinquions.

Il avait bien besoin d'y croire, Médée. Il n'en profita pas plus que les autres. Il parla à son frère qui ne l'écouta d'abord pas puis, contre toute attente (et alors que nous étions presque résignés à voir l'église cernée d'étrons), abandonna ses fientaisons en plein air pour fréquenter les cabinets de la mairie dans lesquels il était d'ailleurs le seul à pénétrer avec Liselotte Vialle, la secrétaire, renonçant au filet de sable pour les grondements souterrains de la chasse d'eau, tandis que le papier journal, dont les articles déchirés et incomplets lui donnaient puissamment à rêver, était remplacé par de minces feuilles de papier beige dont une main discrète munissait le distributeur d'acier rivé au mur. Il allait s'y accroupir chaque matin, derrière la vitre dépolie, au-dessus d'une blancheur que l'eau inondait régulièrement et qui ne laissait pas de l'effrayer un peu, lui rappelant, murmurait-il, le puits de Veix et lui dérobant trop vite ce qui sortait de lui.

Il était là, il faut le dire, lorsqu'on cria sous les fenêtres de la mairie qu'il était arrivé malheur à Médée, qu'il avait chu sur la route des Places, dans le tournant de la Vialloche, où il s'était arrêté Dieu sait pourquoi, peut-être pour pisser sur un talus dont le muret s'était effondré sous lui. On le ramenait dans

325

sa propre voiture, le crâne ouvert, les yeux mi-clos, souriant faiblement. On dit que Jean resta accroupi dans les cabinets toute la matinée, et qu'il fallut toquer plusieurs fois au carreau, puis menacer de le briser avant qu'on pût tirer de lui l'assurance qu'il ne s'était pas abîmé, lui, dans la cuvette ; et encore ne fut-ce que ce « Ô » long et bien enroulé, proféré d'une voix très douce, et par quoi il accueillait tout ce qu'il entendait. Alors nous avons vu une silhouette lente se dresser derrière les carreaux dépolis, se tordre un peu, appuyer sur le verre une face déformée qui semblait nous narguer mais qui, lorsque s'ouvrit la porte, était celle de l'enfant que nous avions toujours connu, les lèvres frémissantes, la bouche s'ouvrant et se refermant sans qu'aucun son en sortît, les yeux plissés, les épaules voûtées. Il trébucha. On le soutint. Il se dégagea, comme s'il comprenait enfin que c'était bien son frère qui était tombé sur la tête, et pour qui il pleurait maintenant dans le bruit fracassant de l'eau bouillonnant derrière lui, et vers qui on le conduisait, dans cette chambre où nul d'entre nous (et Jean pas plus que nous) n'avait jamais pénétré, où ça sentait aussi bon que dans le salon, la fois que nous y étions, et où tout était trop beau, bien sûr, pour des gourles telles que nous mais aussi pour Médée ; trop beau en tout cas pour que ça lui ait porté chance, penserions-nous, lorsque Médée eut expiré après quinze jours d'une agonie longue mais sans douleur, avait dit le médecin — celui-là même qui avait signé l'acte de décès du père alors qu'il n'était pas encore mort et qui, cette fois, ne se décidant pas à signer celui du fils, fit venir un confrère de Treignac pour constater avec lui qu'il était bien passé de vie à trépas, celui qui gisait au fond du trop grand lit, la tête enturbannée de linges blancs, comme s'il avait enfin rejoint ces princes dont il vit les palais au fond des jungles et des déserts, devenu l'un d'entre eux moins par la gloire des armes que par cet héroïsme quotidien qui a pour nom l'abnégation — par renoncement, aussi, puisque décidément Siom ne voulait pas de lui, un sourire léger aux lèvres, veillé par Denise et Pascale, la première au visage fermé, dur, noble, que tout ça au fond n'étonnait guère et qui savait que nul royaume, fût-il le plus étroit, n'est de ce monde ; et l'autre, la petite fille silencieuse, au regard sombre, comme sa mère, qui contemplait gravement ces hommes et ces femmes qui s'approchaient du lit où reposait ce père dont elle ne se souviendrait pas.

Il aurait dû savoir, Médée, quand il contemplait les yeux de sa fille, qu'il ne pouvait y lire comme dans le ciel vers quoi il s'attardait, chaque soir, en fermant les volets, pour voir de quelle couleur était le cul de la Limougeaude, c'est-à-dire savoir, rose, pâle ou sombre, le temps qu'il ferait le lendemain. Sans doute croyait-il, en regardant sa femme et son enfant assis dans la semi-obscurité chaude de la chambre, trouver ici-bas quelque assurance de bonheur, pour ne pas dire l'éternité. Et nous songions qu'il était probablement heureux, à présent, où qu'il se trouvât, oui, qu'il y avait enfin gagné cette paix qu'il avait commencé de goûter parmi nous, pendant cinq ans, et à quoi l'effondrement d'un muret au bord d'un champ où il pissait, pour lui qui avait arpenté les rizières, les brousses et les bleds, et connu des chutes grandioses, celle de Diên Biên Phu, celle de l'Algérie, celle des Pythre enfin, avait mis un terme.

Denise ne voulut pas avoir tout perdu, c'est-à-dire qu'il reposât près de son père, à Siom, ni à Féniers avec sa mère, mais dans le caveau de sa famille à elle, à Tarnac. Tout Siom était là, ou ce qui en restait (car c'est à cette occasion que nous avons pris l'habitude de nous compter). Suzon n'y parut point. Jean continuait à sourire comme quand il était sorti des cabinets, entre Farges et Orluc. On eût dit que ça ne le concernait pas, qu'il n'avait pas vu, au fond du lit, la tête enturbannée du grand frère, qu'il n'avait jamais cru qu'il était revenu : ce qui nous fit dire encore une fois que les Pythre ne faisaient pas les choses comme tout le monde et que chez eux on n'était pas regretté ; c'est ce que nous avons du moins pensé jusqu'à ce que nous ayons compris que Jean portait le deuil à sa façon, ayant rangé son vélo dans l'ancien magasin où il finit de rouiller, pendu au mur parmi les peaux de lapins, les vieilles vestes et les faux, sous les boyaux mités, la casquette et les dossards et tous les oripeaux de l'ancienne gloire.

6

Le temps était donc arrivé où Jean fut le seul mâle
à porter le nom des Pythre. Denise avait quitté Siom,
un dimanche de juin, au soir, comme une réprouvée.
Elle avait confié la clé de la maison à madame Heurtebise, veuve de forgeron et ci-devant postière et pleu-
reuse, qui venait l'ouvrir une fois par mois, le dimanche, pour aérer, disait-elle, mais où elle se promenait
et marmonnait comme si elle s'entretenait de sa voix
de corneille blessée avec les disparus. Le fermier Billy
avait décampé lui aussi : une énorme bétaillère était
venue, un matin, pour emporter ses vaches qu'il suivit
en voiture, accompagné de ses fils et de ses filles dont
nul n'avait voulu. Les frères Nuzejoux avaient suc-
combé, l'un à la tuberculose, l'autre à la syphilis ;
d'autres étaient morts de froid, s'étaient tués à vélo-
moteur ou avaient cru trouver une nouvelle jeunesse
auprès d'une souillon qui les avait fait vieillir plus
vite. Si bien qu'il ne restait plus, à Siom, qu'une trentaine d'âmes, toutes penchées sur leur peu de gloire,
et les quatre vaches de Berthe-Dieu qui, quatre fois
par jour, remontaient et descendaient la grand-rue
sous les cris d'un petit berger au visage blême,
constellé de taches de son, qui regardait autour de lui
comme s'il avait peur de son ombre.

Jean Pythre était donc seul, avait toujours été seul, n'importe qui pouvait le comprendre à le voir passer ses journées assis sur son petit banc à profiter de l'air du temps de la même façon qu'il eût bu les trois liqueurs qui sont dans la main de Dieu, alors qu'il n'avait pas quarante ans et remâchait sa vie comme il raclait l'os de la côtelette qui était devenue la pièce de résistance de ses repas et qu'il n'abandonnait aux chiens qu'une fois l'os poli et sec comme une canne de noyer ; comme ce qu'il était, disait-on aussi, entre les mains et dans le cœur des femmes, entré dès ce temps-là dans le pays des femmes, le premier et seul Pythre de qui les femmes se soient ainsi souciées, dont elles aient eu pitié, faute qu'elles aient pu l'aimer vraiment : car il n'était, murmuraient-elles, point fait pour l'amour, pour la sorte d'amour qui harasse les hommes et abaisse les femmes.

En vérité, il était dans nos vies de femmes depuis sa naissance, et aussi dans nos mots et dans nos songes, parce que enfant de l'amour et qu'on pouvait le dire beau. Eût-il été laid, nous ne l'aurions pas moins aimé, c'est-à-dire doucement plaint, étant donné que nous n'avions en ce temps-là plus rien à plaindre, pas même nous-mêmes qui bientôt serions couchées sous terre et ne comprenions plus qu'on se donnât tant de mal non seulement pour vivre (et vivre comme nous l'avions fait, nous autres femmes) mais encore pour donner la vie et nous en extasier, si c'était pour finir comme ça, dans les larmes, le sang, les grimaces, la sueur, la nuit où nous avaient précédées les meilleures d'entre nous, les pires aussi, certaines bien trop jeunes et celles qui avaient fait leur temps, et nous qui restions, pressées par celles qui nous suivaient, le visage dans l'ombre, vieux feux près de s'éteindre et nous y résignant, nous y étant toujours plus ou moins résignées sans avoir fait trop mauvaise figure dans la recrue interminable de l'espèce, en tout cas sans avoir fait de tout ça ni un semblant ni un devoir, et nous supportant jusqu'au bout, jusqu'à l'assèchement de notre sang, et pas comme certaines qui en avaient fini avant l'heure, Aurélia du Monteil qui s'était laissée couler au fond d'un puits, ou cette fermière de Condeau qui avait tué les siens, comme un homme, à coups de fusil, avant d'élargir sa propre tête aux dimensions du ciel. Non, nous tâchions d'être bonnes, de nous trouver de l'amour ou ce qui y ressemblait le mieux, ou encore de nous amender, de faire ce qui se rapprochait le plus du bien, telle Rosalie Roche, une des plus mauvaises bêtes de Siom, sa langue la plus redoutable, et qui, un matin d'octobre, cette même année, alors qu'on ne la croyait plus capable de bouger depuis longtemps (ce qui avait conduit les siens à la soigner et à la haïr avec cette rigueur dont nous avions si souvent fait montre envers les bouches inutiles), se leva toute seule, s'habilla, attacha sous son cou la bride d'un petit chapeau noir en paille vernie dont le ruban était parti, et, d'une jambe quasi allègre, monta chez le dernier des Pythre. Elle ne heurta pas à la porte ; elle passa par l'ancien magasin comme si elle était chez elle et surgit dans la cuisine, à la gauche de Jean qui était en train de couper au-dessus d'un bol de café de minuscules carrés de pain, parfaitement égaux, sans faire tomber une miette. Elle surgit là et prononça son nom à lui, ou plutôt le cria, elle ne savait parler autrement, sans qu'il répondît ou se retournât, faisant simplement mine de chasser d'au-dessus de sa tête celle, grimaçante, édentée, sèche comme une vieille châtaigne, de Rosalie Roche dont il ne savait sans doute pas qu'elle était la mère incroyablement vieille de cette Jeanne Roche qui l'avait mis au monde, il y avait près de quarante ans, et qui, cette vieille, l'effrayait autrefois quand elle menaçait d'orties ses fesses et ses jambes, surgissant il ne savait pourquoi, là où il l'attendait le moins et lorsqu'il était seul, dans la sente du presbytère, derrière chez Chabrat, dans les thuyas du lavoir, la grange de Berthe-Dieu, le poulailler de Liselotte Vialle, à l'entrée de la forge, du temps de Heurtebise, ou encore à la fontaine Saint-Martin, partout où il se réfugiait, rêvassait, respirait les odeurs de ceux qui n'étaient plus là. Et à présent elle se tenait là, penchée sur lui, l'haleine courte et fétide, les paupières rouges, extraordinairement, comme si elle eût sans cesse pleuré, elle qui de sa vie, dit-on, n'avait pu se trouver de larmes, le regard cette fois presque bon, en tout cas point hostile, l'exhortant de sa voix de vieille pie à se lever, se laver, se vêtir. Elle alla droit au réchaud à gaz, mit de l'eau à chauffer, s'assit à ce qui avait été la place du père (elle ne le savait pas mais l'aurait-elle su qu'elle s'y fût installée de la même façon), tandis que l'autre était allé s'habiller dans sa chambre, furieux de se voir dérangé dans ses rites matinaux mais craignant encore la vieille, ayant compris qu'il n'irait pas ce matin-là poser le pantalon aux cabinets de la mairie et obéissant à cette vieille à qui il n'avait jamais dit trois mots et qu'il accompagna jusqu'aux Buiges, à pied, elle marchant un peu en avant, ainsi qu'elle avait fait toute sa vie, méprisant les automobiles, surtout pour quatre kilomètres, et avançant plus vite, malgré son âge, que le grand innocent aux vêtements gris clair, trop amples, qui avait l'air de traîner la jambe. Elle en eût remontré à la terre entière ; elle en remontra à Madegal qui faisait le taxi et avec qui elle s'entendit pour qu'il les conduisît à Eymoutiers où il les attendit pendant une heure, environ, dans une rue en pente, sur la route de Bourganeuf.

Cette heure, la vieille Rosalie et Jean Pythre la passèrent dans un petit bistrot quasi désert, raconterait

Madegal, qui voyait tout de son taxi garé de l'autre côté de la rue, la salle aux murs jaune clair, avec, debout devant le comptoir, deux ou trois types descendus de Neuvialle, de Plainartige ou de Nedde et qui discouraient sur les troubles qui, pendant deux mois, venaient d'agiter la République. L'un d'eux (Madegal pouvait l'entendre par la porte entrouverte du bistrot), un type maigre aux yeux très bleus, avec un grand béret vissé sur le crâne, soutenait d'une voix monocorde que les Rouges, ça s'était su là-haut du côté de Tarnac ou de Siom, avaient établi la liste de tous ceux qui devaient être éliminés (« Fusillés, oui, fusillés ou déportés, pareil que les Boches ! ») lorsqu'ils auraient pris le pouvoir. Les autres se taisaient. La vieille Rosalie et Jean s'étaient assis à une table du fond, côte à côte, et ne disaient rien, eux non plus. La vieille regardait la patronne, une petite femme de soixante ans, aux cheveux teints et bouclés, vêtue non pas d'une sombre blouse à fleurs minuscules mais, telle une bourgeoise des villes, d'une robe émeraude et d'un châle blanc : elle, la patronne, écoutait en souriant le hâbleur et jetait de temps à autre un coup d'œil en direction de l'homme et de la femme à qui elle venait d'apporter les apéritifs, sur un plateau rond, dans de hauts verres évasés dont le pied s'ornait d'une petite boule dorée par quoi on pouvait le tenir — exactement comme le faisait la vieille, en un geste d'une élégance déplacée, admirant l'ambre de son vin cuit, Byrrh ou Dubonnet, précisait Madegal, tandis que Jean s'émerveillait une fois encore de la simple alchimie qui, grâce à un peu d'eau fraîche, métamorphosait l'or brun de son pastis en une sorte de lait jaune puis blanc, et lui donna après le second verre envie de parler et de pleurer. Il y en eut un troisième. Il fut bientôt gris, ne vit pas les deux femmes se dévisager avec insistance, la plus jeune soudain rougissant sous le regard fixe de la vieille, puis se rapprochant, franchissant les flottaisons bleues des cigarettes et s'arrêtant une nouvelle fois devant la table du fond, non pas pour demander à la vieille ce qu'ils désiraient, mais pour ne rien dire, la regarder et ne rien dire, reconnaître qu'elles n'avaient rien à se dire, qu'elles n'avaient jamais su se parler, sauf, peut-être, en ce jour bien lointain où (cette version en valait bien une autre) la mère avait renié la fille, l'adolescente engrossée qui venait de fuir le maître de Veix et que son père Roche entendait chasser sur-le-champ, dans la nuit noire, sans même la laisser rentrer à la maison, mais que Rosa rejoignit (et, peut-être, battit, injuria, maudit) dans le fournil où elle avait trouvé refuge, contre la cheminée encore chaude du pain qu'on y avait fait cuire, avant de la laisser repartir, dès l'aube, non pas pour Veix, bien sûr, mais pour la placer à Pérols, chez une cousine qui savait se taire, comme nous autres, au moins jusqu'à ce que la petite Jeanne se fût remise ou même, selon l'autre version des faits, délivrée : n'ayant donc pas fait ses couches à Veix ou dans quelque ruisseau, mais du côté de Pérols, puis ramenant le bâtard à Siom, par un jour de grand vent. Nous l'avons vue, vers midi, descendre la grand-rue, accompagnée de son père. Elle serrait contre elle le bâtard. Ils sont montés à Veix par le pont de Jouclas. On dit que la porte fut ouverte par Pauline qui ne dit mot, ne cilla pas, ne leur fit pas signe de finir d'entrer. On entendit alors la voix du grand Pythre s'élever dans l'ombre, derrière elle, et menacer Pauline de l'enfermer dehors si elle laissait entrer ce vent ; et comme Pauline ne bougeait pas, il se leva, marcha jusqu'à la porte, la poussa sur le seuil où elle trébucha, lui découvrant alors le père Roche et la petite Jeanne. Roche le regardait d'un air sombre, les yeux dans l'ombre du grand feutre noir, les

lèvres tremblantes sous ses moustaches blanches, jau-
nies sous les narines par le tabac. Jeanne baissait les
yeux, très pâle, l'air un peu niaise ; elle eût sans doute
pleuré si elle n'avait senti la poigne de son père autour
de son bras ; elle serrait contre elle l'enfant emmaillo-
té qu'elle finit par tendre au grand Pythre dès que
Roche eut murmuré :

— Finissons-en.

Elle vit, tout près de sa poitrine, les mains larges
de l'homme de Veix se refermer sur l'enfant. Il leur
tourna le dos. Peut-être le vit-elle encore, à travers
les larmes qu'elle ne pouvait plus retenir, remettre le
paquet à sa femme, se rasseoir près du feu et les regarder, jusqu'à ce que Pauline eût refermé la porte,
reprendre le chemin de Siom, la fille qui pleurait,
bousculée par le père rude et humilié qui trébuchait
aussi sur les bosses du chemin.

Elle retourna à Pérols, puis se plaça non loin de là,
chez un fermier d'Ars dont on raconte qu'elle eut à
subir les assauts, qu'il l'engrossa et dont elle fit passer
l'enfant. Elle était fraîche et simple, certes pas belle,
mais pour cette raison, on le lui avait dit, placée sous
l'aile d'un ange et se croyant protégée, ne comprenant point que l'ange faillît à sa tâche et que les hommes en voulussent à son corps, à ses tétons particulièrement qu'elle avait fermes et assez gros, à ses cuisses
et à ce qui était tapi entre les cuisses, surtout quand
elle saignait et que le fermier d'Ars, qui savait qu'elle
saignait, la poussait dans la grange ou le fournil, et la
pliait à une douleur bien plus vive qui lui tirait des
larmes et des cris plus rauques et lui faisait chercher
des yeux et des mains quelque chose à quoi s'accrocher mais elle ne trouvait que les épaules de l'homme
et, par-delà, des chaînes et des cordes qui pendaient
du plafond et à quoi elle songeait peut-être à étrangler
ses cris.

On dit qu'elle quitta Ars un soir d'été, comme une romanichelle, qu'elle coucha dans le fossé avant d'arriver à Ussel le surlendemain par la route d'Alleyrat. C'était jour de foire. Elle s'y promena longtemps, tâchant de faire bonne figure, mais défaillant presque à chaque pas, se laissant aborder par un garçon souriant qui lui dit deviner qu'elle avait grand besoin de quelques sous. Elle rougit, serra sur ses épaules un châle trop chaud pour la saison, voulut courir, se ravisa, comme si elle savait ce qui allait arriver (on lui en avait déjà parlé, elle avait même pu voir, à Pérols, la fille Masmonteil en revenir, la tête haute, mais blême et les larmes aux yeux, et murmurant que ça n'était pas si terrible que ça). Elle baissa le menton et suivit le gars jusqu'à un cercle de badauds goguenards au centre de quoi semblait l'attendre un autre jeune gars qui sur-le-champ lui défit la coiffe et les cheveux dont il palpa l'épaisseur, mesura la longueur, fit miroiter la teinte au soleil de midi. L'autre, le compère, avait dû glisser quelques mots à l'oreille du cheveleur, sans doute qu'on ne paierait pas la fille en nature, c'est-à-dire en étoffes, comme les autres, mais en bon argent. Elle s'assit sur le tabouret, ne savait comment se tenir, croisa d'abord les bras, posa ensuite les mains sur les genoux, joignit enfin les doigts sur son ventre, s'efforçant de sourire, se sentant bête et lasse. Elle ferma les yeux. Peut-être n'entendit-elle plus le murmure des badauds mais, non loin de là, le gémissement des génisses et, plus loin, le train qui passait sur le pont de la Sarsonne. Le cheveleur faisait vite, de peur qu'elle se ravisât et que les autres intéressées se décourageassent. Elle eut à peine le temps de saisir la petite mèche brune, sur le devant, qu'elle voulait sauver et qu'elle ferait dépasser tout à l'heure, quand ce serait fini et qu'elle aurait renoué sous son menton le cordon de son blanc bonnet tout rond en piqué.

Elle savait à présent, la tounduda, que la beauté ne se mange pas mais s'achète. Elle savait bien d'autres choses encore et se sentait nue avançant parmi la foule, près de défaillir, avec le jeune gars qui marchait auprès d'elle et qu'elle ne voyait ni n'entendait, qui dut l'attraper par la taille lorsqu'elle commença de tourner de l'œil pour l'asseoir d'abord au pied d'une fontaine, sur la place d'Armes, puis, quand elle se fut remise, qui l'amena dans un bistrot où elle but du chocolat, mangea des tartines de beurre qu'elle considéra avec méfiance avant d'y mordre à belles dents, tandis qu'il buvait, lui, un coup de rouge et fumait en se lissant la moustache et en fermant les yeux à demi — tentant sa chance et ne la rencontrant point, laissant Jeanne seule au bistrot avec les consommations à régler avec cet argent qu'elle n'avait depuis deux heures cessé de serrer dans sa main droite et qu'elle eut tôt fait de manger, les jours suivants, sans se décider à quitter la ville où elle sentait le danger mais où, contrairement à Veix, Siom ou Ars, il pouvait s'apprivoiser, se monnayer, s'éviter.

C'était ce qu'on disait, à Siom, mais à cette époque, en 1928, les cheveleurs ne tenaient plus commerce et il faut croire qu'elle les coupa elle-même, par défi, qu'elle survécut autrement, qu'elle trouva à s'embaucher par exemple à l'imprimerie Lombarteix et Balmisse, plus sûrement à l'hôtel de la Gare ou à l'hôtel de l'Agneau où on demandait une bonne. Elle était, disait-on, une moins que rien. On ne la voyait pas plus que si elle eût été une vraie tondue, sous son bonnet de piqué blanc. Elle dirait encore, bien des années plus tard, qu'elle se fût donnée au premier qui lui aurait montré deux liards de sympathie, qui l'eût rendue à son âge, l'eût regardée avec d'autres yeux que ceux qu'elle apprenait à éviter, ceux des commis, des garçons ou des voyageurs

— lesquels n'eussent pas déboursé un centime pour l'entrejambes de cette souillon aux cheveux trop courts, au regard et à la bouche durs, et trop fluette malgré sa poitrine lourde. Elle céda pourtant à l'un d'eux, à qui elle avait monté un broc d'eau chaude et qui se sentait généreux, ayant fait ce jour-là de bonnes affaires : un maquignon de Mauriac, au cou de taurillon, très rouge, épais, sentant le vin et l'ail et soufflant fort, assis au bord du lit, riant à petit bruit, tout seul, sans raison, ou parce qu'il ne parvenait pas à se pencher pour délacer ses souliers. Elle s'agenouilla et les lui tira. Il le lui avait demandé gentiment. Elle espérait une pièce. On dit qu'alors son bonnet glissa sur son épaule et qu'elle fit comme si elle ne s'en était pas aperçue. Il regardait ses cheveux encore trop courts, elle attendait qu'il se mît à rire ou qu'il lui dît qu'elle ressemblait à une vieille gardienne de troupeau. Mais il lui dit tout autre chose et d'une voix dont la douceur lui donna envie de pleurer :

— Je t'aurais bien donné cent francs, moi, pour que tu ne les coupes pas.

Elle pleurait. L'autre continuait à sourire ; puis comme elle ne se calmait pas, il lui prit les mains, les serra, l'attira contre lui, l'installa sur ses genoux.

— Tu ne pèses pas grand-chose.

Et il riait. Elle le laissa la déshabiller, l'embrasser dans le cou, peser sur elle et en elle sans lui faire mal, comme elle n'avait encore jamais senti homme le faire, lui dérobant sa bouche mais point ce ventre où l'autre se démenait lentement, sans se presser ; si bien qu'elle eut confiance, soudain, dans ce poids qu'elle sentait sur elle et en elle, et fut sur le point de gémir, mais n'osa le faire, habituée à ravaler ses cris, ses larmes et ses rires. Elle fit mine, un peu plus tard, de refuser les cent francs qu'il lui tendait et qu'elle finit par prendre parce qu'il la regardait gentiment. C'était ce qu'on disait, mais peut-être tout ça fut-il moins romanesque, plus bref, plus mesquin.

On sait pourtant qu'elle le revit ; que pour cent francs il l'étreignait à sa guise, sans se presser, en homme qui sait ce qu'il veut et à quoi il a droit. Ensuite il parlait de lui, de sa femme bréhaigne et froide comme un chandelier d'église, des enfants qu'il n'avait pas eus, de l'amitié qu'il prenait pour elle, la petite Jeanne. Il était malin, sentimental, désabusé, mais pas assez pour ne pas se mettre à l'aimer, du moins lui proposer de lui faire un enfant qu'il l'aiderait à élever, de l'installer, elle, à Ussel, par exemple, ou ailleurs. Ce qu'elle eût sans doute accepté si elle ne se fût abîmé le ventre en faisant passer l'enfant du fermier d'Ars : elle le lui dit en se cachant la tête sous le drap, non pas parce qu'elle avait honte, elle, mais pour ne point voir briller des larmes dans les yeux du maquignon qui respira très fort, caressa le ventre blessé, murmura qu'il y en avait qui n'avaient pas de chance, que la naissance et la condition n'étaient rien, qu'il fallait boire jusqu'à la lie ce que nous verse le destin. Il aimait faire des phrases, serrait Jeanne contre lui, soufflait avec bruit dans ses moustaches, et s'endormait pour se réveiller seul, dans l'aube qu'il regardait poindre, on peut le croire, la gorge nouée.

Cela dura trois ans. Pendant trois ans, il revint à Ussel les jours de foire et d'autres fois encore ; sans doute espérait-il qu'elle n'avait pas dit vrai pour son ventre ou n'admettait-il pas qu'un autre ventre de femme résistât à sa semence d'homme puissant et heureux en affaires — d'autant qu'il avait réussi à faire geindre Jeanne, à la faire se tordre sous lui, sur lui, à genoux devant lui, et l'avait vue renverser les yeux comme s'ils eussent entrevu le jour au fond de la nuit pluvieuse d'Ussel. Puis il ne vint plus. Elle s'y attendait, s'étonnait même que ça ne soit pas arrivé plus tôt, songeant que le maquignon de Mauriac — ce Léonce Echameil dont elle avait une nuit vu les larmes trembler au bord de ses paupières — avait dû trouver enfin servante féconde et l'avait installée dans ses meubles ; à moins qu'il n'eût tout simplement, comme Jeanne, renoncé à être heureux.

Elle avait de l'argent. Elle avait su le placer, sur les conseils du bougnat. Elle entendit parler d'un café à vendre, à Eymoutiers. Elle prit le train, un dimanche après-midi, accompagnée d'un des garçons de salle à qui elle avait payé le voyage à seule fin qu'il fût là, dans son costume sombre, avec son air distingué et un peu austère, et qu'on ne se méfiât pas d'une femme seule. Et tandis qu'elle descendait vers la Haute-Vienne (de même qu'au retour et aussi la fois qu'elle s'éloigna d'Ussel pour toujours), elle ne regarda pas une seule fois au-dehors, ne tourna pas la tête, continua de fixer droit devant elle on ne sait quoi, pas le garçon de salle, en tout cas, bien que celui-ci pût se croire regardé et prendre pour lui ce sourire silencieux, non, pas une fois elle ne regarda par la vitre, ni à Pérols, ni aux Buiges, ni à Siom, lorsque le train y passa, comme si tout ça n'existait plus ou même n'avait jamais existé. Elle fit affaire, acheta le café, la petite maison et le bout de jardin. On peut dire qu'elle acheta aussi le garçon : il était plus vieux qu'elle de quinze ans, plutôt laid, mais honnête et brave. Elle l'épousa. C'était d'ailleurs ce qu'ils pouvaient faire de mieux, lui parce qu'il l'aimait en silence depuis longtemps et qu'il désespérait de trouver chaussure à son pied ; elle parce qu'il lui fallait un homme, très vite, pour faire admettre qu'une fille de la campagne, qui plus est une gourle du haut plateau dont Eymoutiers, au creux de sa vallée profonde, est l'une des tristes portes, ait pu se payer, si jeune et si peu belle, un bistrot, une maison, un mari.

Il l'aida à passer les années de guerre, s'attrista qu'elle ne lui donnât pas d'héritier, se résigna, déclara lui aussi qu'on ne pouvait tout avoir, et mourut tout doucement, peu après la Libération, de la poitrine, disait Jeanne, assez fière d'être veuve, ce qui était chez nous un statut en effet considéré, fière aussi, ça faisait si distingué, avait-elle lu dans le journal, que son époux eût été emporté par la tuberculose. Elle prit le deuil comme on prend un état, et ne le quitta plus, même quand elle se laissa fréquenter par un gendarme à la retraite. Elle avait trente-huit ans, mais préférait, disait-on, l'honneur de vivre en noir à la chair blanche de l'homme. Dès l'aube elle rêvait au moment où elle échapperait aux buveurs, fermerait boutique, remonterait s'installer dans la pièce du haut, surchauffée été comme hiver (parce qu'elle avait toujours eu froid) et refaite à neuf, meublée dans le goût qu'elle supposait aux bourgeoises d'Eymoutiers dont elle voyait les grandes fenêtres briller au soleil du soir, là-haut, de l'autre côté de la rivière, derrière leurs sapins, leurs tilleuls et leurs massifs de buis, et vers lesquelles elle aimait regarder la lente montée des voitures qui s'en allaient vers Bourganeuf et Guéret, rêvant, elle qui n'avait jamais parcouru plus longue distance que les soixante kilomètres séparant Ussel d'Eymoutiers, à partir des plaques minéralogiques dont elle savait par cœur la signification, à ces régions de France dont l'éternelle radio qui bourdonnait dans un coin de la chambre, comme le ferait, quelques années plus tard, le poste de télévision, lui donnait des nouvelles sans qu'elle eût pour autant le sentiment que tout ça fût bien réel, le haut plateau, les régions, le monde et elle-même qui s'endormait doucement dans cette chambre où elle n'avait plus jamais froid et d'où rien, se disait-elle sûrement, plus rien ne pourrait venir la déloger.

Or sa mère était là, devant elle, alors qu'elle l'imaginait morte depuis bien des années, qui n'aurait plus dû être en vie et à qui elle n'avait point pardonné (n'ayant d'ailleurs rien pardonné à personne, à commencer par elle-même), en compagnie de ce type d'une quarantaine d'années à l'air nanot, niais, fadar, qui buvait lentement et ne voyait ni n'entendait rien, tandis que les deux femmes se regardaient sans sourire ni parler, ni marquer qu'elles se reconnaissaient. Jeanne retourna à son comptoir, de l'autre côté de la fumée, près de la fenêtre entrouverte, le cœur battant, cherchant ce que la vieille pouvait fabriquer là, elle qui aurait dû se trouver sous terre, disait-elle, et même n'avoir jamais existé, à tout le moins pas mis au monde d'enfant, surtout pas elle, Jeanne, la petite Jeanne que Madegal, dans son taxi, de l'autre côté de la rue, voyait regarder le ciel ou peut-être rien, par l'entrebâillement de la fenêtre.

La vieille lui faisait de nouveau signe. Il fallait y aller, lui rendre la monnaie sur le billet de cent francs qu'elle venait de déplier sur la table et qu'elle repassait comme un mouchoir dont elle eût voulu effacer les plis. Aux trois autres buveurs s'étaient joints des gars de La Celle et de l'Église-aux-Bois qui bataillèrent à propos des élections et semblaient en avoir après le genre humain. On ne s'entendait plus. Elle ne les vit pas s'en aller, ou ne voulut pas les voir se lever puis se diriger vers la porte. Elle ne tourna la tête que lorsqu'elle entendit le grelot de la porte. Peut-être avait-elle compris. Cela ne changea rien. Et comme un type de Nedde lui demandait à quoi ou à qui elle pouvait bien penser, elle eut ces mots :

— Ça n'en finira jamais...

7

Pouvait-il se rappeler le visage rouge et dur de la femme aux cheveux bouclés qui avait surgi à plusieurs reprises de derrière la fumée pour une fête de la soif qui le força à se coucher, dès son retour à Siom, sous le regard de la vieille qui se demandait en marmonnant comment diable on pouvait vivre dans un froid pareil et cherchait autour d'elle non pas la bouillotte de terre ou la brique vernissée qu'elle eût pu mettre à chauffer sur le poêle avant de la placer, enveloppée de quelques pages de journal, au fond du lit de Jean, mais, elle le savait, ce bidon qui avait contenu de l'huile de moteur, qu'il emplissait d'eau chaude pour en bassiner ses draps et qui, lorsqu'il gelait au-dehors et même dans la chambre dont les vitres à l'intérieur se couvraient de givre, se rétractait avec un claquement qui l'éveillait, terrifié, comme si, disions-nous, le grand Pythre fût revenu pour lui péter à l'oreille ? Et il était long à retrouver le sommeil, mais jamais ne songea, après usage, à déposer le bidon ailleurs qu'au pied de son lit. Ce qui fit dire à la vieille :

— Mon pauvre Jean, tu ferais mieux de mettre une femme dans ton lit.

À quoi elle s'entendit rétorquer qu'une femme ne ferait que péter et caguer dans son lit : autant de bruit que le bidon et bouffant comme quatre.

Nous l'avons vu sortir, le lendemain matin, très tôt, ses souliers astiqués et une musette à l'épaule — celle-là même peut-être qui avait autrefois servi à transporter le poulet du père, car il ne jetait rien, ni ses vieux habits, ni les journaux qui s'entassaient devant lui sur la table de la cuisine, avec les polices d'assurances et les enveloppes, ni les voitures qui ne fonctionnaient plus, qui n'avaient d'ailleurs jamais bien marché, à part la 403, qu'il abandonnait au bas de son pré, derrière chez Rivière, et où il allait parfois s'enfermer, l'été, pour de longues siestes avec les poules et les lapins qu'il prétendait élever mais qui auraient crevé de faim si Marthe Rivière ou Clémence Chave ne leur avaient apporté à manger.

Nul n'aurait pu savoir où il allait, ce matin-là. Ce qui était certain, c'est qu'il avait revêtu le costume (le beau, le gris, celui dans lequel on en aurait mis trois comme lui et que le vent gonflait comme une voile) qu'il mettrait dorénavant tous les dimanches au lieu de rester assis en bleu de travail à la table de la cuisine, sous la pendule que son père avait autrefois achetée au père Bracols, qui avait tenu chez nous un atelier d'horloger, et placée dans sa chambre jusqu'à ce que Jean (le soir peut-être du jour où la vieille l'amena à Eymoutiers) l'installât non pas dans sa chambre à lui, mais au mur de la cuisine, au-dessus des piles de papiers d'assurances et de vieux journaux : c'est qu'il était, ce fadar qui n'avait ni cheminée, ni femme, ni enfant, du côté du droit, de l'argent et de l'ordre, tout de même que le facteur, l'instituteur ou la secrétaire de mairie. À telle enseigne que nous lui avions confié, le dimanche (et il nous semblait qu'il ne mettait pas son costume pour autre chose), le soin d'aller faire valider à Treignac nos paris sur les chevaux, un peu préoccupés, cependant, de ce qu'il n'arrivât pas à temps, ou qu'il le perdît, ce temps, à rêvasser ou à

s'endormir dans quelque chemin creux, ou encore
que défaillît la DS qu'il venait d'acquérir avec on ne
savait quel argent et qui mangeait autant d'huile que
d'essence ; mais il ne nous fit jamais ce coup, arrivait
à temps ou, si le guichet allait fermer, palabrait, ba-
taillait tant et si bien qu'il pliait le temps à sa guise et
non seulement le temps mais ceux qui en décidaient,
patrons et guichetiers et tous les fonctionnaires qui,
le voyant débarquer avec son sourire d'archange aux
dents gâtées, préféraient perdre quelques minutes,
voire tourner un peu le règlement, plutôt que de le
voir se tenir debout, devant le guichet clos, dépité,
blême et mauvais, la bouche fendue comme s'il allait
pleurer.

Et il continuait d'avoir les femmes avec lui, faute
qu'il les eût à lui. Non qu'elles se refusassent ; mais
il ne savait, dit-on, que parler et regarder. On raconte
bien qu'un dimanche, retour de Treignac, il passa par
les Freux pour faire signer des papiers d'assurances
au vieux Faurie qu'il ne trouva pas chez lui, bien qu'il
fût presque nuit. Il trouva en revanche, à la porte de
la maison voisine, la fille Verviale qu'on appelait ainsi
bien qu'elle eût passé la cinquantaine, mais chaude
encore et guettant le mâle non seulement des yeux et
des oreilles mais, disait-on, par tous les trous de son
corps. Il s'approcha. Le soleil disparaissait derrière les
sapins qui bordaient l'étang et la vallée, à l'ouest. Il
faisait tiède. De la Verviale il ne voyait qu'un visage
très blanc sous une chevelure en désordre. Sans doute
lui dit-elle de finir d'entrer, et, comme il ne se décidait pas, le prit-elle par la main. Ce ne fut pas pour
l'amener dans la maison mais tout à côté, dans la
grange où elle prétendait lui faire voir un nid de guê-
pes et où il la suivit, bien qu'il fît nuit, montant à
l'échelle derrière elle, la tête enveloppée d'une odeur
forte, dirait-il plus tard, qui rappelait celle des génis-

ses, avec quelque chose de plus subtil encore, entre
la sueur et le parfum, et qui faisait tourner la tête à
tout le monde, aux hommes comme aux femmes,
mais surtout aux femmes, soutenait-il, qui n'en pouvaient bientôt plus, à tel point qu'il fallait que le toubib vienne s'occuper d'elles, ou que ce soient les
hommes qui fassent comme le toubib ou le vétérinaire
quand il enfilait sur son bras nu jusqu'à l'épaule un
long gant transparent et qu'il entrait tout ça dans la
vache qui se mettait à souffler, la tête redressée, les
yeux écarquillés, tout le corps recourbé — exactement comme était la Verviale sur le foin, il pouvait
encore voir ça, les mamelles à l'air, la tête sur un coude et lui tendant la main alors qu'il restait debout
devant elle, les bras le long du corps et la bouche
ouverte, l'amenant donc à elle, à genoux, et quand
lui aussi fut à genoux, lui murmurant à l'oreille
qu'elle allait bien s'occuper de lui, oui, qu'il en avait
bien besoin, qu'elle allait lui faire du bien, comment
ne pas voir qu'il était malheureux, elle en avait envie
depuis longtemps, depuis qu'elle l'avait vu passer à
vélo, une après-midi, pendant la course de Siom, avec
ses cuisses et sa figure recouvertes de sueur et brillant
au soleil et cet air de souffrance qu'il avait ; et de
l'autre main, elle ôtait sa culotte avec quoi elle essuya
le visage de Jean qu'elle avait fini par emprisonner
entre ses cuisses, gémissante et bientôt furieuse de ce
qu'il ne remuait pas, puis recommençant ses bécots
sur les lèvres minces et serrées de l'homme, ahanant,
se démenant de plus belle mais pour rien, sinon, lorsqu'elle se décida à porter la main à l'entrejambes de
Jean, pour constater que tout y était gluant et mou,
mais avec une telle abondance que, loin de se fâcher,
elle se montra pleine de considération, voulut retenir
à dîner et à coucher ce mâle dispendieux dont elle
ignorerait toujours, et serait bien la seule, que ce

qu'elle avait senti sur ses doigts n'était rien d'autre que la livre de beurre qu'il avait achetée à Treignac et glissée comme il le faisait pour tout ce qu'il achetait dans la poche de son pantalon et qui avait fondu contre sa cuisse.

Les femmes de Siom ne riaient pas : elles le voulaient pour elles seules, mais pur de toute chair, même de la leur, les vieilles comme les moins vieilles et les jeunes, qui toutes jugeaient que les saillies ne valaient pas la peine qu'elles coûtaient. Mais elles le trouvaient si brave, ce demi-Pythre, si doux, si lumineux qu'elles le faisaient venir pour l'employer à des tâches qu'elles auraient bien sûr pu accomplir elles-mêmes mais qu'il leur plaisait de voir confiées à un homme qui n'en était pas, murmuraient-elles, tout à fait un — à cet enfant de l'amour, ce fils d'un faune et d'une nymphe sans grâce, ce vieil adolescent, cet innocent au visage étonné, à qui elles faisaient (c'était ce qu'on disait) téter leurs seins, si elles avaient un abcès au mamelon ou décidé de ne point allaiter, sachant qu'il faisait ça volontiers et fort bien, s'approchant des globes blancs pour saisir entre ses lèvres, les yeux clos, le bout gonflé du sein, et avalant sans broncher ce lait que tout petit il n'avait pas sucé et qu'elles le regardaient boire avec dans les yeux des larmes que n'y eût fait poindre nul autre mâle.

On racontait bien d'autres choses encore, ce qu'on savait ou qu'on croyait savoir et même qu'on ne savait pas, mais que nous imaginions sans trop de peine avant de connaître la vérité, par exemple sur ce qu'il allait à présent faire à Eymoutiers, tous les dimanches, dès que la vieille Roche, qui s'était enfin décidée à mourir, l'eut fait venir à son chevet et eut murmuré à son oreille ce que nous savions tous mais qu'il entendit chuchoter dans une langue qui n'était plus tout à fait celle des vivants mais qui avait quelque chose

347

du bruit de l'air dans les hêtres du cimetière. Nous savions donc qu'il faisait valider les bulletins des courses dans un café, près de la halle ; après quoi il se rendait dans un autre bistrot, sur la route de Bourganeuf, là où quelques mois auparavant Rosalie Roche l'avait amené et où il pénétrait d'un pas très lent, comme à regret, comme s'il ne savait pas très bien ce qu'il faisait, regardant à droite et à gauche, parfois derrière, puis s'avançant, les mains dans les poches, jusqu'à la table du fond à laquelle il s'asseyait, commandait un pastis à la femme qui s'approchait, lentement elle aussi, sans plus le regarder que lui qui fermait parfois les yeux jusqu'à ce qu'elle se fût éloignée ; alors il buvait, pendant une demi-heure exactement, le regard fixé non pas sur le comptoir mais droit devant lui, entre la fenêtre et la porte, là où était accroché un panneau de réclame qui montrait un enfant très blond en habit et casquette bleu marine, assis sur une barrique et buvant une chope. Ensuite, quand il avait entendu sonner midi à la pendule qui était au-dessus du comptoir, il se levait, très précisément au troisième coup, laissait sur la table, près du verre, en une petite pile soigneusement dressée, le compte exact, et il sortait aussi lentement qu'il était venu, la tête basse, le regard ailleurs. Il remontait dans la DS noire en souriant comme s'il eût passé la porte du paradis, pour s'arrêter, une demi-heure plus tard, à La Celle, à l'hôtel Moderne où il déjeunait, dans le coin le plus reculé de la salle, près d'une étroite fenêtre par laquelle il aurait pu apercevoir un vallon semé de maisons laides avec, sur un coteau, un campement de romanichels et, de l'autre côté, un cimetière abrité au nord par une frange de hauts sapins ; mais il gardait la tête baissée, fort occupé à découper en carrés minuscules son pain, sa tomate en vinaigrette, sa viande, ses pommes de terre, son morceau de fourme et sa floniarde, sous les yeux las de la fille de salle qu'en d'autres temps il aurait trouvée belle quoi-qu'elle n'eût pas de hanches ni de poitrine et qui ne pouvait bien sûr deviner ce que lui-même ne devait pas savoir : que c'était tout autre chose qu'il tâchait de couper, quelque chose qui ne se voyait pas et qui était en lui où il ne faisait guère plus clair qu'au fond du puits de Veix.

Il semblait plus soucieux, plus grave, acceptait avec moins de grâce ce que lui demandaient les femmes : tondre l'herbe d'un jardin, butter des pommes de ter-re, réparer un enclos, aider aux foins et même ce que le cantonnier des Buiges ne voulait plus faire : vider les cabinets, ceux de la mère Heurtebise, par exem-ple, des cabinets en pierre, bâtis au flanc de l'ancien presbytère. Il fallait revêtir des cuissardes de pêcheur, soulever la lourde pierre percée et descendre d'un seul coup dans le cloaque où l'on était mieux englué qu'en un marécage, avec le même bruit de déglutition mais, en plus, l'épouvantable odeur à quoi on ne croyait tout d'abord point ni ne s'habituait et qu'il fallait néanmoins supporter, la figure protégée d'un vieux cache-nez, tout en ramassant, au fond de l'étroit carré aussi profond qu'une tombe, la matière en putréfaction qu'on élevait vers le seau posé sur le rebord, devant la figure ronde et crispée de la mère Heurtebise qui venait s'encadrer là de temps en temps, dans un rectangle de ciel bleu qui paraissait irréel comme le fait même de vivre, pour s'étonner que ce fût elle qui eût engendré pareille puanteur et que l'espèce humaine fût, mon Dieu, bien peu de chose si, du vivant même des hommes, il sortait de nous des matières qui puassent autant, c'était pire, n'est-ce pas, que de descendre au tombeau, murmu-rait-elle devant Jean qui ne l'écoutait pas mais qui, comme tous ceux qui étaient descendus là, s'efforçait d'en sortir au plus vite, puant comme Lazare, pitoyables Orphées qui n'avaient pu se retourner que sur eux-mêmes en ces étroits enfers, le caveau nettoyé, on ne pouvait dire propre bien que la dalle du fond fût bien visible, luisante et nette, sur laquelle, dès le lendemain, avec un soulagement indicible, la mère Heurtebise ferait tomber, avec un bruit mat, un hommage choisi. Ce n'était pas fini : il fallait encore charrier les seaux dans une brouette jusqu'au potager, y ouvrir profondément la terre et y enfouir ce qu'on venait d'extraire du caveau et sur quoi, la terre refermée, on sèmerait plus tard des graines qui donneraient les haricots, les radis, les salades et les choux les plus beaux qu'on ait jamais vus chez nous.

Mais le dimanche, il ne paraissait plus le même homme. Et nous devions avoir fini de parier beaucoup plus tôt : il serait parti sans attendre, l'œil plus luisant que ses cheveux gominés, le menton relevé, presque hautain, très sûr de lui dans sa DS noire sous laquelle il passait plus de temps qu'il n'en mettait à la piloter, occupé à trouver l'origine de bruits qu'il entendait en roulant et qu'il était le seul à entendre, au point d'en oublier de manger, jusqu'au milieu de la nuit et même au petit jour, le museau de l'auto dans le garage et lui, Jean, sous le moteur qu'il grattait, démontait et remontait avec une patience d'écrivain, s'oubliant parfois là-dessous de telle sorte qu'il lui arrivait de s'y endormir et qu'on pouvait se dire qu'il y était, malgré le froid, la pluie ou la neige, aussi bien que dans son lit.

8

On dit que ce fut elle, la patronne, qui parla la première, qui l'amena à lever les yeux sur elle. Vit-il
d'abord autre chose qu'un visage de femme vieillis-
sante ? Elle était là, tout près de lui, lui faisait un peu
peur avec ses fards, ses poudres, son rouge à lèvres,
ses cheveux teints, ses parfums. Il ne gardait pas les
yeux longtemps sur elle, bredouillait quelques mots
qui la faisaient rire doucement. Elle ne s'attardait
guère, vite rappelée derrière son comptoir par les soiffards. Mais dès qu'elle le voyait se lever, aux trois
premiers coups de midi, elle s'arrêtait, demeurait coi-
te au milieu d'une phrase, une main en l'air, la bouche frémissante, les yeux brouillés. Ce que le gendarme à la retraite ne voyait pas d'un bon œil, ne
pouvant croire à l'histoire qu'elle finit par lui servir et
qui, pour ce Berrichon madré qui en avait pourtant
vu d'autres, avait, s'agissant de la femme qu'il convoi-
tait depuis tant d'années et dont il se contentait d'être
l'amant supposé (ayant lui aussi compris que les apparences valent mieux que d'illusoires certitudes),
quelque chose d'extravagant, de scandaleux, d'un autre siècle. De quoi elle n'avait cure : elle attendait le
dimanche comme une femme qui va être heureuse,
non pas pour l'ex-gendarme qui eut le bon goût de

se retirer et d'aller proposer ailleurs ses services, mais pour le bref moment où elle s'asseyait à la table du fond, en face de Jean, à qui sans qu'il l'ait demandé elle apportait le pastis.

Il apprit à la regarder dans les yeux, d'abord trop fixement, puis sans y penser, ses yeux à lui se faisant plus petits comme s'il cherchait à comprendre non pas ce qu'était cette femme mais à rapporter ce qu'il voyait d'elle à ce qu'il savait ou croyait savoir. Le plus souvent, c'était elle qui parlait, à voix basse, de tout et de rien, à seule fin de pouvoir le regarder sans trop de gêne, et sans parvenir peut-être à se dire que c'était là son fils, ni qu'il pouvait être le fils de ce Pythre qui l'avait prise, dans l'espèce de souillarde où elle dormait, à Veix, plusieurs nuits de suite, sans qu'elle ait résisté ni songé à se plaindre, ayant entrevu son opprobre et sa peine dès le moment où il avait soulevé le rideau sous l'escalier et où il s'était approché, la face dure, les yeux brillants, presque tristes, à moitié nu, la devinant prête à tout lui abandonner, hormis sa bouche qu'elle n'eût pas toléré de coller à la sienne et qu'elle enfouissait dans le vieux jupon replié qui lui servait d'oreiller et où elle mordait pendant que le maître de Veix la besognait, soufflant tel un verrat et, pour finir, pleurant à petit bruit, non pas à la manière d'un enfant mais comme un homme qui se laisse aller, même si ça ne collait pas avec ce qu'on savait du grand Pythre, oui, et qu'elle-même, la petite Jeanne qui n'avait que seize ans et qui avait su ce qui arriverait, non pas lorsqu'il avait soulevé le rideau de la souillarde, mais dès qu'elle était entrée à Veix, un matin d'avril, par un beau soleil qui donnait au ciel quelque chose d'acide, le cœur battant et déjà résignée, et ne pouvait, cette nuit-là et les suivantes, en croire ses oreilles, pas plus que, quarante ans plus tard, elle ne pouvait admettre que ce fût là le fils

qu'elle avait mis au monde, aidée par la cousine de
Pérols, sans que là encore elle ait consenti à crier ni
à se plaindre, sachant que c'était comme ça et qu'elle
était de celles qui auraient dansé avec Pythre sur son
lit de misère de la même façon qu'elle faisait danser
sur sa couche, dans le soleil plein de poussière, celui
qu'on appellerait Jean et qu'elle avait à présent devant
elle, chez elle, et qui, pouvait-elle se dire, n'aurait pas
dû se trouver là, non pas seulement dans ce café mais
en ce monde, si c'était pour lui rappeler sa maudissure, à elle et à tous ceux qui savaient ; mais elle pouvait
aussi bien se dire le contraire et penser que c'était de
la vieille histoire, que nul n'y songeait plus et qu'on
n'était pas responsable de sa venue au monde, qu'il
fallait se résoudre à être ce qu'on était, non pas un
buisson de malheur et de songes, mais de petits êtres
qui auraient malgré tout fait leur temps, malgré la
maudissure et ce qui en fin de compte lui faisait regarder ce gars comme son fils, puisqu'il avait son nez,
sa bouche, ses oreilles à elle, mais aussi le front buté
des Pythre et leurs yeux : mélange de finesse et de
brutalité propre à tous ceux qui ont voulu échapper à
la terre sans pouvoir sortir d'eux-mêmes, à cette terrible passion de soi qu'on nomme parfois destin et qui
n'est que la chute du sang d'un être dans un autre,
sa lente et vaine tentative pour le purifier, l'améliorer,
l'amener à la lumière. En cela ils différaient de nous
qui nous étions le plus souvent mariés entre nous avec
la certitude que c'était mieux ainsi, que notre sang
était assez épais et lourd pour nous maintenir dans
notre encoche, au bord du haut plateau, et pour
l'éternité, au contraire de ces gourles au sang mauvais, les Pythre et les autres, qui avaient espéré se sauver et commencer là où nous finissions ; et si les
Pythre avaient payé pour nous, nous paierions désormais pour eux ; et, si ce n'était pas le cas, avec eux

pour tous ceux qui nous avaient précédés, les cavaliers aux yeux en forme de serpette et les Sarrasins, les Angles et tous les autres qui avaient crucifié les femmes avec leur épieu de chair, leurs rires et leurs belles paroles pour les abandonner, comme la petite Jeanne devant le gars qui était sorti d'elle et à qui elle avait donné son prénom à elle, faute qu'elle pût rien lui donner d'autre, et qui buvait devant elle avec une inquiétude, une gêne d'étranger mais qui, lorsqu'il se décidait à ouvrir la bouche, lui tenait des propos de fadar qu'elle écoutait avec une indulgence navrée de bistrote ou de mère, elle ne savait, c'était trop pitoyable ces histoires de femmes qui s'approchaient de Jean, fille de capitaine ou maîtresse d'école, fermières sur le retour ou filles à musiciens, bourgeoises fortunées ou bien pauvres bergères, qui toutes voulaient venir avec lui et dont il n'avait pas voulu, ajoutait-il, le visage soudain rieur, les yeux plissés et plantés dans ceux de la bistrote qui demandait alors :

— Pourquoi vous n'avez pas voulu ?

Il continuait à sourire, plus stupide que jamais, et d'une voix plus douce répondait :

— J'ai pas voulu...

Et comme elle s'étonnait ou feignait de ne pas comprendre et poussait, à sa manière à lui, un « Ô » dubitatif et doux, il ajoutait, un peu plus fort, sans qu'elle pût savoir s'il se moquait ou s'il n'allait pas se mettre à pleurer — et avant de retomber dans son silence :

— Y a pas de O, même de A...

Elle retournait à son comptoir. Son verre était vide et les pièces déjà empilées près du cendrier. Il regardait devant lui, la tête très légèrement inclinée sur la gauche pour échapper à la fumée de la Celtique qu'il gardait vissée aux lèvres pour sortir, ce qui lui donnait l'air crâne et faisait dire aux habitués que la veuve

354

Lepage avait trouvé un bon ami, un vrai turlot, un type impossible. Ils se dépêchaient de rire, devinant qu'elle n'était pas femme à s'attabler pour rien avec une ganache qui avait vingt ans de moins qu'elle et qui, murmurait-on, lui ressemblait étrangement, sans qu'on pût dire comment ni surtout que ce fût comme un fils. Ce qu'elle restait seule à savoir, lui n'y croyant sans doute pas tout à fait, ou ne parvenant pas à chasser la figure de l'autre, celle qui le regardait si froidement, si tristement, par la porte entrebâillée du cellier, à Veix, pendant que le père lui maintenait la tête au-dessus du puits dans quoi il hurlait : celle dont les doigts étaient plus secs sur lui que des branches de mélèze mort et qu'il lui avait fallu aimer malgré tout parce qu'il n'avait que cette sécheresse-là à aimer, oui, cette bouche plus lointaine que celle de Médée en allé, de Suzon abîmée dans son silence ou du père mort et qui, on peut l'imaginer, le laisserait sans voix jusqu'à ce qu'il ait trouvé ses formules à lui, sa façon de parler, ce qui, en toute langue, nous délivre des peurs et des sortilèges, faute d'infléchir le destin et qui était pour lui : « J'ai pas voulu », précédé de ce « Ô » qui faisait qu'à présent on ne parlait plus de lui, et ne le nommait plus qu'en imitant son incrédule apostrophe.

Ils se taisaient ensemble, n'avaient rien à se dire, ni à dire à personne. S'il restait un dimanche sans venir, elle ne lui demandait rien, et il obéissait comme en ce jour d'avril où il trouva porte close ; elle le guettait, lui ouvrit, le fit pénétrer dans la salle silencieuse et fraîche qui sentait le bœuf aux carottes. La table du fond était couverte d'une nappe en papier blanc ; des serviettes à carreaux bleu marine étaient pliées dans des verres à pied, et il y avait au milieu, entre un compotier et le dessous-de-plat, près d'un bouquet de fleurs de genêt, une bouteille de vin bouché, lui

dit-elle en l'invitant à s'asseoir. Il ne bougeait pas.
Elle lui prit la main et fit quelques pas en direction
de la table jusqu'à ce qu'elle sentît qu'il restait sur
place, le visage plus méfiant que fermé, le front plissé,
les lèvres frémissantes. Elle crut qu'il allait pleurer :
elle savait qu'il en était capable, oui, à quarante ans,
pleurer et geindre comme un innocent, elle le tenait
d'un routier de chez Bernis, à Limoges, qui l'avait vu
faire dans un café des Buiges. Elle le planta là et, sans
cesser de sourire, alla dans la cuisine où elle haussa
les épaules, en se disant peut-être que c'était là un
vrai innocent, et qu'il fallait faire avec... Oui, c'était
ce qu'elle pouvait se dire, ce jour-là, en revenant vers
le grand gars qui tremblait au milieu de la pièce
comme quand il avait bu, devant cette femme aux
cheveux bouclés qui sentait si bon le bœuf mode et le
printemps, et, dirait-il plus tard, ce que sentent les
femmes, quand leur visage est soudain tout près,
comme celui de la Verviale des Freux et de toutes
celles qui avaient voulu alors qu'il n'avait pas voulu,
lui, et qu'à celle-là, la femme aux cheveux bouclés, il
s'était pourtant mis comme aux autres à pétrir la poitrine, les yeux presque clos, souriant à la façon d'un
enfant qui joue à colin-maillard, et murmurant que
ça lui ferait du bien, à elle, oui, qu'elles aimaient toutes ça, il l'avait entendu dire au grand Lontrade et à
tant d'autres ; et quand il aurait fui, si on peut appeler
ainsi son lent recul vers la porte d'entrée, les yeux à
peine rouverts, presque à tâtons, sous les yeux pleins
de larmes de la femme qui s'était écartée pour s'appuyer au comptoir, il murmurerait encore et le répé-
terait longtemps, qu'il n'avait pas voulu ça, non, qu'il
ne l'avait pas voulu, que c'était elle qui le voulait,
qu'elles sont toutes les mêmes, qu'elles ne pensent
qu'à venir péter et caguer dans votre lit et vous faire
un petit, que celle-là aussi l'avait voulu et qu'elle était

devenue furieuse, qu'à cause de ça elle lui avait crié d'une voix rauque, exténuée, qui ressemblait au bruit d'un sac de blé qu'on traîne sur un plancher :

— Fous-moi le camp !

Elle avait crié ça plusieurs fois, jusqu'à ce qu'il eût atteint la porte, chancelant, les épaules voûtées, l'air plus niais que jamais, la bouche ouverte sur ses dents grisâtres, les cheveux décollés malgré la brillantine, se balançant d'un pied sur l'autre, sans la regarder ni pouvoir rien dire d'autre que ce « Ô » qui faisait songer à un hululement, puis à un sanglot, et qui la fit hurler :

— Tira te d'atchi ! Tire-toi de là, usant du patois pour la première fois depuis des lustres, depuis qu'elle avait quitté Siom et souhaité faire passer cette petite langue en même temps que l'enfant, les enfouissant tous deux dans une eau noire, comme si rien n'avait eu lieu, le patois et l'enfant lâchés au fond de sa mémoire et, elle, Jeanne, s'en remettant au français, à cette langue qu'elle avait à peine eu le temps d'apprendre, à l'école, elle à qui on avait répété qu'elle n'était qu'une cruche et qui avait fini par le croire tout de même qu'elle avait cru qu'elle n'était pas belle et qu'elle ne grandirait jamais, acceptant avec ça de n'être qu'une servante, une bonne à tout faire, une femme dont on forçait le ventre, résignée à paraître plus simple qu'elle n'était, et soumise, et muette, trouvant sans doute dans cette résignation une manière de contre-feu ou de destin, et de quoi infléchir peut-être un sort qui ne pouvait être pire.

Il eut, ce destin, les traits épais et lourds du maquignon auvergnat, de ce bougnat sentimental et matois qui lui apprit à mieux parler le français, l'ayant convaincue que le patois ne convenait qu'aux gourles et aux idiots, oui, qu'il fallait bien parler le français puisqu'on l'avait perdue, l'innocence de ceux qui vi-

vent de la terre, et qu'on n'était pas assez bête pour
ne pas le savoir, et qu'on peut avoir perdu son innocence sans pour autant être tout à fait mauvais ou
résigné à s'enfermer vivant dans le patois comme
dans une tombe ; tandis que le français, ajoutait-il, le
doigt levé, lèvres et yeux humides, la face éclairée,
souriant doucement (tel qu'il avait dû se montrer, enfant, lorsqu'il récitait des poésies de Victor Hugo ou
de Sully Prudhomme devant sa classe, au fond d'une
école de Mauriac, le visage tourné vers la fenêtre par
laquelle il pouvait apercevoir, au loin, les Puys couverts de neige), était un vrai soleil, qui, comme l'autre, ne se couchait jamais sur l'Empire ; et il disait
cela avec un accent pointu et solennel qui la faisait
rire.

Au moins laissa-t-il ça en elle, l'idée qu'une langue
bien parlée puisse vous sauver, vous empêcher de
tomber plus bas que terre. Et elle fit confiance à cette
langue, celle de la République et de l'Empire, plus
qu'aux hommes, s'y étant peu à peu sentie à l'aise,
presque intelligente, en tout cas adroite, avec un brin
d'orgueil et assez d'aplomb pour décider de ce qu'elle
ferait d'elle-même, tout en sachant qu'une femme
n'est jamais vraiment libre, qu'il lui faut laisser planer
autour d'elle l'ombre de l'homme : le père Roche, le
grand Pythre, le fermier d'Ars, le bougnat, le garçon
de salle, le gendarme à la retraite, et pour finir cet
homme qu'on lui avait donné pour son fils, cet oiseau
de passage, ce grand fadar à l'air blessé avec qui
c'était une affaire de sang, faute qu'il lui ressemblât
vraiment ; une affaire de sang, c'est-à-dire tout et
rien, le visible et l'invisible, l'espoir et la maudissure
— la maudissure surtout, puisqu'elle lui criait de dé-
camper, à ce pauvre innocent qui ne lui avait murmuré que sornettes et calembredaines et à qui elle ne
savait parler, à qui elle ne pouvait dire « Mon Jean »,

ni « Monsieur », ni rien d'autre, qui donc n'avait pas plus de nom qu'il n'avait eu de mère, et fils non pas de la petite Jeanne et d'André Pythre, mais d'une terre noire et du ciel trop bleu, et prête, Jeanne, ce dimanche-là, à essayer quand même, à croire qu'elle était bien la mère de cet apôtre, ayant pour l'occasion fermé boutique et préparé un déjeuner qui en valût la peine, habillée comme une dame, car il lui semblait que certaines choses ne pouvaient se dire dans les habits de tous les jours ni être reçues les mains sales : le pardon, par exemple, non pas celui qu'elle donnerait à Jean, mais qu'elle recevrait de lui, rejoignant avec lui le cours du temps, un temps qui leur fût enfin commun, même si elle savait qu'on ne partage pas le temps, qu'on ne partage rien, qu'on vit et qu'on meurt seul, comme elle était seule devant ce fils qu'elle devait chasser une seconde fois, qui avait tiré la porte derrière lui dans le bruit aigre du grelot et qui l'abandonnait dans l'odeur du bœuf aux carottes et la lumière fraîche d'un dimanche d'avril.

9

Il retourna à Treignac pour porter nos paris sur des chevaux qui ne gagnaient jamais et qui nous faisaient nous dire que c'était nous qui étions les mauvais chevaux, qu'il y avait une sorte de justice, ou d'ironie du sort, à laisser gaspiller notre argent par les mains du dernier des Pythre. Il allait déjeuner à l'hôtel de France où la servante lui parlait gentiment, non seulement pendant qu'elle le servait, mais après le repas, quand la salle était vide et qu'il vissait sa Celtique à ses lèvres. Elle ne s'asseyait pas ; il écoutait sans la regarder (du moins sans regarder son visage, puisqu'il ne levait pas les yeux plus haut que sa hanche) cette grande blonde aux joues trop rouges et aux mains fortes, pas jolie avec ses cheveux trop frisés et ses yeux pâles derrière des lunettes cerclées d'écaille : il l'écoutait à sa façon, rêvant ou se souvenant, et sans comprendre à quoi elle voulait en venir avec ses mines mystérieuses — fille non pas facile mais néanmoins prête à l'être avec lui qui ne s'en apercevait pas et lisait à voix haute, sur l'étiquette d'une bouteille posée devant lui :

— Vittel, l'eau neuve de vos cellules : bon sang, vois ça !

— Vous ne m'écoutez pas, disait-elle avec un pauvre sourire

Il ne faisait d'ailleurs plus grand-chose, n'allait plus à la pêche ni aux champignons, ne descendait plus aux infernaux cloaques, ne quittait guère sa chaise, sa cuisine, ou son lit. Il avait quitté le pays des femmes. Il maigrit, devint un vieux jeune homme de cinquante ans, puis un vieillard au visage d'enfant. Il ne fut plus à nos yeux — aux yeux des quelques-uns qui auront été non ses amis (car il n'en eut jamais, sinon, peut-être, pendant quelques mois, ce jeune type à casquette écossaise et à bonne bouille, rencontré Dieu sait où et probablement aussi fadar que lui, qui venait, une fois par semaine, boire avec lui dans la cuisine sombre) mais les seuls à l'avoir aimé, nous, les gamins d'autrefois, devenus hommes, ni meilleurs ni moins méchants que nos pères et que les pères de nos pères —, il ne fut plus qu'un homme presque ordinaire, seul, abandonné, qui ressemblait non plus à Jean-Jacques Rousseau ni même, à cause de ses longs cheveux et de sa veste de velours beige à grosses côtes, à ce Kit Carson dont nous avions lu les aventures dans des illustrés que nous chipions à l'épicerie Berthe-Dieu ; non, c'était, d'après Françoise Chadiéras qui avait de l'instruction, à Émile Littré qu'il faisait songer, avec les incroyables bésicles (petites, étroites, cerclées de fer-blanc) qu'il chaussait pour s'occuper d'assurances, de paris, et même pour écouter la radio dans l'obscurité, oui, à Littré, disait-elle, à l'un de ces grands hommes qui se soucièrent des mots, du sens, de l'origine et du silence, un peu comme lui, Jean, qui ne portait plus ses regards que sur des figures enfuies, sur la vanité des choses, sur la transparence de l'air, sur rien...

Ça ne l'empêchait pas d'avoir ses faiblesses, ses coquetteries, des projets même, de remonter, par exemple, les pierres d'une masure qui s'était ébouillée dans le champ où il parquait ses épaves et ses lapins : une maison dont on voyait bien qu'il ne referait pas le toit, puisque ce n'était pas pour y habiter mais pour y prendre l'air, entre le poulailler de Chave et les cabinets des Rivière, pour y rêver, assis sur un bout de mur, les pieds dans le vide, le visage tourné vers la vallée, avant de regagner, au soir, la cuisine dont on pouvait apercevoir la lumière jusqu'au milieu de la nuit — une des quatre lumières de Siom avec les trois réverbères qu'on venait d'installer, devant l'école, sur la place et au coin de la terrasse aux acacias, sans qu'elles dissipassent nos ténèbres ; rêvant encore, là, on ne savait à quoi, à ces contrées lointaines, peut-être, dont il entendait les noms grésiller au petit poste de radio installé devant lui, sur la table, et qui, pour lui, n'appartenaient pas plus à la géographie qu'à l'histoire mais, pouvait-on dire, à l'improbable, à ce qui ne trouverait jamais de preuve — pas même, par exemple, ce nègre, le premier qu'il voyait, un Noir immense, qui jouait du saxophone dans un bal d'Égletons et autour de qui il tourna, le regardant sous le nez, lui tâtant la peau pour s'assurer que ce n'était point là déguisement de Mardi Gras, puis trinquant avec lui, avec cet homme de la nuit, ainsi qu'il l'appelait, car, au-delà du Rhin et des Alpes, au-delà des Flandres et de l'Ardenne, le monde était peuplé de Boches, de Viets et de Nègres, et aussi de fantômes tels que Médée, quand il était ressorti de la nuit, après tant d'années, si différent, sombre, lointain, Médée qui n'était plus Médée sans pour autant être mort, puisqu'on ne mourait pas : on descendait, murmurait-il, les marches du haut plateau, on descendait dans la nuit, lentement, en se laissant porter par la pente vers les extrémités du monde et cheminait jusqu'au bout de cette nuit où attendaient tous ceux qui avaient été là et qui n'étaient plus là.

— Et ensuite ? demandions-nous.

Il ne répondait pas, ne savait sans doute pas ; ou, s'il savait, préférait ne rien dire. Mais son visage s'éclairait, les rides s'effaçaient, ses lèvres s'entrouvraient sur ses dents gâtées et ses yeux s'emplissaient de larmes. Alors nous baissions la tête et quittions à pas de loup la cuisine qu'il s'était mis en tête de repeindre, à la fin de l'automne, avec des couleurs de boucherie, brun, crème, rouge sang, après avoir recouvert le sol d'un linoléum neuf qui imitait la brique, et, dehors, sur la demi-lune, planté un rosier sur lequel il pissait matin et soir, et un thuya dans lequel, avant d'entrer, nous aimions plonger nos mains et avant-bras comme en une chevelure. Nous le trouvions assis à la table, la tête généralement posée sur un poing fermé. Il ne levait pas les yeux, continuait de rêver, se mettait enfin à parler, nous faisait descendre dans ses songes où nous guidaient aussi la fumée des Celtiques et les coups de rouge ; de quoi, songes et cuisine, nous sortions un peu ivres, puant le graillon et le tabac, les yeux et le cœur éblouis, le visage mordu par le froid qui montait du lac avec le vent du soir.

L'hiver était lent et sombre. Berthe-Dieu avait vendu ses vaches. Il ne nous restait plus de bêtes, hors quelques poules et lapins, mais point de chiens, parce qu'ils nous avaient précédés dans la nuit et que nous ne souhaitions pas en voir de plus jeunes nous survivre — pour peu que nous ne fussions pas nous-mêmes des bêtes, ayant certes vécu un peu mieux que nos pères et nos grands-pères, mais bêtes tout de même, surtout depuis que l'école avait fermé, abandonnés de la République après l'avoir été de Dieu, et n'en souffrant pas vraiment ; étonnés, oui, de ne pas souffrir davantage, pauvres aveugles, misérables sourds, avec une brande ou des eaux mortes dans la tête et du granit dans le cœur, et le sentiment de n'avoir même plus à expier : ce qui était bien le signe de la fin. Nous serions les derniers — les premiers à n'avoir pas de descendance et les derniers qui mourrions où nous étions nés, sous ces ardoises qui ne serviraient bientôt plus qu'à abriter des étrangers en vacances. Et encore certains d'entre nous allaient-ils mourir ailleurs, à Ussel ou à Égletons, dans le silence blanc de l'hôpital. Ce qui ne nous empêchait pas (c'était tout ce qui nous restait, cet aveuglement, cette présomption, de notre superbe de Siomois) de nous croire éternels et de regarder décliner le dernier des Pythre comme si nous devions échapper au sort commun : nous le regardions, sans rien pouvoir faire, sans le vouloir davantage, peut-être pour n'avoir pas à regarder en nous ; et nous fermions nos oreilles au bruit du temps, tout comme nous avions cessé de guetter, quatre ou six fois par jour, le passage du train qui ne s'arrêtait plus chez nous.

Car c'était bien cela, le temps, que Jean pouvait entendre en lui, avec ce bruit d'eau qui s'écoule, un gargouillis profond, intolérable, dont à chaque fois il restait étonné et qui l'obligeait à se dépêcher vers le lavoir ou derrière l'église, plus près encore, et même chez lui : il avait fait l'achat d'un seau en émail bleu nuit, très haut, sur lequel il s'accroupissait, dans le couloir, d'où seule dépassait sa tête, par la porte entrebâillée, grimaçant, continuant à parler, assurant qu'il ne souffrait pas, mais grelottant dans ce froid qui ne venait pas seulement du couloir mais de la chambre paternelle, dont la porte était close depuis des lustres, ni condamnée ni fermée à clé, mais dont personne — pas même Jean — n'aurait osé passer le seuil : un froid venu du fond des âges, plus vaste que l'hiver, le froid éternel, songions-nous, en entendant Jean se vider à grand bruit dans le seau. Nous tirions sur nos cigarettes dont le goût nous était soudain désagréable et nos paroles sonnaient faux par quoi nous l'exhortions à consulter un médecin, puisqu'il maigrissait à vue d'œil bien qu'il continuât de manger ce qu'il mangeait depuis plus de quarante ans : des sardines Titus, une côtelette de mouton avec des pommes de terre frites dans du saindoux et une reinette qui venait du verger de Médée. Mais il ne voulait pas entendre parler de médecin, n'en ayant de sa vie consulté et se méfiant autant d'eux que des femmes, murmurant qu'ils le feraient mettre tout nu comme une bête. Nous haussions les épaules, avions plus froid que de raison, étions près d'avoir peur. Et nous écoutions Jean revenir vers nous, dans la cuisine presque obscure pour nous redire qu'il allait se rétablir, que ce n'était rien, certainement cette glace qu'il avait mangée, l'été, à la fête de Saint-Hilaire, qu'il se soignait avec du bouillon d'ortie blanche. Nous lui rendions son sourire.

Il se vidait ainsi, plusieurs fois par jour, la nuit aussi, sans cesser de sourire, comme s'il en savait alors plus sur lui-même et sur nous : sourire que nous pensions lui avoir toujours connu mais qui était bien nouveau, ou qui parvenait à perfection, à sa vérité, un vrai sourire, le sien, et non plus ce mince étirement des lèvres qui lui servait, depuis l'école, à ne point faire trop mauvaise figure. Et voilà qu'il souriait, lui que jamais nul n'entendit rire, les yeux ouverts, les bras sur la table ou le long du corps, les joues creuses, flottant dans ses vêtements. Il se souriait à lui-même, d'ailleurs, n'ayant depuis longtemps personne à qui sourire vraiment, et avec une extraordinaire douceur, avec aussi de l'ironie, comme s'il n'y croyait pas tout à fait ; et avec ses joues creuses, ses yeux plissés, son air de n'être plus vraiment là et de se foutre du monde, il ressemblait à un vieux Chinois édenté et murmurait que tout se paie, n'est-ce pas, comme pour

Klaus Barbie qu'on venait d'extrader et qu'il prétendait avoir aperçu, lui, du côté de Bourg-Lastic, en Auvergne, et poursuivi en vain sur les quais de la gare, alors que ni lui ni sans doute Barbie n'avait mis les pieds à Bourg-Lastic et que ces deux damnés, le bourreau et l'innocent, n'auraient jamais pu se rencontrer, pas même pendant la guerre. Il racontait ça avec une lenteur précise de vieille femme remâchant son passé, l'inventant à mesure, puis se taisant pour recommencer encore. Mais nous n'écoutions plus, nous, que ce qui devait lui ronger les entrailles, sans qu'il souffrît vraiment ou s'étonnât d'être devenu aussi faible, continuant de maudire cette glace mangée l'été dernier, à Saint-Angel, cette fois. C'était, songions-nous, à ce mal très doux et inexorable qu'il souriait. Nous avons pris sur nous de faire venir le nouveau médecin des Buiges qui d'abord refusa, puis se laissa convaincre et vint toquer à la porte de Jean, lequel ne répondit pas : une vraie tête de bourrique, déclara le médecin qui ajouta qu'on ne pouvait forcer quelqu'un à voir un médecin et que ce gars-là était ou un saint ou un abruti, en tout cas d'une espèce qu'il croyait éteinte.

Au printemps, il était au-delà de l'abrutissement et de la sainteté. Il pleuvait. Le ciel était plus bas qu'un plafond d'étable. Françoise Chadiéras, qui payait son tribut à la République dans un lycée de Limoges, revint à Siom pour Pâques et parla du dernier des Pythre. On ne lui répondit d'abord pas, comme s'il n'était plus parmi nous ou qu'il n'eût plus droit à nos mots. Elle insista.

— N'y monte pas. Ça te retournerait.

Elle y monta, cria le nom de Jean dans le magasin désert, écouta, n'entendit rien. Il y avait de la lumière sous la porte de la cuisine. Elle y heurta, cala son oreille au bois et finit par distinguer une toute petite voix qui lui disait d'entrer. Jean était assis devant le poêle — Jean, ou ce qu'il était devenu : une sorte de très vieille femme, rabougri comme un vieux genêt, perdu dans sa veste de velours à grosses côtes ; il n'avait plus de joues ni de chair, plus de figure, et il la regardait par en dessous comme s'il n'avait plus la force de lever la tête, pas plus qu'il n'arrivait à tirer de soi autre chose que ce chantonnement d'enfant, très doux, flûté, quasi inaudible. Dans un coin, près du réchaud à gaz, un téléviseur en marche dont il avait coupé le son et à quoi il tournait le dos. Il n'y avait pas d'autre lumière que celle, très pâle, bleutée, lunaire, de l'écran. Il ne se leva pas pour serrer la main de Françoise qui lui disait :

— Alors, tu as le poste, maintenant ?

Il secoua la tête et murmura que c'était sa nièce qui le lui avait apporté, mais qu'il ne le regardait jamais. Il se frottait les mollets, pieds nus comme il l'avait été toute sa vie, mais à présent dans des mocassins marron acquis à la foire de Treignac en même temps qu'un bleu de travail américain qu'il avait acheté, murmurait-il, parce qu'il s'appelait comme lui, Jean, et sans l'avoir essayé parce que la vendeuse le regardait d'un drôle d'air.

— Elle voulait venir avec moi, souffla-t-il, mais j'ai pas voulu.

Il caressait les cloques qu'il avait aux mollets, lentement, presque content, avec devant lui le poêle auquel il se chauffait les mains et dont le grésillement était plus puissant que, derrière lui, sur l'écran, le murmure du monde et, au-dessus de sa tête, le bruissement de la nuit siomoise. C'était, dirait plus tard Françoise Chadiéras, comme s'ils n'avaient plus été soudain dans la même pièce ni dans le même temps ; mieux : comme s'il n'était plus dans le temps, pour peu qu'il y ait jamais été, et pour cela, ajouta la jeune femme, plus heureux que la plupart d'entre nous ; répondant donc, après plus de dix minutes pendant lesquelles il avait souri et paru être seul au monde, seul avec sa joie d'enfant aveugle qui pousse la porte sombre, qu'il s'était endormi contre le radiateur électrique qu'il avait entre les jambes et s'y était grillé les chevilles, réveillé, rappelé à lui-même, sommé de demeurer encore un peu parmi nous, bien qu'il fût à mille lieues encore.

Il continuait de faire semblant. Il se leva en tremblant et en s'appuyant à la table, s'accroupit près d'une petite caisse d'où il tira une bouteille de porto neuve qu'il ne parvint pas à déboucher. Il tenait à trinquer et à boire avec Françoise Chadiéras qui entendit elle aussi le vin couler dans les entrailles de Jean avec le bruit d'une eau qui tombe. Elle n'y tint plus : elle s'emporta, cria qu'il ne pouvait rester comme ça, qu'il en crèverait, qu'il était probablement en train de crever ; et il la regardait en souriant dans la lumière bleutée qui n'était plus celle du monde ni la douceur de sa nuit ; et il ne l'entendait pas, ne la voyait sans doute plus, même lorsqu'elle se leva et murmura :

— Mon pauvre Jean...

Elle était presque au bout du couloir lorsqu'elle entendit remuer derrière elle ; elle se retourna : il se tenait debout, si l'on peut dire, plus courbé que les noyers de l'ancien presbytère dont on pouvait deviner les silhouettes, là devant, dans le jardin abandonné, la tête haussée sur ce qu'il lui restait de cou, et souriant cette fois avec effort, grimaçant et soufflant de sa voix minuscule avant que Françoise tournât le bouton de la porte et sortît comme si elle eût fui, ou qu'elle n'eût pu en supporter davantage, soufflant que c'était vrai, qu'il n'allait pas bien, que c'était cette glace qu'il avait mangée l'autre été, à la fête de Tarnac.

10

Il pleuvait. Chacun se terrait chez soi, ou en soi, c'était la même chose. S'il arrivait qu'on songeait à autre chose qu'à soi ou à rien, c'était à Jean, avec colère et tristesse, en souhaitant qu'on en finît au plus vite, qu'on fût enfin débarrassé de celui-là, aussi, du dernier des Pythre, murmurait la vieille Lontrade, qui avait passé les quatre-vingt-treize ans et rabâchait qu'elle ne voulait pas s'en aller avant lui, qu'elle voulait voir ça, elle qui était à présent la seule à avoir vu le premier des Pythre et le dernier, celui qui avait partout répandu sa semence et l'autre, qui n'aurait jamais fait sortir de lui que larmes et excréments et point connu la douceur d'un ventre de femme.

La pluie cessa vers la fin d'avril. La place se mit à étinceler. La brume qui montait du lac s'accrocha aux branches pendant deux jours encore avant de s'élever au-dessus des eaux. Nous étions près d'y voir une espèce de signe. Notre première tâche fut, quand nous nous risquâmes dehors, de monter à la maison des Pythre. Les portes étaient closes. Orluc frappa aux carreaux : il eût aussi bien heurté une tombe ou à la nuit. Chabrat et son aide, Henrion, cassèrent une vitre et pénétrèrent dans la cuisine où il n'y avait ni lumière ni feu ; ils s'arrêtèrent devant la porte du

369

père. Chabrat posa la main sur le bouton de faïence. Henrion se mit à crier qu'il fallait être fou ; mais l'autre haussa les épaules et ouvrit toute grande la porte sur la pièce obscure, pleine de poussière, qui sentait la vieille cave, oui, la vieille cave, et autre chose, dirait plus tard Henrion, quelque chose d'ancien et de froid et de noir, mais qui n'avait rien d'hostile ; ce qui avait fait dire à Chabrat que c'était bien fini, du moins pour ce qui était du père, car le fils, lui, était dans sa chambre à lui, sur son lit, puant comme le diable au milieu de ce qui était sorti de lui. Il respirait et semblait sommeiller si paisiblement qu'on hésita si on le dérangerait. Il n'ouvrit pas les yeux. On fit venir le médecin des Buiges avec l'ambulance, c'est-à-dire Madegal, celui-là même qui faisait le taxi et qui l'avait emmené à Eymoutiers, avec Rosalie Roche, pour voir la femme qui en fin de compte n'avait pas plus été sa mère qu'il n'en fut le fils. On l'emmena, cette fois, plus loin qu'Eymoutiers, sur la route de Limoges, avec le médecin qui lui tenait le pouls et ne quittait pas ce visage où il ne restait plus rien qu'un sourire d'enfant et des yeux en amande, extraordinairement petits et lointains, qui venaient de s'ouvrir et le contemplaient comme s'ils se moquaient de lui et de tout mais qui paraissaient murmurer, oui, car en de tels instants, dirait le médecin, les yeux peuvent murmurer, qu'il était heureux, Jean, qu'enfin on s'occupât de lui, que pour la première fois, à plus de cinquante ans, il pouvait s'endormir sous le regard de quelqu'un qui ne se souciait pas des Pythre ni de la puanteur — de cette odeur de charogne qui avait poursuivi le père toute sa vie et à quoi le dernier fils ne devait pas échapper. Il eut encore la force de sourire en arrachant l'aiguille du goutte-à-goutte qui pendait au-dessus de sa tête comme une mauvaise lune. Puis son regard se figea, peu après Eymoutiers. Sans doute n'a-t-il pas su où on l'emmenait : il n'était plus parmi nous depuis longtemps ; mais on peut se dire qu'il avait aperçu, dans la pénombre de l'ambulance qui roulait entre des hêtres gigantesques, surgie il ne savait d'où, de la nuit des temps ou de ce bleu du ciel qu'il ne pouvait plus voir sous les frondaisons lourdes, de cette proximité effroyablement lointaine au sein de laquelle il n'était déjà plus, où nulle voix ne portait plus et où il ne faisait plus que sourire, une figure de femme très jeune, aux cheveux châtains et frisés dont il sembla chercher le nom.

Le médecin toqua à la vitre. Madegal s'arrêta, ouvrit le fenestrou de séparation, écouta l'homme de l'art lui dire qu'ils n'iraient pas plus loin, qu'ils avaient fait ce qu'ils avaient pu ; et comme l'autre haussait les épaules et allumait une cigarette, il ajouta :

— Vous aussi, vous y croyez, à cette malédiction ?

— Il faut bien croire à quelque chose.

Il fallait en tout cas admettre que quelque chose était fini et bien fini, lorsque l'acte de décès fut établi et que le médecin, dans la chambre de Jean, comprit que nul ne viendrait veiller le mort. Il descendit chez Berthe-Dieu et se fâcha. Nous avons baissé la tête. Seul Orluc eut le front de répondre qu'il se veillerait bien tout seul, qu'il était mort depuis bien plus longtemps qu'on croyait et que la distance qui nous séparait de lui était plus grande que celle qu'il y avait entre la mort et nous. Le médecin haussa les épaules. Nous n'avons pas veillé le dernier des Pythre : il nous semblait que nous ne pouvions faire autrement, ce qui était une raison suffisante. Quelqu'un ne supporta cependant pas l'idée de ce corps reposant seul, pas même lavé ni paré, dans la nuit noire, et alla faire de la lumière dans la petite chambre. On ne put savoir qui, ni si la lumière ne s'était pas faite toute seule.

371

On ne savait où l'enterrer. On n'avait pas jugé bon, si on y avait songé, d'avertir la petite Jeanne, et la nièce ne pourrait être là que le surlendemain, avec la mère : elle se souvenait, ou inventait ce souvenir, peu importe, avoir entendu Jean souhaiter reposer non pas auprès du père (puisqu'il n'y avait jamais eu de place à la droite d'un tel homme), non plus que dans le caveau des Roche, ni dans celui des Bordes, à Féniers, mais auprès de celui qui avait été le premier à arborer le nom des Pythre, son grand-père, le tuberculeux, le cocu qui reposait tout seul, là-haut, à Saint-Sulpice, au milieu des vents, des sources et des bois. Il resta encore seul tout un jour et toute une nuit dans le réduit glacé qui lui avait servi de chambre depuis l'incendie de Veix et où il fallut bien pénétrer, le lendemain, après que la lumière (allumée par la même main nocturne, ou par personne) se fut éteinte, pour y porter le cercueil que le fils Chabrat avait achevé depuis la veille, et où ça sentait déjà, bien qu'il n'eût plus que la peau sur les os, mais ni plus ni moins qu'un autre, ni que ce qu'avaient senti nos pères et nos mères. Ce qui ne nous empêcha pas de venir défiler devant ce corps qui ne pesait pas plus lourd que celui d'un gamin de douze ans et qui nous souriait sur son lit aux draps sales, ou plutôt qui avait l'air de rire très doucement comme s'il ne pouvait se retenir et que son rire retentît loin de nous, dans le silence où il nous précédait.

On le déposa dans le cercueil, vêtu de sa veste de velours beige à grosses côtes et de son pantalon souillé. Le curé des Buiges était en retard ; il dut se recueillir derrière la camionnette de Chabrat dans laquelle on avait arrimé la bière. Il était deux heures de l'après-midi. Le printemps avait quelque chose de fort, d'âcre, d'écœurant. C'était Henrion qui conduisait, avec, à ses côtés, deux de nos gars. Suivaient la voiture de la nièce, et celles de Berthe-Dieu, d'Orluc et de Lontrade qui s'étaient décidés et qui emmenaient les grands buveurs de Siom et des Buiges. La belle-sœur avait voulu qu'on recouvrît la bière du poêle. On alla le chercher dans le hangar de Heurtebise, au fond de l'ancien corbillard : il était en lambeaux. La nièce le remplaça par son châle.

À la sortie des Buiges, on coupait des hêtres sur la route de Millevaches. On dut prendre à droite, vers Meymac. Après Pérols, les femmes s'arrêtèrent pour changer une roue. Les autres en profitèrent pour pisser, mais point ceux de la voiture de tête, la 404 qui transportait le cercueil. Henrion n'avait rien vu ; il s'arrêta à Barsanges, se gara sur la place, près de l'auberge, alla au bistrot avec les deux gars, en se disant que les autres ne tarderaient pas, et se mit à attendre, sans se douter que les autres, pour aller plus vite, tourneraient avant Barsanges, prendraient la route de Lissac, et rejoindraient Millevaches, puis Saint-Sulpice où le maire et les fossoyeurs étaient eux aussi au bistrot, à les attendre, pestant contre ce mort qui n'arrivait point, bientôt furieux que tout le monde fût là sauf le défunt que nul ne connaissait par là, fils d'un type dont on se souvenait à peine et petit-fils de paysans de Celle, ou de Barsanges, on ne savait plus. De petits papillons jaunes voletaient autour des voitures : quelqu'un murmura que c'était l'âme des morts qui nous frôlait la figure. Les femmes restaient assises dans les voitures. Les hommes regardaient, autour d'eux, le cimetière, l'église, les hauts sapins, l'ombre des arbres et des croix, les geais qui grattaient la terre. Quelqu'un dit encore qu'il y en avait qui ne voulaient décidément pas y aller.

— Où ça, demanda le maire.

— Là où on finit tous...

Et on se tut pendant presque une heure, jusqu'à ce

qu'on vît arriver la 404 grise, très lentement dans un grand bruit de ferraille. Henrion et les deux gars avaient le visage défait, tout comme, debout sur la plate-forme, le jeune commis de Berthe-Dieu, qui retenait par la corde et les pieds le cercueil fendu en plusieurs endroits et d'où venait la pauvre, la mesquine, la commune odeur des morts qui raviva la colère du maire et fit pleurer les femmes, et poussa la nièce à prendre sans rien dire la tête du deuil ; si bien qu'on n'eut plus en tête qu'une idée : non pas vraiment nous débarrasser du dernier des Pythre, mais empêcher que ce Pythre-là puât plus que le diable, oui, qu'au moins ça lui fût épargné et qu'il pût enfin reposer en paix, comme il l'avait souhaité, lui qui de sa vie n'avait connu couche de femme, et qui était, disait à peu près le curé, mort vierge et martyr.

Les fossoyeurs (un blond assez jeune, avec de petites lunettes d'écaille et un chandail mauve, et un homme de quarante ans, épais, très rouge de figure) avaient à peine fini de descendre dans la fosse le cercueil, que le maire, qui était allé se coucher derrière le mur et qu'on n'avait pas réveillé, réapparaissait et demandait à la nièce, à voix trop haute, et toujours furieux, qui était donc ce gars qu'on enterrait et qui sentait si mauvais. Il cherchait ses mots, la nièce aussi qui balbutia qu'on pouvait au moins respecter la mémoire des Pythre.

— Vous en êtes une brave, vous...

Et il se mit à rire à petits bruits, exactement comme s'il pleurait, tandis que les fossoyeurs tassaient la terre sur une tombe que rien ne signalait qu'une anonyme croix de bois au bord d'un carré de pierres grossièrement assemblées. La nièce haussa les épaules et tendit au maire de quoi acquitter les frais de sépulture.

— Vous savez, murmura-t-il, une fois qu'on est là-dedans...

Il n'acheva pas. Il releva le menton et s'en alla, très rouge, la bouche agitée d'un léger tremblement, le béret trop incliné sur le crâne. Nous l'avons bientôt suivi, laissant la nièce seule au bord de la tombe sur laquelle elle avait déposé une couronne de fleurs artificielles enrubannées de l'inscription : *À mon oncle*, pleurant peut-être cet homme qu'elle n'avait presque pas connu et qu'elle serait la seule à regretter, songeant à lui non pas comme à un Pythre (et ignorant probablement tout de leur légende) mais comme à quelqu'un qui avait existé, un homme comme les autres, pourquoi pas, mais dont elle avait un peu de sang, même si, mariée depuis peu, elle n'en portait plus le nom, et belle comme jamais Pythre, ni Bordes, ni Blanzat, ni Roche n'avaient pu l'être — pas même Suzon qui n'avait rien su faire de sa beauté et n'avait pas daigné venir à l'enterrement de son frère qui gisait là, sous quelques pieds de terre, dans un cercueil rafistolé tant bien que mal pour être jeté en terre plutôt qu'enfoui, après avoir été une première fois précipité par terre, dans un tournant, au-delà de Saint-Merd, lorsque la 404 avait heurté une borne et que, rompant ses amarres, le cercueil avait dévalé la pente moussue, à travers des rangs étroits et sombres de sapins pour aller buter contre des roches, au bord d'un ruisseau. Il avait fallu descendre, avec des cordes et des pelles, soulever cette chose qui avait l'air de rire dans l'herbe, oui, de rire les yeux fermés comme pour se moquer, et qui puait, comme ce n'était pas permis, et remonter tout ça, celui qui riait en gardant les yeux clos sous le soleil, et le cercueil brisé, oui, repasser entre les rangs obscurs de sapins en se disant qu'il y faisait plus noir et froid que dans une tombe et qu'on aurait pu tout abandonner là, au lieu de laisser ce Pythre se foutre encore de nous, échapper à la tombe, tout faire pour ne pas y aller.

Nous irions, tous, ricanerions tous sous la lame ou mordrions la terre à pleines dents, après que nous aurions rechigné à y descendre, nous aussi, et alors que les autres, ceux qui resteraient, continueraient de se croire immortels, comme ce jour-là dans le petit cimetière en pente dont ils parcouraient l'allée centrale pour rejoindre la grille d'entrée et les voitures, laissant derrière eux celle qui pleurait le dernier des Pythre et qui n'aurait pas dû se trouver là, ou plutôt qui n'aurait pas dû s'y trouver seule. Car ce n'était plus à elle que nous pensions dans l'après-midi calme et ensoleillé mais à Suzon qui devait être vieille à présent et qui, nous pouvions bien le dire, n'avait guère été différente de nos femmes, en dépit de sa beauté, Suzon qui elle aussi avait eu son disparu, son enfui, fût-ce le seul souvenir d'une journée d'il y a quarante ans lorsqu'elle revenait de Treignac à bicyclette, ses longs cheveux bruns aux reflets d'un roux sombre et libres dans le vent tiède, peinant dans la côte interminable et les virages qui la forçaient à descendre pour pousser à pied le lourd vélo à pneus pleins. Elle devait avoir vingt-deux ou vingt-trois ans et affectait de ne songer pas plus à la guerre qu'à ces garçons de Siom qui l'avaient attachée aux branches du bouleau et regardée tournoyer toute nue dans la lumière. Elle ne craignait personne et redoutait tout le monde, ne parlait pas, ne se plaignait jamais. Arrivée à la Butte, près de Saint-Hilaire, elle vit les camions et les véhicules à chenilles arrêtés dans la ligne droite, à l'embranchement de la route de Siom. Elle ne songeait à rien, il faut le croire, et ignorait qu'on venait de pendre à Tulle une centaine d'hommes aux réverbères et aux balcons de la ville. Elle ne voulait plus rien savoir, ne pensait pas que ceux-là qui s'agitaient ou se reposaient autour des véhicules pouvaient être pires que ceux de Siom ou que son propre père. Elle se sentait belle, avait pleine conscience, il faut le croire, de la régularité, de la finesse étrange de ses traits, de la chevelure sombre, de l'avancée magnifique de sa lèvre inférieure, et de ses yeux sombres qui se posèrent bientôt sur ces hommes harassés, quelques-uns en uniformes noirs, les autres en gris-vert, étonnés, furieux ou heureux de voir une si jolie fille passer le long de la colonne, et l'un d'eux, un officier très jeune, dirait-elle bien des années plus tard, lorsqu'elle n'aurait plus sa beauté et ne répondrait plus qu'au patronyme maternel (mais l'avait-elle dit, ne l'avions-nous pas rêvé, n'était-ce pas là quelque chose de seulement vraisemblable par quoi nous voulions l'humilier encore et nous avec elle ?), debout sur la plateforme d'un engin à chenilles, torse nu, très grand et mince et paraissant plus grand encore du fait qu'elle le voyait d'en bas et presque à contre-jour, avec sa tête brune rougie par l'eau de la fontaine dont il venait de s'asperger, qui souriait elle ne savait à qui ni à quoi — et pourquoi pas à cette jeune fille en robe bleu clair qui pédalait lentement vers la route de Siom, la poitrine lourde comme offerte dans l'effort lent, et qui l'observait du coin de l'œil et puis se retourna, dès qu'elle eut pris sur la droite, sans qu'elle sût pourquoi. Et ce serait l'affaire de toute sa vie, cet officier à demi nu au milieu de ces hommes fourbus vers qui elle avait levé les yeux et qui, rencontrant les siens, l'avait aspergée d'eau fraîche en lui souriant comme personne ne lui sourirait jamais, tous deux sachant ou devinant qu'ils n'avaient plus rien à attendre, damnés chacun à sa façon, l'officier entré déjà dans le reniement et la défaite et elle dans le silence de sa beauté et dans ce que personne n'apaiserait jamais, non pas le feu de son ventre mais le passage du temps ; personne : ni l'Espagnol, ni les quelques autres qu'on lui prêta, puisque aucun d'eux n'était ce grand dieu brun au visage de gosse qui s'apprête à chanter dans les supplices et qui lui avait souri, ce soir-là, alors que l'eau qu'il lui jetait lui faisait autour de la tête comme un éventail de rosée.

C'était du moins ce qu'elle raconterait à la femme qui vint frapper chez elle, un an plus tard, par un tiède soir de mai : une femme de petite taille, trop maquillée, vêtue comme une bourgeoise, et qui pouvait avoir soixante ans. Suzon ne serait pas longue à comprendre. Elle la ferait asseoir dans le salon frais, allumerait une de ces cigarettes américaines qui étaient devenues son seul plaisir et attendrait, continuerait de se taire alors même que c'était à elle de parler, de se tourner vers cette petite femme qui lui souriait timidement.

— Il est mort, n'est-ce pas ?

— Ils sont tous morts, murmura Suzon avant d'ajouter : Je ne vaux pas mieux...

— Allons, vous êtes encore belle.

Suzon sourit, ou plutôt ses lèvres s'étirèrent pour souffler la fumée d'une façon que la visiteuse put prendre pour un sourire et qui n'était sans doute qu'un soupir. Elle dit encore qu'elle était morte depuis longtemps, que les Pythre avaient toujours été plus près des morts que des vivants, comme disait son père, oui, à peine vivants et déjà presque oubliés, alors qu'ils auraient mérité mieux. Ils n'auraient pas su vivre, ni à Siom, ni à Féniers, ni nulle part, les autres les en ayant empêchés — les autres ou le destin, c'était pareil, murmurait-elle. On l'avait vue sourire à l'officier allemand et pour cela l'eût volontiers tondue ; mais elle savait, la visiteuse, qu'on ne résiste pas au torse nu d'un homme sur lequel coule un filet d'eau fraîche dans le soleil de l'après-midi et qui vous épargne alors qu'il aurait pu vous livrer à ses reîtres, n'est-ce pas, on peut comprendre ça, c'est quelque chose qui regarde un homme et une femme, soudain, dans le dessaisissement des heures et du ciel trop bleu, et rien d'autre. Mais on ne pouvait pas plus vivre d'un souvenir que se résoudre à épouser un employé de mairie ou un négociant en champignons ; il fallait savoir ça et faire de son mieux pour ne point passer ses jours et ses nuits à se ronger le cœur.

— Et Jean ? finit par demander la femme.

Elle attendit que Suzon comprît, se rappelât peut-être qui était ce Jean dont la visiteuse prononçait le nom comme si elle n'en eût pas le droit. Mais elle, Suzon, ne savait rien, ignorait que Jean était mort et reposait au cimetière de Saint-Sulpice. La femme se leva, fut sur le point de lui dire qu'elle ne la croyait pas, puis marcha vers la porte qu'elle ouvrit avant de se retourner et de dire :

— Vous avez sans doute raison : à quoi bon remuer tout ce passé...

Elle ajouta, plus bas, sans que Suzon pût comprendre si elle parlait d'elle ou bien des Pythre :

— Vous n'étiez pas comme les autres.

Suzon ne répondit pas. Peut-être souriait-elle de ce que l'autre lui donnait raison, la renvoyait à sa vie solitaire, à cette maudissure qui la faisait tournoyer sur elle-même comme dans le bois de bouleaux. Peut-être répondit-elle quelque chose, la visiteuse n'en aurait pas juré, ou bien était-ce le bruit du dehors, le vent, le meuglement d'une génisse, plus loin, dans les collines où l'on croyait entendre bruire les sources.

Elle remonta dans la voiture au volant de laquelle l'attendait un homme à fines moustaches. Ils roulèrent jusqu'à Saint-Sulpice, errèrent parmi les tombes, contemplèrent les autres collines, les frondaisons calmes, l'église enténébrée. Puis la femme alla demander au fossoyeur blond, qui brossait la pierre d'un caveau, où était enterré Jean Pythre. L'homme n'en savait rien et la renvoya à son collègue qui faisait brûler dans un coin des herbes, des papiers, des fleurs séchées. Il releva son béret.

— Un gars de Siom, dit la femme, on l'a enterré là l'an passé.

L'homme écarta les bras.

— Allez demander au maire, finit-il par dire, il n'a rien à faire, il vous paiera un coup.

Elle haussa les épaules, murmura qu'elle n'aimait pas déranger, qu'elle trouverait bien. Le fossoyeur blond l'accompagna, lui montra plusieurs tombes sans nom, s'arrêta devant un carré de terre grise sur lequel penchait une vieille croix.

— Peut-être celle-là, oui, je crois que je me rappelle : le cercueil était cassé, et le gars puait comme le diable.

Elle fit comme si c'était là, et demeura longtemps à frissonner, à se mordre la lèvre, avant de se signer et de retourner à pas lents, les larmes aux yeux, vers le moustachu qui l'attendait près de la grille en fumant avec les fossoyeurs. Elle ne se retourna pas : elle monta dans la voiture et attendit, les yeux clos, le claquement de la portière pour dire, très bas, que ça n'aurait pu être autrement ; ou peut-être ne le dit-elle pas et ne pensa-t-elle plus à rien, ce qui était la seule façon de continuer, oui, de s'obstiner, à cause du torse d'un homme qui souriait et sur quoi coulait quelque chose, un filet d'eau fraîche, ou de la sueur, ou encore, pouvait-elle se dire, du sang, oui, le sang des soldats perdus et des Pythre, et de tous ceux qui, sur cette haute et sombre terre, avaient accompli, siècle après siècle, jusqu'à la fin, les gestes de l'immortalité.

DU MÊME AUTEUR

Aux Éditions P.O.L.

L'INVENTION DU CORPS DE SAINT MARC, 1983

L'INNOCENCE, 1984

SEPT PASSIONS SINGULIÈRES, 1985

L'ANGÉLUS, 1988 (Folio n° 3506, en un volume avec *La chambre d'ivoire* et *L'écrivain Sirieix*)

LA CHAMBRE D'IVOIRE, 1989 (Folio n° 3506, en un volume avec *L'écrivain Sirieix* et *L'angélus*)

LAURA MENDOZA, 1991

ACCOMPAGNEMENT, 1991

L'ÉCRIVAIN SIRIEIX, 1992 (Folio n° 3506, en un volume avec *La chambre d'ivoire* et *L'angélus*)

LE CHANT DES ADOLESCENTES, 1993

CŒUR BLANC, 1994

LA GLOIRE DES PYTHRE, 1995 (Folio n° 3018)

L'AMOUR MENDIANT, 1996

L'AMOUR DES TROIS SŒURS PIALE, 1997 (Folio n° 3199)

LAUVE LE PUR, 2000 (Folio n° 3588)

Aux Éditions Gallimard

UNE VOIX D'ALTO, 2001

Chez d'autres éditeurs

LE SENTIMENT DE LA LANGUE, Champ Vallon, 1986

LE PLUS HAUT MIROIR, Fata Morgana, 1986

BEYROUTH, Champ Vallon, 1987

LE SENTIMENT DE LA LANGUE II, Champ Vallon, 1990

LE SENTIMENT DE LA LANGUE I, II, III, La Table Ronde, collection « La Petite Vermillon », 1993, *prix de l'Essai de l'Académie française 1994*

UN BALCON À BEYROUTH, La Table Ronde, 1994

CITÉ PERDUE, Fata Morgana, 1998

AUTRES JEUNES FILLES, avec des dessins d'Ernest Pignon-Ernest, Éditions François Janaud, 1998

LE CAVALIER SIOMOIS, Éditions François Janaud, 1999

Composition Nord Compo.
Impression Société Nouvelle Firmin-Didot
à Mesnil-sur-l'Estrée, le 22 novembre 2002.
Dépôt légal : novembre 2002.
1ᵉʳ dépôt légal dans la collection : novembre 1997.
Numéro d'imprimeur : 61927.
ISBN 2-07-040042-5/Imprimé en France.

121242